의사국가고시 | 레지던트시험 | 전문의시험 | 준비를 위한

HAND
POWER
Pediatrics ②

POWER MANUAL SERIES

소아청소년과

군자출판사

Power 소아청소년과(핸드북) 2 9th ed.

첫째판 1쇄 발행		2000년 3월 29일
둘째판 1쇄 발행		2002년 1월 10일
셋째판 1쇄 발행		2003년 8월 5일
넷째판 1쇄 발행		2007년 6월 20일
다섯째판 1쇄 발행		2007년 7월 1일
여섯째판 1쇄 발행		2008년 8월 12일
일곱째판 1쇄 발행		2010년 10월 4일
여덟째판 1쇄 발행		2013년 7월 15일
아홉째판 1쇄 발행		2017년 2월 12일

지 은 이 전북대학교 의학전문대학원 학술편찬위원회
감   수 임인석, 이원석, 안지현
발 행 인 장주연
출 판 기 획 김도성
표지디자인 김재욱
편집디자인 신익환
발 행 처 군자출판사
　　　　　등록 제 4-139호(1991. 6. 24)
　　　　　본사 (10881) **파주출판단지** 경기도 파주시 회동길 338(서패동 474-1)
　　　　　전화 (031) 943-1888　팩스 (031) 955-9545
　　　　　www.koonja.co.kr

ISBN 979-11-5955-138-3
ISBN 979-11-5955-136-9(세트)

2권 세트 30,000원

머리말

의학이 발달할수록 의학 관련 지식정보는 눈덩이처럼 불어납니다. 다양한 국내·외 교과서들이 있고, 인터넷으로 방대한 의학지식을 접할 수 있지만 한정된 시간에 많은 과목을 공부해야 하는 학생 시기에는 잘 정리된 교재가 필요합니다.

지금도 대부분의 학교 수업은 슬라이드와 강의록을 중심으로 제각각 이루어지고 있습니다. 의사국가시험, 레지던트 임용시험, 전문의 시험처럼 전국 단위로 치러지는 시험에서는 전 단원이 일관성 있는 요약정리서가 필요합니다. '파워 시리즈'는 오랜 기간 국내 유일 의학 요약정리서로 자리매김해 왔습니다.

이번 개정판에서는 국내·외 새 교과서를 바탕으로 그동안 업데이트된 의학지식을 반영하였습니다. 새 교과서에서 내용이 사라졌더라도 이전 교과서의 내용 가운데 시험에 임하거나 환자를 만났을 때 도움이 될 수 있는 내용을 살렸습니다. 교과서마다 내용에 차이가 있는 부분도 함께 다루었습니다. 이 과정에서 전·현직 교수님, 전문의 선생님의 자문을 통해 완성도를 더욱 높였습니다.

이제 학교 수업의 진도에 맞춰, 임상실습을 하는 동안, 의사국가시험을 준비하면서 파워 시리즈를 활용하면 보다 효율적으로 고득점의 목표에 도달할 수 있을 것입니다. 레지던트 선생님도 수련 기간 동안 이 책을 서브노트로 활용하면 전문의 시험 대비에 훨씬 수월할 것으로 확신합니다.

임인석 · 이원석 · 안지현
전북대학교 의학전문대학원 학술편찬위원회

Power 소아청소년과 2

Contents

1권

2권

15 심혈관 질환

Power Pediatrics

I 심혈관질환(Cardiovascular Disease)의 진단

1. 병력 청취

(1) 성장, 호흡곤란, 청색증, 잦은 상기도 감염, 운동 시 호흡곤란, 발한, 두근거림, 부정맥

(2) 선천 심질환의 가족력 심장이외의 기형 동반유무

2. 진찰

1) 일반 진찰

(1) 성장발육상태, 청색증, 호흡곤란 유무 관찰

(2) 호흡, 맥박, 체온, 혈압

호흡수와 맥박수는 반드시 1분 동안 측정, 평균 신생아 맥박수 120~140회/분

① 혈압 측정

Ⓐ 혈압대의 너비가 그 아이에게 적당한 것을 사용해야 한다.

- 혈압대의 너비(폭, width) → 상완 중간 둘레의 약 40% 정도 되는 것 적당

- 큰 아이의 경우 → 혈압대의 너비가 상완 또는 하지 상부의 2/3를 덮는 것을 사용, 실제보다 좁은 혈압대를 쓰면 혈압이 실제보다 높게 나옴. 이 보다 넓은 혈압대를 쓰면 혈압이 실제보다 낮게 나옴.

- 공기 주머니의 길이는 상완 둘레의 80~100%를 덮어야 함.

Ⓑ 혈압을 측정하는 방법

- 3가지 크기의 혈압대, 성인용 및 다리의 혈압을 측정하기 위한 큰 혈압대 등 5가지 필요

- 신생아나 영아에 있어서는 혈관음이 약해서 청진법으로는 혈압측정이 힘들다.
- 최근에는 oscillometric 방법(Dinamap)을 이용하는 경우 많다.
  → 특히 신생아, 영유아에 유용
- 다른 방법으로는 촉진법(palpation method), 발적법(flush method) 등이 있다.

ⓒ 혈압측정시 고려해야할 사항

- 하지 혈압은 상지보다 10mmHg 정도 높다.
- 상지 혈압이 하지 혈압보다 높은 경우는 대동맥 축착이나 Takayasu 동맥염 등을 의심
- 맥압(pulse pressure) : 수축기압과 확장기압의 차이
  맥압이 증가하는 경우 → 도약맥(bounding pulse)가 촉지
    ① 동맥관 개존
    ② 동정맥루(AV fistula)
    ③ 대동맥 역류
    ④ 심박출량의 증가
- 맥박(pulse) : 맥박은 요골동맥과 대퇴동맥 동시 촉진
  – 정상에서 대퇴동맥 맥박이 더 빠르나 대동맥 축착이 있는 경우 대퇴동맥 맥박이 늦게 촉진될 수 있음(radial-femoral delay).
  맥박이 약해지는 경우
    ① 심부전
    ② 심장눌림증(pericardial tamponade)
    ③ 좌심실 유출로 협착(LVOTO=Left Ventricular Outflow Tract Obstruction)
    ④ 심근병증

ⓓ 혈압에 영향을 주는 요소

- 연령, 신장, 체중
- 운동, 흥분, 기침, 긴장할 때에는 수축기압이 40~50mmHg까지 올라갈 수 있음.
- 고혈압이 있는 경우는 항상 연속해서 측정해야 함.

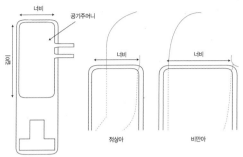

알맞은 혈압대의 너비

분류	수축기 또는 이완기 혈압 백분위수
정상	90 백분위수 미만
고혈압 전단계(prehypertension)	90~95 백분위수 또는 이보다 적더라도 120/80 mmHg 이상인 경우
고혈압 : 1단계(stage 1)	95~99 백분위수 +5 mmHg
고혈압 : 2단계(stage 2)	99 백분위수 +5 mmHg 이상

2) 심장의 진찰

(1) 시진 : 오랫 동안 심장 비대가 있는 환자 → 전흉부의 돌출, 흉곽의 앞뒤 지름이 증가

(2) 촉진

- 우심실 비대 시 전흉부 전체에서 heave가 만져짐.
- 좌심실 비대 시 심첨부에서 heave가 만져짐.
- apical impulse를 알 수 없는 무활동 심장부 : 심낭 삼출액, 심근병증, 정상비만아

(3) 타진 : 심장 비대 시 타진상 dullness를 들리는 부위가 증가

(4) 청진 : 심박 수 및 리듬, 심음의 강도 및 성질을 점검

① 심음

ⓐ 심음의 강도 및 성질 → 특히 S_2에 대하여 평가하고, S_3, S_4, 분마율(gallop rhythm)의 존재유무를 들어본다.

㉠ S_2
- 구성

  A_2(대동맥 판막이 닫히는 소리)

  P_2(폐동맥 판막이 닫히는 소리)
- 특징

  정상인에서는 A_2는 P_2보다 크게 들린다.

  P_2가 크면 → 폐동맥 고혈압의 존재를 의미

  S_2의 분열정도는 호흡에 따라 변한다.

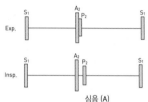

심음 (A)

A2-P2의 간격은 흡기 시에 넓어지고 호기 시에는 하나로 들린다.

넓게 고정성으로 분열되는 경우(wide fixed splitting)

   → ASD(우심실 확장과 함께 폐동맥을 지나는 혈류가 증가하면서 폐동

   맥 판막이 늦게 닫히면서 발생)
- 고정성은 아니지만 넓게 분열된 경우

   → 폐동맥판 협착, Ebstein 기형, 전폐정맥 환류이상, 우각 차단

㉡ S_3 : 정상에서 심박수가 느린 경우나 심부전증이 있을 때 들릴 수 있다.

㉢ S_4 : 정상에서는 들리지 않는다.

㉣ 분마율(gallop)
- S_3가 크게 들리면서 빈맥이 있을 때 빠른 3중 리듬으로 들리는 것
- S_3와 S_4가 함께 들리는 경우도 있다(중합성 분마음 : summation gallop).
- 병적인 상태를 의미(흔히 심부전증시)

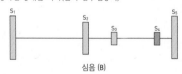

심음 (B)

ⓑ 수축기 박출 클릭(Systolic ejection click)과 판 열림음(opening snap)

ⓐ 수축기 박출 클릭(EC)

심실 수축기 도중 제1음 직후 들리는 소리

폐동맥 판막이나 대동맥 판막이 두꺼워져서 협착이 있는 경우 이 판막이 열릴

때 나는 소리

ⓒ 수축기 중기 클릭(midsystolic click : MC)

박출 클릭보다 늦게 수축기에 나는 소리

승모판 탈출(mitral valve prolapse)시 심첨부에서 들린다.

ⓒ 판 열림음(OS)

심실 이완기 도중 제2음 직후에 나는 소리

승모판의 협착 시 승모판이 열리는 소리

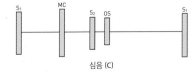

심음 (C)

② 심낭 마찰음(Pericardial friction rub)

심낭염이 있을 때 심장벽과 심낭의 마찰로 나는 소리

손가락 두 개를 귀옆에서 비비는 듯한 소리

③ 심잡음(Heart murmur)

ⓐ 강도(Intensity, 6도로 구분)

• 1도 : 겨우 들리는 정도

• 2도 : 잘 들리나 약하다.

• 3도 : 크게 들리나, 촉진상 진전(thrill)은 만져지지 않는다.

• 4도 : 매우 크며, 진전이 만져진다.

• 5도 : 청진기를 가슴에 약간만 대도 들린다.

• 6도 : 청진기를 가슴에 대지 않고도 들린다.

ⓑ 심장 주기 와의 관계

ㄱ) 수축기 심잡음(Systolic murmur)

- 박출성(ejection type) 수축기 심잡음 : AS, PS
  - 다이아몬드형 잡음
  - 반월판의 협착이 있거나, 정상 반월판이라도 통과하는 혈류가 많아져서 상대적으로 좁은 경우에 들린다.
  - 좌측 또는 우측 제2늑간, 즉 심장 기저(base) 부위에서 잘 들린다.
- VSD가 동반되지 않은 경우 : AS, PS가 심할수록 크게 들린다.

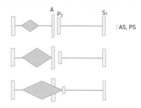

수축기 박출성 잡음(Systolic ejection mumur)

  - 범수축기형(pansystolic 또는 holosystolic type) 수축기 심잡음
- S₁과 같이 시작하여 저의 전 수축기를 통하여 들린다.
- VSD, MR, TR의 경우 잘 들린다.

범수축기 잡음(Pansystolic murmur)

ㄴ) 이완기 심잡음(Diastolic murmur)

S₂과 S₁사이에서 들림

- 이완 초기 심잡음(early diastolic murmur, decrescendo diastolic murmur)
  - AR, PR때 들린다.
  - 급성 폐쇄 부전으로 심실이 적응하지 못하였을 경우를 제외하고는 판막의 폐쇄 부전이 심하지 않으면 S₂ 후에 짧게 들리고, 폐쇄부전이 심하면 길게 들린다.

- 심첨부 이완 중기 심잡음(apical mid-diastolic rumbling murmur)
  - 심첨부에서 잘 들리는 저음의 잡음
  - MS, VSD, PDA → 많은 양의 좌우 단락이 있을 때 승모판을 통과하는 혈류량의 증가로 인한 상대적 승모판 협착증(relative mitral stenosis) 때문에 들린다.
- 삼첨판 이완 중기 심잡음(tricuspid mid-diastolic rumbling murmur)
  큰 심방중격결손증에서 삼첨판을 통과하는 혈류량이 많을 때 흉골 좌연 하부에서 잘 들린다.

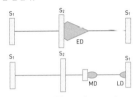

확장기 잡음(Diastolic murmur)

ⓒ 지속성 심잡음(continuous murmur)
수축기부터 시작하여 S_2를 지나 확장기까지 들리는 잡음으로 동맥관 개존증, 대동맥폐동맥 개창(aorto-pulmonary window), 관상동정맥 샛길(coronary A-V fistula) 등에서 들을 수 있다.

: PDA, aortic pulmonic window persistent truncus arteriosus

지속성 잡음(Continuous murmur)

ⓒ 가장 크게 들리는 부위

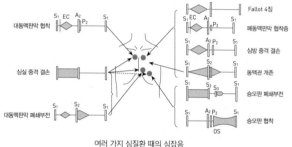

여러 가지 심질환 때의 심잡음

EC : 수축 조기 click, OS : 개방음

ⓔ 무해성 심잡음(Innocent heart murmur, functional murmur)

☆ * 무해성 잡음이 아닌 경우

이완기에 들린다.

강도가 3도 이상이다.

Positional change에 따라 murmur가 바뀐다.

* 감별해야 할 심질환 : 승모판 역류, 가벼운 폐동맥이나 대동맥협착, 심방중격 결손, 비후성 심근병증, 류마티스 심염

- 생리적 폐동맥 분지 협착 잡음(Physiologic pulmonary branch stenosis murmur)
  - 생후 수개월 내의 신생아, 영·유아에서 흔히 들리는 잡음
  - 특징 : 심장 바로 위에서보다는 양쪽 폐의 말단 부위에서 더 크게 들리는 짧은 수축중기(midsystolic murmur) 심잡음. 생후 수개월 내에 사라진다.

- 스틸 심잡음(Still murmur) 3~7세 무해성 잡음 중 가장 흔하며(40~80%)
  - Vibratory, squeaky, groaning, musical 등으로 표현되는 수축기에 들리는 중간 음조의 잡음
  - 좌측 흉골연 중간부와 심첨부 사이에서 잘 들린다.
  - 누워 있을 때 잘 들리고 서 있으면 작게 들리거나 사라진다.

- 정맥성 잡음(Venous hum)
  - 목에서 경정맥을 따라가며 들리는 바람 소리와 같은 지속성 잡음
  - 경정맥을 누르면 사라지거나, 목 자세를 바꾸어도 변하는 것이 특징이다.

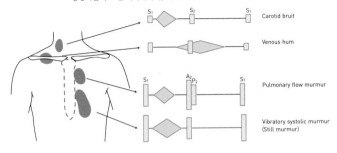

소아의 무해성 심장음의 청취 부위

3. 비침습적 심장검사

1) 단순 흉부 X선 촬영

- 심장 크기, 모양, 폐혈류량에 관한 정보 얻을 수 있다.
- 심장크기 : CT 비율(Cardiothoracic ratio)로 결정
  - 50% 이상 시 심장크기 증가로 간주

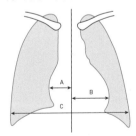

(흉부 X선 사진에서 CT ratio 측정) → CT ratio=(A+B)/C

- 특징적 심장의 모양

  Fallot 4징 : 장화 모양(boot shaped heart)

TAPVR의 supracardiac type : 8자 모양(snowman or figure of 8 appearance)

TGA : 달걀이 누워 있는 모양(egg on string)

CoA : 상하행 동맥이 3자형의 그림자 만듦

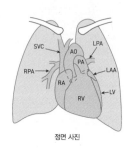 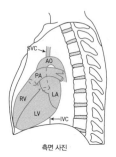

정면 사진   측면 사진

흉부X선 사진에서 심장의 윤곽을 구성하는 심혈관구조

SVC: 상대정맥, RPA: 우폐동맥, RA: 우심방, MPA: 주폐동맥, LPA: 좌폐동맥, LAA: 좌심방귀(appendage),
LV: 좌심실, IVC: 하대정맥, RV: 우심실

2] 심전도(Electrocardiography)

- 출생 시에는 우심실이 좌심실보다 더 커서 우심실의 우세를 나타낸다.
- 영아기에서는 V1에서 R파가 크고, V6에서는 S파가 깊다 T파가 생후 1주부터 10세경 까지는 V1에서 negative로 나오는 것이 정상이므로 positive시 우심실 비대를 의미
- 대부분의 선천성 심장병에서는 QRS축은 정상이거나 우축 편위를 나타내는 수가 많다.

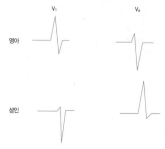

3) 심초음파 검사(Echocardiography)

- 초음파를 이용한 비관혈적 심장 검사 방법
- 심장의 구조, 심실의 기능 및 혈역학적 진단을 비교적 정확하고 용이하게 할 수 있다.
- 검사의 영역 : 경흉부 검사, 경식도 검사, 심장내 검사, 혈관내 검사, 태아 심초음파 검사
- 종류 : 이면성 심초음파, M−mode 심초음파 등

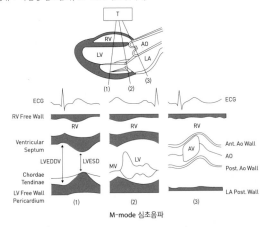

M−mode 심초음파

4) 활동 중 심전도(Ambulatory electrocardiography)

5) 운동 부하 검사(Exercise test)

6) 자기공명영상(MRI)

4. 심도자법(Cardiac catheterization)

- 특별히 제작된 도관을 혈관을 통해 심장에 넣고 각 부위의 압력과 산소포화도 측정

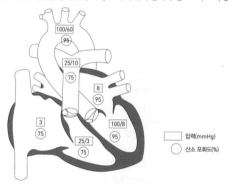

각 정상 심장 각 부위의 압력과 산소 포화도

태아 및 신생아 순환(Fetal and Neonatal Circulation)

☆**1. 태아 순환(Fetal circulation)**

1) 태아심장

재태기간 7~8주에 완성되어 기능을 한다.

2) 두 가지 주 경로

- 제대정맥 혈류 : 태아 심박출량의 약 40%, 문맥과 정맥관을 통해 하대정맥으로 연결
  → 우심방 내측을 지나 → 난원공 → 좌심방, 좌심실, 상행 대동맥
- 상대정맥혈류 : 삼첨판, 우심실을 거쳐 폐동맥으로 이어지고 폐동맥 혈류 중 대부분
  은 동맥관을 통해 하행 대동맥으로 가고 일부만 폐로 흘러감.

3) 태아의 순환 경로와 혈류량 분포

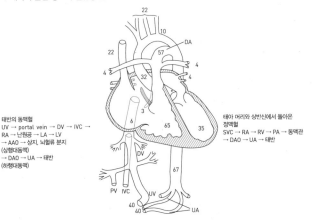

태반의 동맥혈
UV → portal vein → DV → IVC →
RA → 난원공 → LA → LV
→ AAO → 상지, 뇌혈류 분지
(상행대동맥)
→ DAO → UA → 태반
(하행대동맥)

태아 머리와 상반신에서 돌아온
정맥혈
SVC → RA → RV → PA → 동맥관
→ DAO → UA → 태반

태아의 순환 경로와 혈류량 분포

주순환 경로는 실선과 점선으로 표시되어 있다. 각 부분을 흐르는 혈류량 분포는 양쪽 심실의 총 박출량에 대한 %로 표시되어 있다.
총 박출량의 약 2/3를 우심실이 담당하며 나머지 1/3을 좌심실이 담당한다.
DA : 동맥관, DV : 정맥관, IVC : 하대정맥
PV : 문맥, UA : 제대정맥, UV : 제대정맥

[1] 좌심실은 상행 대동맥으로, 우심실은 폐동맥과 동맥관을 거쳐 하행대동맥으로 연결되며 우심실 박출혈류가 좌심실 박출혈류로 이어지지는 않는다. 우심실 박출량과 좌심실 박출량이 동일할 필요는 없다.

- 태아의 심박출량 = LV에서 박출하는 혈액량 + RV에서 박출하는
  혈액량(combined ventricular output)

[2] 산소포화도가 아주 낮은 상대 정맥과 하대 정맥의 외측혈류는 우심실, 동맥관, 하행대동맥을 거쳐 태반으로 흘러 산소 섭취가 용이해지고, 산소포화도가 높은 제대 정맥은 좌심실, 상행 대동맥을 거쳐 뇌로 흘러 간다.

→ 생리적 측면에서 합목적

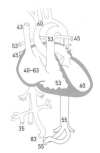

4) 태아 순환의 특징

[1] 우심실 박출량은 좌심실 박출량의 약 1.5배이다. (총 박출량의 2/3를 우심실이 담당하며, 나머지 1/3을 좌심실이 담당한다).

[2] 태아의 순환경로에는 한시적인 구조물이 필요
    → 동맥관, 난원공, 정맥관, 제대 혈관(동·정맥)

[3] 우심실과 폐동맥의 압력은 좌심실 및 대동맥과 동일

[4] 태반을 통하여 모체로부터 산소 공급받는다.

태아의 순환 경고와 혈류량 분포

2. 신생아혈액 순환(Neonatal circulation)

1) 출생과 더불어 변하는 순환의 양상

[1] 태반과의 연결이 끊어지고 제대 동맥의 혈류가 차단되면서 → 체혈관저항의 증가

[2] 호흡시작 → 폐의 물리적 팽창, 폐포의 산소 분압 증가, 국소 요소 등에 의해 → 폐혈관저항감소

[3] 난원공의 기능상 폐쇄

- 폐혈류 및 좌심방 혈류는 증가하고, 좌심방의 압력은 높아진다.
- 반면 제대 정맥 혈류 및 정맥관 혈류가 차단되면서 우심방 압력은 감소
  ∴ 난원공은 기능상으로 닫힌다.

[4] 높아진 산소 분압 및 다른 요인에 의해 생후 10~15시간 내에 동맥관 폐쇄

3. 신생아의 폐고혈압 지속증(Persistent Pulmonary Hypertension of the Neonate; PPHN, Persistence of Fetal Circulation)

1) 정의

정상 신생아와는 달리 출생 후 폐혈관 저항이 떨어지지 않고 높은 상태로 지속되어 RVH 가 생겨 태아에서와 같이 난원공 또는 동맥관을 통하여 우-좌 단락이 일어나는 경우를 말하며 독립된 단일 질병이라기보다는 태변흡입증후군, 폐렴, 페이형성증, 횡격막 탈장, 폐형성 저하 산소증, 저혈당, 여러 가지 심폐질환, 호흡곤란 증후군 또는 특발성으로 발생할 수 있는 증후군

2) 동반질환
- 분만 가사, 태변 흡인성 폐렴, B군 사슬알균에 의한 패혈증, 유리질막병, 저혈당증, 적혈구 과다증, 횡격막 헤르니아에 의한 폐형성 부전증
- 동반질환 없이 특발성인 경우도 흔하다.

3) 빈도

생존 출생아 500~700명에 1명 꼴

4) 증상

대체로 만삭아 또는 미숙아에서 출생 후 12시간 이내에 나타남

청색증과 호흡곤란이 주증상, 빠른 호흡, 빠른 맥, 호흡부전, 심잡음, 저혈압, 쇼크, 진찰소견상 호흡곤란과 관련된 증상 및 단일 S_2, 삼천판 역류로 인한 범수축기 심잡음, 비장비대, 저산소증, 심부전으로 인한 저혈압, 쇼크

5) 치료
- 목표 : 원인이 되는 요인의 개선과 신체조직에 원활한 산소 공급을 도모
- 초기 : 산소를 주면서 산혈증, 저혈압, 과이산화탄소혈증을 교정해 준다. 경우에 따라서는 알칼리혈증을 유발시키기도 한다.
- 심한 저산소증이 지속되는 경우 혈관 확장제(inhaled NO)투여, 기계적 환기요법에 반응하지 않으면 → 고빈도 진동환기요법(high frequency ventilation : HFV), 체외 순환 막성 산소화(extracorporeal membrane oxygenation : ECMO)

6) 예후

저산소성-뇌허혈성 뇌증(hypoxic-ischemic encephalopathy)과 폐혈관 저항을 어떻게 줄이
느냐에 달려 있다.

선천성 심질환 총론

1. 원인

1) 유전적 요인

[1] 염색체 이상(13%) - 염색체수의 이상이나 구조적 이상

염색체 이상과 선천성 심질환		
염색체 이상	심질환의 빈도	자주 동반되는 심질환
Trisomy 21 (Down 증후군)	40~50%	ASD, VSD, AVSD, TOF, PDA
Trisomy 18 (Edwards 증후군)	90~100%	ASD, VSD, PDA, TOF, CoA
Trisomy 13 (Patau 증후군)	80%	ASD, VSD, PDA, HLHS, CoA
Monosomy X (Turner 증후군)	25~35%	CoA, BAV, AS, HLHS
47,XXY (Klinefelter 증후군)	50%	ASD, PDA, MVP
22q11.2 deletion (CATCH22 증후군)	75%	IAA-B, aortic arch anomaly, truncus arteriosus, TOF
7q11.23 deletion (Williams 증후군)	50~85%	Supravalvar AS, PPS
Fragile X 증후군		MVP, 대동맥류

AS : 대동맥 판막 협착, ASD : 심방중격 결손, AVSD : 방실 중격 결손, BAD : 이엽성 대동맥 판막,
CoA : 대동맥 축착, HLHS : 좌심실 형성 부전 증후군, IAA-B : B형 대동맥활 단절, MVP : 승모판 탈출,
PDA : 동맥관 개존, PS : 대동맥 협착, PPS : 대동맥분지 협착, ToF : Fallot 4징, VSD : 심실중격결손

[2] 단일 유전자 결함 및 선천성 증후군(3%)

단일 유전자 이상과 연관된 선천 증후군		
증후군	자주 동반되는 심질환	유전자
Alagille 증후군	PS, ToF, ASD	JAG1, NOTCH2
Char 증후군	PDA	TFAP2b
CHARGE 증후군	ASD, VSD	CHD7, SEMA3E
DiGeorge 증후군	TOF, IAA, TA, VSD	TBX1
Ellis-van Creveld 증후군	ASD, VSD	EVC
Heterotaxy 증후군	DORV, d-TGA, AVSD	ZIC3, CFC1
Holt-Oram 증후군	ASD, VSD, AVSD	TBX5
Marfan 증후군	AR, 대동맥 박리, MVP	Fibrillin
Noonan 증후군	PS, AVSD, HCM, CoA	PTPN11, KRAS, RAF, SOS1

AR : 대동맥판막 역류증, ASD : 심방중격 결손, AVSD : 방실 중격 결손, CoA : 대동맥 축착막,
DORV : 양대혈관 우심실 기시, d-TGA : 완전 대혈관 전위, HCM : 비후성 심근증, MVP : 승모판 탈출,
PDA : 동맥관 개존, PS : 폐동맥 협착, ToF : Fallot 4징, VSD : 심실 중격

단일 유전자 이상과 비증후군 심질환	
유전자	심질환
Nkx2.5	ASD with atrioventricular conduction delay, TOF, tricuspid valve abnormality
GATA4	ASD without conduction abnormality, VSD
MYH6	ASD, hypertrophic cardiomyopoathy
BMPR2	Cardiac septation defects associated with PAH
CRELD1, ALK2	AVSD
NOTCH1	BAV, early aortic valve calcification
PROSIT–240	d-TGA

ASD : 심방 중격 결손, AVSD: 방실 중격 결손, BAV: 이엽성 대동맥판막,
d–TGA: 대혈관 전위, PAH: 폐동맥 고혈압, VSD: 심실 중격 결손

2) 환경적 요인(2~4%)

(1) 임신 중 질병 및 임신 초기 모체 감염 : 임신중 당뇨병, 전신홍반루푸스, 페닐케톤뇨
증 등이 있을 경우 또는 임신 초기에 풍진을 앓은 경우에 선천성 심장병이 발생하기도
한다.

(2) 약물 : thalidomide, antimetabolites, amphetamines, 항경련제(hydantoin, valproic acid,
trimethadone), progesterone /estrogen, retinoic acid, 지나친 흡연이나 음주, lithium, war-
farin

임신중의 약물 복용이나 질환과 연관된 심질환	
증후군	자주 나타나는 심질환
태아 hydantoin 증후군	VSD, ASD, CoA, PDA
태아 valproate 증후군	CoA, AS, HLHS*, PA* VSD
Retinoic acid 배아병증	conotruncal anomaly
태아 알코올 증후군	ASD, VSD
선천 풍진 증후군	PDA, peripheral PS
임신부의 페닐케톤뇨증	VSD, ASD, PDA, CoA
임신부의 당뇨병	HCM*, VSD, conotruncal anomaly

HCM : 비후 심근증, HLHS : 좌심 형성 부전 증후군, PA : 폐동맥 폐쇄

(3) 다인자 유전(mutifactorial inheritance) : 유전적 소인과 환경적 요인과의 상호 작용에 의
하여 발병되는 것으로 설명

대표적인 예 : VSD, ASD 등의 보통의 선천성 심질환

2. 빈도

- 생존아 1,000명당 8~10명, 미숙아에서 빈도증가(2%)
  사산아(3~4%), 유산아(10~25%)는 더 증가
- 미숙아의 동맥관 개존증이나 이엽성 대동맥 판막을 제외하면
  → 생존해서 태어나는 어린이의 0.8~1% 정도로 추산

선천 심질환의 종류별 빈도	
병명	**빈도(%)**
심실중격결손	34.9
심방중격결손	18.8
동맥관 개존	10
Fallot 4징	8.4
폐동맥 협착	7
대동맥 축착 및 대동맥활 단절	2.7
방실 중격 결손(심내막상 결혼)	2.1
삼첨판 기형	2
승모판 기형	1.9
대동맥 판막 기형	1.9
양 대혈관 우심실 기시	1.6
완전 대혈관 전위	1.5
단심실	1.4
폐동맥 판막 폐쇄	1
우심증	0.8
수정 대혈관 전위	0.7
전 폐정맥 환류 이상	0.6
좌심 형성 부전 증후군	0.1
총동맥간증	0.1
기 타	2.5

3. 선천성 심질환의 분류

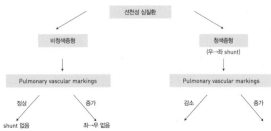

Pulmonary stenosis	**· Ventricular septal defect**	**Tetralogy of Fallot**	**Transposition of the great arteries**
Coarctation of the aorta	· Patent ductus arteriosus	(VSD+PS)	Total anomalous pulmonary
Aortic stenosis	· Atrial septal derect (secundum)	Tricuspid atresia	venous return
Mitral stenosis	· Endocardial cushion defect	Ebstein anomaly	Trucus arterious
Tricupsid stenosis	Partial anomalous pulmonary venous return	Single ventricle with PS Transposition with PS	Single ventricle without PS Hypoplastic left heart
Mitral regurgitation	Aortopulmonary window	Double-outlet of RV with PS	Double-outlet RV without PS

PS : pulmonary stenosis, *Pulmonary hypertension이 심하여 shunt가 역류할 때에는 cyanosis가 나타날 수 있다.

IV 비청색증형 선천성 심질환(Acyanotic congenital heart disease)

1) 심실 중격 결손(ventricular septal defect)

  * 선천성 심질환 중 m/c 기형 : 전체 심기형의 25%

  [1] 분류 : 결손과 접한 주위 구조들과의 관계 & 우심실 쪽에서 본 결손의 위치에 따라

  ★① 막양부 결손(perimembranous VSD)

  • m/c 형태(70%)

  • 심장의 전도 조직(His속)이 결손의 후하방에 연해 있다.

  • 결손 부근에 있는 삼첨판, 막상 중격에 의해 중격류(microaneurysm)가 형성되어
    결손이 작아지거나 완전폐쇄가 많다.

  ② 근성부 결손(muscular VSD)

  • 동양인에서 비교적 빈도가 낮다(서양 : 25%, 동양 : 5~10%).

  • 결손의 모든 경계 부위가 완전히 근성 중격으로 이루어짐.

  ③ 대혈관 판하 결손(subarterial 또는 juxta-arterial VSD)

  • 대동맥판-폐동맥판 직접 연결이 결손연을 형성하는 형태

  • 동양인에 많다(서양 : 5%, 동양 : 25~30%).

  • 자연 폐쇄되는 경우가 드물고, 대동맥 판막 탈출로 대동맥 폐쇄 부전이 오기 쉽다.
    : size 작더라도 반드시 op.해야 함.

  • 심잡음이 좌흉골연 제2늑간에서 가장 강하게 들린다.

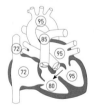
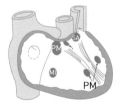

심실중격결손의 산소포화도   심실중격결손의 형 m/c

PM : perimembranous VSD / M : muscular VSD / MI : muscular inlet / MT : muscular trabecular
MO : muscular outlet / SA : subarterial VSD

(2) 증상 및 검사

- 임상 증상 → defect의 크기에 따른 ① 좌우 단락양(폐 혈류량, Qp/Qs)과

    ② pulmonary HTN의 severity에 따라 달라짐 : but ASD는 defect 크기와 관계없음.

① 결손이 작은 경우 : 무증상

- Normal X선 & EKG

- 60~80%에서 spontaneous closure 일어남.

- 우연히 심잡음 청취 → 진단되는 경우 많다.

- 심잡음

    강도 4/6 이상의 조잡한 범수축기 잡음(오히려 murmur가 크다!)

    결손 부위에 따라 잘 들리는 부위 다르다.

    막양부 결손 → 좌흉골연 하부

    근성부결손 → 결손이 있는 부위

    대혈관판하 → 좌흉골연 제2늑간, thrill 추진가능

- 생후 처음 수일이내에는 우심실 압력이 높아 좌우 단락량이 적기 때문에 심잡음이
  안 들릴 수도 있다.

② 중등도 결손(Aortic root의 직경 1/3~2/3 정도)

- 폐혈관 저항이 감소하는 생후 2~3개월 경부터 경한 심부전 소견

- 제일 먼저 나타나는 증상 : 빈호흡

- 이후 나타나는 증상 : 수유 시 호흡곤란등 심부전의 소견

☆ • P/E : 좌흉골하연에서 범수축기 잡음

- P₂ 약간 항진 or 정상

- 좌 → 우 단락량이 많은 경우(Qp : Qs>2 : 1)

             심첨에서 낮은 pitch의 확장기 잡음이 들린다.

- 심전도 소견 : LVH

- 자연경과에 의하여 결손의 크기가 감소하면 심부전 소견이 없어진다.

③ 결손이 큰 경우(Aortic root의 2/3 이상 → murmur는 ↓)

- chest deformity, Lt. downward apex

- P₂↑, pansystolic m, diastolic rumble, 심전도에 양심실비대소견

- 2-D 심초음파검사로 결손의 크기 및 부위를 직접 볼 수 있어 진단에 큰 도움

- 생후 3~4주경부터 심부전 증상이 나타나고, 점점 심해져서 호흡곤란, 체중증가
  부전, 잦은 하기도 감염

    ※ 생후 한 달내 CHF 증상 나타나는 선천심기형

① large VSD (m/i)

② large PDA

③ AVSD

[3] 경과

① 결손이 큰 환아

- 영아기에 심부전이나 반복되는 호흡기 감염으로 사망 많다(5%).

- 큰 심실중격 결손 시 적절 시기에 결손 막아 주지 않으면

→ 계속되는 폐동맥 혈류량과 폐동맥압

→ **폐혈관 폐쇄병변 진행**

→ 폐혈관 저항 커짐 : Eisenmenger syndrome

∴ 심부전 시 심한 큰 결손은 빨리 수술해야 함

② 자연 폐쇄

- 결손이 나이들면 작아지거나 자연 폐쇄되는 경우도 있다.

- 막양부위와 근성부의 작은 결손은 거의 폐쇄

- 막양부위와 근성부의 중등도 & 큰 결손은 크기가 줄어 들 수는 있으며, 드물게 자연 폐쇄, 작은 결손 ∵자연폐쇄 → 대부분 6세 이전(특히 1세 이전에 많다) (60~80%)

- 대혈관판막 결손 → 작더라도 자연 폐쇄 빈도가 작다.

③ 소수의 환아

→ 후천적으로 누두부 협착(infundibular narrowing)이나, 우심실 이중방 발생

→ 단락양이 줄어듬

→ 더 심해지면 단락 방향이 '우→좌'로 바뀜

④ AR이 합병될 수 있다(특히 대혈관판하 결손시).

: So, Subarterial type은 크기가 작아도 반드시 수술해야하는 type임

★ cf. 감염 심내막염 (X)

- 비청색증형 심질환인 VSD는 감염 심내막염의 위험 인자가 아니며 예방적 항생제가 필요없다.

[4] 치료

① 작은 결손

- 감염 심내막염의 예방조처 외에는 수술 등 특별한 치료 필요없다.

∴ 부모 안심시키기

② 큰 결손 : 1.0cm² 이상의 크기의 경우 울혈성 심부전 치료 및 Eisenmenger 증후군 발생 예방에 초점을 둔다.

★③ 일반적으로 즉시 결손을 막아야하는 Ix

- 내과적 치료에 반응하지 않는 경우
- 좌우 단락비(Qp/Qs)가 1.5 이상
- 폐동맥 협착 진행
- 대동맥 탈출로 AR합병(OP!!)
  Ⓐ pul. HTN 지속
  Ⓑ 내과적 Tx.에 반응하지 않는 큰 결손
  Ⓒ Qp/Qs가 1.5 이상
  Ⓓ 폐동맥 협착이 진행될 때
  Ⓔ 대동맥 탈출로 AR이 합병(특히 subarterial VSP)

④ 폐동맥 고혈압이 있어도 단락의 방향이 좌→우이고, 폐혈관 저항이 8Wood unit 이하일 때 수술의 적응이 되나, 폐고혈압이 심하여 단락의 방향이 주로 우→좌인 경우(Eisenmenger 증후군)에는 수술을 할 수 없다.

★※ Eisenmenger syndrome (**Pulmonary vascular obstructive disease**)

1) 정의

- 폐혈관 저항 11~12 Wood unit 이상
- 폐순환 저항의 비(Rp/Rs) 1 이상
- 좌우 단락의 비가 1.5 : 1미만

2) 기전

커다란 좌우 단락 질환 & 대혈관전위 & 총동맥간증

★→ 적절한 시기 교정 안됨.

→ 폐동맥 고혈압에 의해 폐소동맥의 해부학적 구조 변화(intimal hypertrophy, medial hyperplasia)

3) 경과

1세 이전 수술시 Eisenmenger synd.으로 발달 드물다.

* 영아기에 Eisenmenger synd.으로 진행을 많이 하는 경우

→ 방실 중격 결손, 심내막상 결손, 대혈관 전위, AP window, 총동맥간증, 다운 증후군

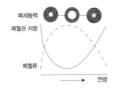

압력	P₂항진	+	+	+
	RVH	+	+	+
혈류	심부전	0	+	0
	심잡음	0	+	0
	LVH	0	+	0
	LAE	0	+	0

큰 심실중격결손에서 Eisenmenger 증후군으로 진행되어 가는 과정

4) 증상

   (1) 초기

   • 폐혈관 저항 ↑ → 좌우 단락 ↓

   ☆→ 증상이 호전되는 듯함 : 심부전 증상, LAE, LVH호전, 심잡음 소실

   (2) 진행

   좌우단락 감소 → 심부전 증상 없어짐.

   → 좌심방, 좌심실 비대소실, 심잡음 소실

   → 우좌 단락 발생

   → 심해져서 청색증 발생, 심부전, 심잡음, 운동시 호흡곤란

   → 흉통, 객혈, 뇌농양, 감염 심내막염, 심부전의 합병증으로 20대말~30대초 사망

5) 검사 소견

   • 청진

   단락에 의한 심잡음×, ejection click, 항진된 P₂

   • 심전도 : RVH & RAE

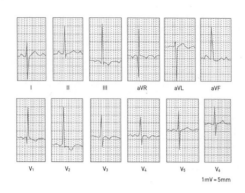

I   II   III   aVR   aVL   aVF

V₁   V₂   V₃   V₄   V₅   V₆

1mV = 5mm

6) 치료

- 현재까지는 심폐이식 또는 양측 폐 이식 수술만이 유일한 대안이다.
- 대증요법 : 심부전, 저산소증, 적혈구 과다증에 대한 대증요법
- 금기 : 수술 & 마취, VSD의 수술은 우심실 부전을 일으킬 수 있으므로 금기이다.
- 피할 것 : 심도자(특히 심조영술), 임신, 고지대 여행, 다량의 부신 피질 호르몬제
  (특히 estrogen제), 출혈 & 탈수
- 현재까지의 유일한 대안 : 심폐이식, 양측 페이식 수술

2. 심방중격결손(Atrial septal defect : ASD)

1) ASD의 결손 부위에 따른 분류

(1) 일차공 결손(Primum ASD)

- endocardial cushion의 결손에 의하여 발생
- ASD 중 가장 아래 부위에 위치

(2) 이차공 결손

- 난원와(fossa ovalis)를 덮고 있는 일차 중격의 결손에 의해 발생

(3) 정맥동 결손(sinus venous defect)

- 상공정맥 바로 아래 부위 또는 하공 정맥 또는 관정맥동(coronary sinus)부근 정맥동
  의 결손으로 생긴다.
- 폐환류이상이 잘 동반

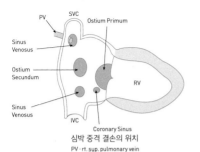

심박 중격 결손의 위치
PV · rt. sup. pulmonary vein

심박 중격 결손증

✦ 이차공 결손(Ostium secundum defect)

- 난원와 부위의 결손으로 심방중격결손의 여러 형태 중 m/c 형태
- 대부분 방실 판막은 정상
- 여자에서 3 : 1 정도로 많다.
- 동반기형 : 부분폐정맥 환류이상, 폐동맥판 협착, 승모판 폐쇄부전, Holt-Oram 증후군

---

2) 증상

- 대부분 증상이 없어 1~2세경에 심잡음으로 진단된다.
- 소아기에 심부전이나 폐동맥 고혈압을 일으키는 일은 드물다.
- ★ 20대 이후부터 운동능 감소 등 증상이 나타나기 시작하고, 폐혈관질환이 발생하면 청색증이 나타나기도 함.

3) P/E

- 우심실 거상(heave)
- 진전은 대개 만져지지 않는다.
- 청진

  흉골 좌상연에서 2~3/6도의 부드러운 구출성 수축기 잡음

  → 심방에서의 단락에 의하여 폐동맥으로 가는 혈류량이 증가했기 때문

- 제2심음 : 호흡과 관계없이 넓게 고정적으로 분열되어 들린다.
- ★ 흉골 좌하연에서 rumbling mid-diastolic murmur

  삼첨판을 지나는 혈류량의 증가로 발생

  좌우단락률이 최소한 2 : 1 이상임을 시사

4) 검사소견

(1) X선 검사

- 우심방 확대심전도

  → QRS축은 정상이거나 우축으로 편위, 우측 흉부 유도에서 우심실 용적과부하 소견인 rsR'형을 볼 수 있다.

(2) 심초음파 검사 : 우심실, 우심방이 커져 있고 M-mode에서 심실 중격의 기이성 움직임(paradoxical motion)을 보이기도 한다.

(3) 심도자검사

- 소아에서는 반드시 시행할 필요는 없다.
- 우심방에서 산소 농도가 증가

5) 예후 및 합병증

- 신생아기의 작은 ASD는 자연 폐쇄가 가능
- 큰 ASD의 경우에도 거의 대부분의 소아에서는 증상이 없다.
- 아주 큰 ASD를 제외하고는 예후가 비교적 좋아서 20~30대까지는 증상이 없는 것이 보통. 그러나 나이 들수록 좌심실의 유연성이 감소되기 때문에 단락은 증가

  → 30~40대 이후 심방 부정맥이 나타나기 시작

  → 40세 이후에 수술을 받은 환자에서 심부전이나 심방세동 등의 후유증이 흔히 보임. 수술이 필요한 경우 이른 시기에 해주는 것이 필요

6) 치료

- 선택적 조기 폐쇄 : device closure, 또는 수술적 폐쇄

  → Ix. : 증상이 있거나, 좌우 단락비(Qp/Qs)≥2

- 소아에서(Qp/Qs)<1.5이던 환자가 성인이 되면서 단락이 늘고 부정맥, 심부전증, 기이 색전 등 합병증을 일으키는 경우가 있어 치료적 범위를 이전과 비교하여 광범위하게 잡는 경우도 있다.

3. 방실 중격 결손(Atrioventricular septal defect)

※ 심내막 융기 결손(endocardial cushion defect) 또는 방실관 결손(atrioventricular canal defect)

- 발생학적으로 심내막상과 방실중격이 융합하는 과정의 장애
- 하부 심방 중격과 상부 심실 중격, 승모판 및 삼첨판의 중격엽(septal leaflet)형성의 장애를 보이는 일련의 질환군

- 일차공형 ASD와 승모판 전엽의 기형이 거의 항상 동반
- 동반 기형
  Ⓐ 다운 증후군(약 60%)
  Ⓑ isomerism 환자가 전체의 15~20%(무비증 환자의 대부분, 다비증 환자의 일부)
  Ⓒ Ellis-van Creveld 증후군에서 흔히 동반되는 단심방 역시 방실 중격 결손의 한 형태
  로 이어진다.

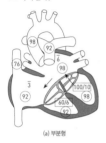
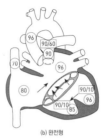

(a) 부분형   (b) 완전형

방실 중격 결손

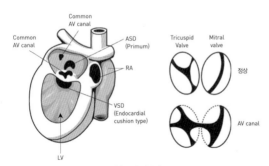

완전 방실 중격 결손과 AV valve

1] 분류

[1] 부분형(partial form)

- 일차공형 ASD와 함께 승모판 전엽의 열극이 동반되는 질환

- 승모판과 삼첨판으로 분리되어 있으며, 일차공형 심방중격 결손과 승모판 전엽의 틈새로 구성

(2) 완전형(complete form)

방실구(atrioventricular orifice)가 둘로 나눠지지 않은 형태로 공통 방실판 아래 심실중격 결손은 가져 심방중격결손과 융합되어 있다.

type A, type B, type C로 나누어진다.

★ type A : Down 증후군에서 흔하다.

type C : isomerism 환아에서 흔하다.

2) 증상

- 균형형 심실을 가지고 있는 방실 중격 결손에서는 심방단락, 심실 단락, 방실판 기능이 병의 경과와 예후에 가장 큰 영향을 끼친다.
- 가장 단순한 부분형에서는 일반적으로 심장 결손을 통한 좌우 단락의 양은 많으나, 승모판 폐쇄부전의 정도는 심하지 않아 임상 증상이나 경과가 이차공형 심방중격결손과 유사
- 완전형인 경우 초반부터 폐렴 등의 증상↑

3) 검사소견

★(1) X선 검사(goose neck deformity)

- 일반적으로 우심방 및 양심실 비대로 인한 심확대가 있다.
- 주폐동맥과 폐혈관 음영이 증가

(2) 심전도

- 특징적인 소견으로 QRS축은 좌축 편위(−30 ∼ −150°)
  ① lead I(−), ② aVF(−)→ QRS축의 좌축 편위
- 우심실 비대나 양심실 비대(완전형)가 나타남.
- PR간격이 연장되기도 함.

(3) 심도초음파 검사 : 심방 중격 하부에 일차공 결손이 보이며, 방실 판막은 양쪽 모두 동일한 높이에 위치한다.

(4) 심도자법

- 좌우 단락의 정도가 심하며 심방 아래쪽에서부터 좌우 단락이 있음을 알 수 있다.

★ 선택적 좌심실 조영으로 승모판 폐쇄부전과 좌심실 유출로의 'goose−neck' 모양을 볼 수 있다.

4) 예후와 합병증
- 부분형 일반적으로 이차공형 ASD와 동일하지만 방실 판막의 폐쇄부전 정도가 문제가 될 수 있다.
- 완전형의 예후는 좌우 단락과 폐혈관 저항의 상승, 방실 판막의 폐쇄 부전 정도에 따라 좌우, 조기에 교정 수술을 하지 않으면 영아기에 심부전 등으로 사망할 수 있다.
- 수술 전후 방실 전도 장애가 진행될 수 있다.

5) 치료
- 부분형 : 승모판 열극을 직접 봉합하여 교정하고 심방중격결손을 막아준다.
- 완전형 : 외과적 교정술은 부분형보다 힘들다. 특히 심부전이나 폐고혈압증을 동반하는 영아에서는 어려우나 가능하면 생후 6개월 이내에 교정한다.
- 심방, 심실 결손 부위를 막아 주며 방실 판막 재건술을 시행한다.

4. 동맥관 개존(Patent ductus arteriosus)

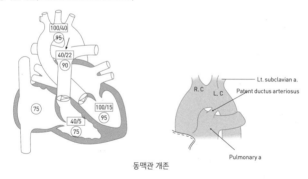

동맥관 개존

- 정의 : 정상 신생아의 동맥관은 출생 직후 기능적으로 막힌다. 하지만 동맥관이 계속 열려 있는 경우에는 폐혈관 저항이 감소하면서 대동맥 혈류가 폐동맥으로 유입되는 단락을 형성하게 된다.
- 위치 : 대동맥의 좌쇄골하 동맥의 기시부와 폐동맥의 분기 부위 사이에 존재
- 빈도 : 여아에서 남아보다 2 : 1로 높다.
- 임신 초기에 풍진에 감염된 경우 발생될 수 있다.

- 미숙아의 동맥관은 자연 폐쇄가 가능하나 정상 분만아의 동맥관은 자연폐쇄가 드물다.
  - 이유 : 만삭아의 경우 동맥관의 중막근육 및 내피 전막층 결핍을 볼 수 있는데, 미숙아의 경우 정상 동맥관 조직을 가지기 때문
- 선천성 심기형의 10%에서 동반

1) 증상

(1) 경한 경우 : 거의 증상이 나타나지 않는다. 우연히 심잡음이 청취

(2) 큰 동맥관

- P/E

☆– 넓은 맥압, 흉골 좌연 상부에서의 지속성, 기계양심잡음(continuous, machinery murmur)

  – 때로는 흉골 좌연하 방향 또는 좌측 쇄골 쪽으로 방사

  – 폐동맥 고혈압이 동반된 경우 전형적인 연속성 잡음이 들리지 않고 수축기성 잡음만 들리는 경우도 있다.

  – 단락이 많으면 심첨부에서 확장기 잡음이 들린다.

  – 동맥관 개존이 지속 시 AR이 동반될 수도 있다.

  – 심이 커지면 심첨부에서 과도한 박동이 뚜렷이 촉지되고 좌측 제2늑간에서 거상이 만져진다.

2) 검사소견

(1) 흉부 X선

- 심장의 크기는 단락양에 따라 결정
- 주로 좌심방과 좌심실이 확장되고, 폐혈관 음영의 증가, 대동맥융기(aortic knob)의 증가로 볼 수 있다.

(2) 심전도

- 좌심실(현저함) 또는 양심실 비대 소견이 보이고, 폐고혈압증이 현저할 때에는 우심실 비대가 우세해진다.

(3) 심초음파

- 동맥관을 확인할 수 있다.
- Doppler로 단락의 양과 방향, 대혈관 사이의 압력 차이 등을 알 수 있다.

3) 치료

- 연령과 동맥관 개존의 크기에 관계없이 심내막염, 심부전, 폐혈관질환 발생을 막기 위하여 수술 또는 심도자 폐쇄술을 시행
- 수술시 연령에 관계없이 결찰 또는 절단 수술

※ 미숙아의 동맥관 개존

- 미숙아에서는 동맥관의 폐쇄가 지연되는 경우 많다.
  - 이유 : 특히 유리질막증(특발성 호흡곤란증, hyaline membrane ds.) 동반된 경우에서는 저산소증, 산증, 혈관 수축에 따른 폐혈압의 증가, 저혈압, prostaglandin 분비, 폐미숙 등의 원인으로 동맥관 폐쇄를 지연 시킨다.
- 단락
  - 이런 시기에 단락은 양측성 또는 우 → 좌로 존재
    → 유리질막증이 호전되며 폐혈압이 감소하면서 좌 → 우로 형성
    → 좌심실 과부하와 폐울혈이 발생
  - 동맥관 개존증을 의심할 임상양상
    유리질막증이 호전되어도 지속적인 무호흡이 있거나 심첨부의 과도한 박동, 넓은 맥압, 도약맥, 수축기 또는 to and fro 잡음이 있고, 동맥혈 $PaCO_2$의 상승, 산소 의존도 등이 높아지며, 흉부 X선상 심장이 커져 있고, 폐혈관 음영이 증가되며, 간비대 등이 있으면 동맥관 개존증이 있다고 보아야 함

1) 증상

(1) 특발성 호흡곤란 증후군에 동반되는 경우가 흔하다.

(2) 중증 폐질환이 동반된 경우

- 폐혈관 저항의 증가
  → 실제로 커다란 동맥관 개존이 있어도 초기에는 좌우 단락이 적거나 없음
  → 폐질환이 호전됨에 따라 폐혈관 저항이 감소되면서 좌우 단락의 양은 증가
- 큰 동맥관 개존을 동반한 미숙아에서는 일반적으로 전형적인 기계적 잡음은 청진되지 않는다.

2) 치료

[1] 일반요법 : 대부분 환아의 경우 이뇨제 수분제한 등의 일반요법으로 호전

[2] Indomethacin

- 미숙아일수록 효과↑ (age가 많아 질수록 효과↓)
- 일반요법이 효과가 없을 때 0.2mg/kg을 12~24시간 간격으로 IV 3회
- 그래도 효과가 없을 때는 반복 시행
- 금기 : 혈소판감소(<50,000/mm³), 출혈 경향, 핍뇨(1mL/kg/시간), 괴사성 장염, 혈청 Cr 상승 (>1.8mg/dL)

[3] Ibuprofen

- 0.2mg/kg, 12시간마다 3회
- indomethacin과 동일한 효과, 오히려 뇌혈류량의 감소 없는 것으로 되어 있다.

※ 약물로 폐쇄되지 않고 심부전과 인공 호흡기 의존이 지속될 경우 수술적 치료를 해야 한다.

5. 폐동맥 협착(Pulmonary stenosis)

1) 분류

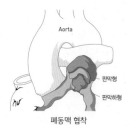

Aorta

판막형

판막하형

폐동맥 협착

[1] 판막형(valvular type)

80% 가량

판막이 서로 유착하여 두꺼운 돔(dome) 모양의 막을 이루고 있다.

[2] 판막하부형(누두부형, infundibular type)

단독으로 발생되는 경우가 드물며, 심실중격결손과 동반하여 TOF가 된다.

[3] 판막상부형(supravalvular type)

풍진 증후군이나 Williams 증후군과 잘 동반

2] 임상 증상

경증 또는 중등도의 폐동맥 협착증은 별 증상을 나타내지 않는다.

협착이 심한 경우에는 운동 시 호흡곤란

아주 심한 경우에는 심부 통증, 실신 등이 일어나는 수가 많다.

3] 검사 소견

☆ * $P_2\downarrow$ → 넓게 분열되어 들림

[1] 청진상

흉골 좌연 제2늑간에서 협착성(구출성) 수축기 잡음이 들리고 진전(thrill)이 만져진다.

Early ejection click이 상부 흉골 좌연에서 들린다.

[2] X선 검사

경한 예에서는 정상으로 나타나는 수도 있으나, 우심실 비대 또는 폐동맥이 돌출되어
있는 수가 많다(poststenotic dilatation). → pulmonary vascular marking은 정상

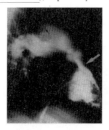

[3] 심전도

협착의 정도를 추측하는 데 도움이 된다.

중등도 이상의 협착증에서는 우심실 비대를 나타낸다.

(양성 T파 : V_1)

(정상보다 높은 R) → 협착의 정도에 따라 다양한 우심실 비대 소견이 나타난다.

(strain형)

4] 치료

· 경증은 수술을 요하지 않는다.

· 우심실과 폐동맥압의 차가 50mmHg 이상 : balloon valvuloplasty

· Valvuloplasty가 실패했을 때에는 수술을 해준다.

- 협착이 심한 신생아에서는 PGE1을 주면서 balloon valvulplasty를 하거나 수술을 해 준다.
  - → PDA를 열려 있게 만들어 폐혈류를 PDA를 통해 공급하기 위해

참고 • Ductus dependent lesion

    ① pulmonary atresia

    ② CoA

    ③ simple TGA중 좌우단락 없는 경우

    ④ 심한 TOF

※ 출생 즉시 shock 상태에 빠질 수 있는 선천심기형

    ① CoA (m/i)

    ② Interrupted Aortic arch

    ③ Hypoplastic left heart synd

    Tx. PGE1 써서 PDA유지시켜 주어야 함.

※영아기 때 증상이 없으면 나이가 많아져서 상지 고혈압이 생긴다.

6. 대동맥 축착(Coarctation of the aorta)

- 운동 후 하지통, 피로, 두통, 심한 고혈압으로 뇌혈관 사고
- 영아에서는 빈호흡, 발육장애, 반복되는 호흡기 감염, 심부전
- 고동 맥박(femoral pulse)이 약하거나 만져지지 않는다.
- 팔의 맥박은 강하게 만져진다.
- 상지에서 잰 혈압이 하지에서 잰 혈압보다 높으며, 하지에서는 맥박이 잘 만져지지 않는다(정상인 사람에서는 혈압대의 나비가 상지와 하지 지름의 125%를 썼을 때 하지의 혈압이 상지보다 10mmHg 높은 것이 보통이다).
- 하체로 가는 혈류감소 → 신장 동맥의 압력↓ → RAAS의 영향으로 HTN

1] 검사소견

☆(1) 흉부 X선 소견상 rib notching, 상 · 하행 동맥이 3자형의 그림자를 만들고 있는 모양

    (2) 심전도 : 좌심실 비대

2] 치료

    (1) Prostaglandin E1 (PDA를 열어주는 것)(TGA, CoA의 choice)

(2) 나이나 체중과 관계 없이 진단 즉시 도관을 이용한 치료나 수술한다.

   ① 풍선확장술과 stent 삽입

   ② 대동맥 절제와 단측 문합술(resection and end-to-end anastomosis)

     → 가장 많이 사용되며 아이가 성장하면서 수술부위가 같이 성장할 수 있는 장점이
       있다.

7. Vascular Ring의 특징적 임상 증상

- 해부학적 기형
- 우측 및 좌측 제4동맥궁이 남아 있는 것

     (혈관들이 식도와 기관을 졸라매고 하행대동맥과 연결됨)

1) 임상증상

  (1) 호흡곤란 : stridor, wheezing, 고음의 기관성 기침

  (2) 천명은 머리를 앞으로 숙이면 더 심해지고 뒤로 젖히면 덜해짐(특징적).

2) 진단

  (1) Barium esophagogram

  (2) Angiography : confirmative

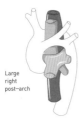

Large
right
post-arch

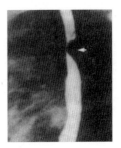

	TOF	TGA
개요	m/c 청색증 형 CHD : TOF 영아기 때 Dx, 되는 m/c 청색증형 청색증을 일으키나 심부전은 드물다.	신생아 때 Dx, 되는 m/c 청색증형 diabetic mother에서 태어난 아이
그림		
발생 기전	* 해부학적 특징 1. 폐동맥 협착 : 질환의 심한 정도 2. 심실중격결손 3. 대동맥 우위 4. 우심실 비대 : 우심실의 압력 과부하 때문	
임상 증상	1. 청색증 : 대개 생후 3~6개월경-출생 시에서도 나타날 수 있음 2. 동맥관이 폐쇄되고 우심실 누두부의 비후가 심해짐에 따라 진행 3. 울거나 운동 후 청색증이 심해짐(anoxic spell : 무산소 발작)-깰 때 혹은 갑자기 activity 증가시, 수유, 배변 시 4. clubbing of fingers & toes 5. polycythemia	1. 생후 2~3일경 PDA가 막히면서 cyanosis 심해지고 dyspnea-출생시 바로 청색증, 심잡음 없음 2. if without PS, early heart failure 3. severe arterial hypoxemia and acidosis, hypoglycemia & hypocalcemia
심음	1. loud, single S2 : aortic 부분만 2. long systolic ejection m. at middle & upper LSB 3. Ejection click : 심한 form	* X-선 소견 : egg on side apperance (오른쪽) - RA 커짐 (왼쪽) - RV hypertrophy, 폐혈관음영↑ * 심전도 : RAD+RVH

Tricuspid Atresia	TAPVR(전 폐정맥 환류 이상)
삼첨판의 완전 폐쇄 → 우심실 미발달, 폐동맥 형성 부전	모든 폐정맥이 LA로 돌아오지 않고 RA로 돌아오는 심기형
1. 동반 기형 : ASD가 필수적 – 그 외 VSD, PDA, TGA 2. 생후 초기부터(출생시부터 증상) – 심한 청색증, 호흡곤란, 손가락과 발가락의 clubbing, 피곤, 무산소 발작, hepatomegaly	1. 잦은 폐감염, 경한 청색증, precordial bulge
1. single S_2 2. systolic regurgitation murmur at LLSB	특징적인 gallop rhythm

X-선	no cardiomegaly, pulmonary vascular marking 감소 boot-shaped heart(우심실 비대가 와서 심장이 뒤로 밀리면서 심첨은 들려있고 폐동맥부는 들어감) 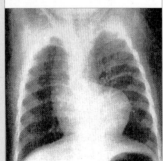	* 심초음파 : 정확히 진단 – 대동맥이 폐동맥보다 우측에 있음 * 심도자 : 진단만을 위해서는 필요하지 않으나 정확한 혈액학적 소견이 필요할 때 관상 동맥 주행을 확인할 때 or 풍선 심방중격 절제술을 시행시 필요 . 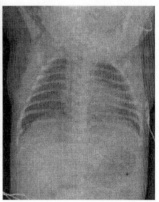
EKG	우측 편위, 우심실 비대	
치료	1. 내과적 : Hct을 55~65%로 유지, 만약 청색증이 있는 환자에서 Hb or Hct가 정상인 경우 – IDA 2. 저산소 발작 – 응급 치료 　① 슬흉위 　② 산소 투여 　③ morphine주사 　④ NaHCO₃ 투여 　⑤ propranolol 투여 　⑥ vasoconstrictor 투여 　⑦ 철결핍, 탈수 교정 3. 수술 : modified B-T shunt(3개월 미만), palliative B-T shunt(3개월 이후)→18~36개월에 근치적 교정 수술 * 최근 : 영아라도 단락 수술없이 조기에 근치적 수술을 하는 경향	1. 내과적 치료 　① 산혈증, hypoglycemia, hypocalcemia 교정 　② PGE1 투여 : PDA 존재하도록 　③ hypoxia가 심한 경우 : O₂ 　④ 심부전 치료 : digoxin, 이뇨제 2. 수술적 치료 　① VSDX : 풍선심방중격절제술 – ASD를 만들어 준다. 　② arterial switch op.
예후	1. 뇌농양 : 2세 이후의 소아 2. 뇌혈전 : 2세 미만 3. 감염 심내막염 cf. 심부전은 드물다.	1. simple TGA : 청색증이 주된 소견 2. large VSD 有 : 심부전이 주된 소견-폐혈류량이 많아서 3. VSD & PS : 청색증 & 심부전하지 않음

심장크기 정상	* 8자형 or 눈사람 모양
1. QRS 축의 LAD, LVH(우심방→좌심방→좌심실) 2. 높고 뾰족한 P파→우심방 비대 3. 청색증을 가진 환아에서 LAD가 나타낼 때 우선 TA를 생각	
Fontan 수술	

V 청색증형 심질환

1. Fallot 4징(Tetralogy of Fallot)

1) 빈도

   (1) 전체 선천성 심질환의 5~7%를 차지, 청색증형 선천성 심질환 중 m/c

   (2) 1세 이상의 청색증형 선천성 심질환의 75% 이상을 차지

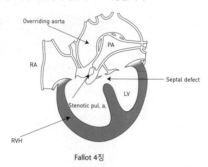

Fallot 4징

2) 병리 해부학적 이상

   (1) 우심실 유출로의 협착(폐동맥 협착 pulmonary stenosis, RV outflow tract obstruction) :
     m/i factor

   (2) 심실중격결손(large VSD)

   (3) 대동맥 기승(dextroposition of aorta or overriding of aorta)

   (4) 우심실 비대(Rt ventricular hypertopy) PS ← 우심실의 압력 과부하 때문에

     : 혈역학적으로 중요한 것 : 1. PS 2. VSD

       ① 이 병의 심한 정도는 **폐동맥 협착**의 심한 정도에 의해 결정됨.

       ★② 커다란 심실중격결손으로 우심실 압력이 좌측압력보다 더 높아지지는 않기 때
         문에 TOF에서는 소아에 심부전증을 일으키지 않는다.

3) 임상 증상 → PS의 정도가 severity를 결정

   (1) **청색증** : 대개 3~6개월경에 나타난다. 대동맥 협착이 심하거나 폐쇄되어 있을 때에
     는 청색증이 출생시부터 나타날 수도 있고, 대동맥 협착이 아주 경할 때에는 청색증이

나타나지 않을 경우도 있고(pink TOF), 소아기 후기에 가서 비로소 나타나는 경우도 있다. 청색증은 활동에 의해 심해진다(예 : 울거나 운동할 때).

(2) 호흡곤란 : hyperpnea and tachycardia, 뇌의 산소 부족으로 실신(anoxic spells, blue spells, syncopal attack), 생후 2세 이하에서(특히 생후 2~6개월)

(3) 청색증이 장기간 지속되는 경우에는 clubbing of fingers & toes를 나타냄.

(4) 울거나 운동 후에 저산소증에 의한 호흡곤란을 완화하기 위해 squatting position을 취함.

(5) 신체 발육이 경도로 지연되며, 적혈구 과다증(polycythemia)을 보인다.

4) 청진 소견(murmur가 거의 안 들림)

(1) 제2심음(S₂) : 크고, 분열되지 않으며, 단일음으로 들린다. 대동맥 판막이 닫히는 것 때문에 생김

(2) 수축기 잡음(long systoloic ejection murmur at middle & upper LSB) : 폐동맥 협착에 의해서(심실 중격증 때문에 오는 것 아님). 3~4/6도의 수축기 잡음이 흉골 좌연 3~4늑간에서 들린다(협착이 심하면 잡음 ↓, 협착이 심하지 않으면 잡음 ↑).

(3) 경한 진전(thrill)이 만져지는 수가 있다.

(4) severe form에서 ejection click이 들릴 수 있다.

5) 검사 소견

(1) X선 검사
- 장화 모양 심장(boot-shaped heart) : 심장의 크기는 정상이고(No cardiomegaly), 심첨은 들려 있으며, 폐동맥부는 들어가 있다.
- 폐동맥 협착의 정도에 폐혈관 음영이 감소되어 있다.

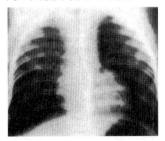

Fallot 4징의 X선 사진 소견

(2) 심전도 : 우축 편위, 우심실 비대

(3) 심도자

- 우심실의 수축기 압력은 대동맥 및 좌심실 압력과 비슷
- 폐동맥압은 정상이거나 낮다.
- 동맥혈의 산소 농도는 저하

(4) 심초음파

- 정렬이상형의 큰 심실중격결손, 대동맥 기승, 폐동맥 협착 등을 볼 수 있어 Fallot 4징을 진단할 수 있다.
- 대동맥 궁의 위치를 알 수 있고, 동반되는 관상동맥 기형의 진단도 가능하다.

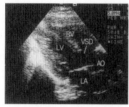 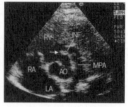

A. 흉골연 장축상   B. 흉골연 단축상

\<Fallot 4징의 심초음파 검사소견\>

6) 합병증

합병증	
뇌혈전 (cerebral thrombosis)	• 2세 이하에서 m/c 발생 • 심한 적혈구 과다증, 탈수증, 상대적 철 결핍성 빈혈이 있는 경우 잘 발생
뇌농양 (brain abscess)	• 보통 2세 이후의 환아에 온다. • 열, 두통, 오심, 구토, 국소적 신경 징후, 때로 경련 • 우→좌 단락으로 혈액내 pathogen이 폐순환을 거치지 않고 바로 동맥혈을 통해 뇌로 이동하여 발생
감염 심내막염 (infective endocarditis)	• 교정 수술 전에 발생할 수 있으며, 출혈을 초래하는 처치나 외과적 시술 후 잘 온다
심부전 (heart failure)	• 드물다(큰 VSD 때문에)

7) 치료

(1) 내과적 치료

- Hct를 55~65% 유지
- 철분 결핍, 빈혈이 있을 때는 철분제를 주어 증상 호전
- 감염 심내막염 예방에 주의
- 열이 있거나 더운 기온에서는 탈수증이 되지 않도록 예방
- 신생아 및 어린 영아에서 동맥관이 있는 경우 PGE1 투여로 동맥관을 확장시켜 폐혈류를 확보해 줌으로써 증상을 호전시키고 수술시까지 유지할 수 있다.
- ☆ 무산소 발작(Anoxic spell, blue spell)의 치료
  - Ⓐ knee-chest position : 체혈관 저항과 정맥환류 증가, 동맥압이 증가하면 폐혈류량이 증가하여 청색증이 완화된다.
  - Ⓑ O₂ : 동맥혈 산소포화도 증가
  - Ⓒ morphine : 0.1~0.2mg/kg : 호흡중추 억제, hyperpnea교정
  - Ⓓ NaHCO₃ : 산증(metabolic acidosis) 치료
  - Ⓔ propranolol : 발작 지속시, hypoxic spell을 예방하기 위해 장기 복용시키는 수도 있다.
  - Ⓕ phenylephrine : vasoconstrictor

(2) 중재적 심도자술

- 폐동맥 협착 → 풍선확장술
- 수술 전 불필요한 측부 동맥을 폐쇄하기 위해 코일 색전술이 사용
- 완전 교정 수술 후의 잔존 폐동맥 협착에 대한 치료를 위해 풍선확장술 시행하거나 Stent 삽입

(3) 외과적 수술

어린 영아에서는 청색증이 심하고, 적혈구 과다증이 심하며(Hb>20g/dL, Hct>65%), 무산소 발작이나 실신 발작이 자주 반복될 때에는 우선 shunt 수술을 해 주었다가, 18~36개월에 근치 수술을 하거나 처음부터 근치 수술을 한다.

- Modified Blalock-Taussig 단락술이 m/c 시행
- 근치 수술 : 심실중격결손을 막고, 폐동맥 협착 제거(18~36개월)
- 최근에는 영아라도 되도록 shunt 수술을 하지 않고 4~12개월 이후에 근치 수술을 해준다.

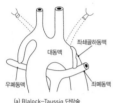
(a) Blalock-Taussig 단락술

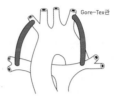
(b) 변형 Blalock-Taussig 단락술

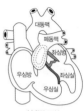
(c) 완전 교정술

Fallot 4징의 외과적 치료방법

> ✚ 교정 수술 후 장기 추적 관찰 및 관리
>
> ・ 성공적인 교정 수술을 받은 환자는 일반적으로 증상이 없어지고 양호한 경과를 보이지만, 많은 환자에서 혈역학적 이상이 남는다.
> ・ PR은 수술 후 대부분의 환자에서 관찰되며, 장기간 지속 시 우심실 확장 · 기능저하, 심실성 부정맥, 운동능력 저하 등을 야기한다.
> ・ 심실 부정맥은 급사의 주된 원인이 되기 때문에 적절한 치료 및 주의 깊은 추적 진찰이 필요

2. 삼첨판 폐쇄(Tricuspid atresia)

1) 정의

 [1] 삼첨판이 완전히 형성되지 않아 우심방과 우심실의 연결이 없는 질환

 [2] 심방중격결손(ASD)을 통한 단락은 생존에 필수적이며 우심실은 발달되지 않아 작으며 폐동맥의 형성 부전이 온다.

 [3] 대혈관 전위와 폐동맥 협착 여부에 따라 분류

2) 증상

 [1] 생후 초기부터 심한 청색증, 호흡곤란, 손가락과 발가락의 clubbing, 피곤, 무산소 발작 등이 발생

 [2] 간이 만져지는 수가 많고(hepatomegaly), 간혹 presystolic pulsation이 만져지는 수가 있다.

 [3] 청진상 S₁은 단일음, S₂는 단일음이거나 정상 분열음

3) 검사 소견

(1) 흉부 X선 : 폐혈류량과 승모판 역류의 정도에 따라 심장의 크기가 다르게 나타남.

(2) EKG

- 우심방 확장으로 P파가 커진다.

- QRS축의 LAD, LAH

→ 청색증 + 좌축 편위 → 삼첨판 폐쇄를 생각

(3) 심도자술

- 우심실에 해당하는 부위가 삼각형으로 조영제가 나타나지 않는다(triangular filling defect).

4) 치료

- Fontan 수술

출생 후 청색증형 선천 심기형

① TGA (m/i)

② pulmonary tricuspid atresia

③ severe Ebstein anomaly

3. 완전 대혈관 전위(Complete transposition of great arteries)

1) 정의

(1) 심방위치가 정위(solitus)이거나 역이(inverse)이며, 심방 심실 연결이 적합하면서 심실 대혈관 연결이 적합하지 않은 경우(discordant : 우심실에서 대동맥이 기시하고 좌심실에서 폐동맥이 기시)

(2) 대혈관 전이가 있더라도 심방 위치가 ambiguous이거나 심방–심실 연결이 적합하지 않으면 제외

(3) 해부학적으로(S, D, D)의 형태가 전형적

2) 빈도

(1) 전체 CHD의 5%, 청색증형 CHD중 m/c

(2) 남 : 여 = 2~3 : 1

(3) 당뇨병을 가진 산모에서 태어난 아이에서 흔함

3) 동반된 기형에 따른 분류

[1] VSD가 없거나 작은 VSD만 있는 경우(약 60%) : 청색증이 주된 소견

[2] 큰 VSD가 있는 경우(약 20~25%) : 청색증보다는 심부전 증상이 주된 소견(폐혈류량
이 많기 때문)

[3] VSD+PS(약 10%) : 청색증, 심부전 둘다 심하지 않음.

4) 혈역학적 특징 : 체순환과 폐순환이 서로 분리되어 있는 점

→ 따라서 양측 순환의 교환이 생존에 필수적이다.

5) 증상 → 생후 2~3일경에 PDA 막히면서 청색증 심해지고 dyspnea 발생(출생 시에는 ×)

[1] VSD가 없거나 작은 경우 : 청색증이 주된 소견

- 출생 직후에는 호흡곤란이나 산혈증 등의 증상은 없다 → 동맥관이 막히면서 청색
  증이 심해지고, 저산소증, 산증 등으로 비교적 빨리 악화되면서 사망

[2] 큰 VSD가 있는 경우 : 심부전의 증상(호흡곤란, 체중증가 부진, 잦은 호흡기 감염) →
6개월 이내에 교정 수술을 시행해야 한다.

[3] VSD+PS인 경우 : 협착의 정도에 따라 다르다. 청진상 구출성 심잡음

6) 검사소견

[1] X선상 특징적인 심장모양 : 종격동이 좁고, 달걀을 옆으로 놓은 모양

[2] 심전도 : 우심실 비대, 우축 편위

[3] 심초음파 : 정확한 진단 가능

- 대동맥이 폐동맥보다 우측에 있으며, 대동맥이 우심실에서 나옴.

[4] Lab finding

- severe arterial hypoxemia and acidosis
- hypoglycemia and hypocalcemia

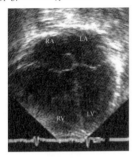 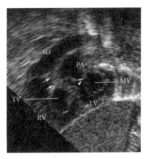

7] 치료 → PDA, ASD를 만들어줌!!

[1] 수술 전 내과적 관리

- 청색증이 심한 경우 : 양측 순환간 교환 증가
  - PGE1 (PDA), balloon atrial septostomy (ASD), blade septostomy
- 심부전의 치료 : digoxin, 이뇨제

[2] 교정 수술

- VSD + PS가 있는 TGA : Rastelli 수술
- PS가 없는 TGA : Jatene 수술(출생 2주 내)

8] 예후

[1] 수술하지 않는 경우 : 약 반수는 1개월 이내, 90%가 1년 이내에 사망

[2] VSD가 없는 경우 예후는 아주 나쁘고 VSD와 PS가 적절하게 있는 경우 비교적 좋다.

TOF와 TGA 비교		
	TOF	TGA
청색증 onset 시기	생후 3~4개월 후	출생직후
심장 size	정상	증가
폐혈관 음영	감소	증가
심부전	(−)	(+)

4. 전폐정맥 환류 이상(Total anomalous pulmonary venous returen : TAPVR)

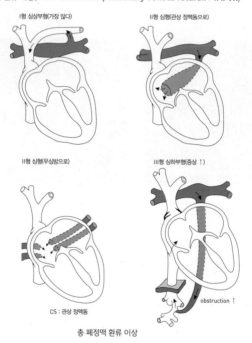

총 폐정맥 환류 이상

1) 정의

모든 폐정맥이 LA로 돌아오지 않고 RA로 돌아오는 심기형

2) 해부학적 분류(supracardiac 형이 m/c)

3) 검사소견

· X선 : 8자(figure of 8) or 눈사람 모양(snowman)

· ECG : RAD, RVH

5. 엡슈타인 기형(Ebstein anomaly)

삼첨판막(tricuspid valve)이 정상보다 아래쪽으로(우심실 쪽으로) 부착되어 있는 거대한 우심방을 이루고 있고, 우심실은 작아져 있다. 즉 삼첨판의 전엽은 제대로 annulus fibrosus에 부착되어 있으나 나머지 두 엽은 우심실 심첨 가까이 붙어 있다. 그리하여 삼첨판 부전을 일으킨다. 대부분의 경우(80%) 심방 간에 개통이 있어서 우 → 좌 단락을 일으켜 청색증을 나타낸다.

	VSD	ASD	AVSD
개요	선천성 심질환 중 m/c (25%)	남 : 여 = 1 : 3	* Partial AVSD
그림			
기전	* 분류 1. 막양부 결손 　① m/c 　② 4 ICS에서 청진 2. 대혈관 판막하 결손 　① 동양인 ↑ : 자연 폐쇄가 드묾 　② AR ↑ : size가 작더라도 반드시 op. 　③ 2 ICS에서 청진 3. 근성부 결손 　① 동양인 ↓ 　② 4 ICS	* 분류 1. 일차공 결손 2. 이차공 결손 3. 정맥동 결손 * 좌우 단락의 정도 1. 우심실의 탄성 2. 체-폐순환의 상대적 혈관저항	1. 기전 : 일차공형 ASD & 전엽의 cleft (MR 생김) 2. 증상 　① 대부분 무증상 　② MR의 정도 : 심하지 않아 이차공형 심장중격 결손과 유사 3. 진찰 소견 : ASD와 유사 4. 심전도 : ARS 축은 좌측 편위를 보이며 우심실 비대 5. X선 : 우심방 및 양심실 비대 6. 치료 : 우심방으로부터 심방중격결손을 통하여 승모판 열극을 직접 봉합하여 고정하고 심방중격결손을 막아준다.
임상 증상	1. small : 무증상 – 60~80%에서 결손의 spontaneous closure 2. moderate 　① DOE 　② frequent URI 3. large 　① 생후 3~4주 경부터 심부전 증상 有	1. 이차공 결손 : 무증상 2. 우심실 거상 3. thrill X(대개)	

PS	CoA	PDA
1. 판막형(80%) A	Turner 증후군에 흔함 	임신 초기 풍진바이러스 감염이 발생과 관계
2. 원추부형-TOF B	1. 대동맥궁을 지나 하행 대동맥으로 이행하는 부위의 대동맥, 특히 동맥관이 붙는 근처가 좁아지는 기형	1. 태아 동맥관 : 우좌단락→출생 후 좌우단락의 통로 역할 2. 미숙아 동맥관은 자연폐쇄가 가능하나 정상분만아의 동맥관은 자연폐쇄가 드물다.(수술)
3. 판상부형-풍진 C *증상 : 협착이 심한 경우 DOE	1. 심한 상지의 고혈압, 하지에서는 혈압 낮음 2. 팔의 맥박은 강하게 만져짐	1. defect가 작은 경우 무증상 2. Large shunt : hoarse cry, 기침, 하기도 감염, 무기폐, CHF가 발생 가능

심음	1. small : normal 2. moderate 　① LLSB pansystolic m., 　　S2 : 정상 or ↑ 　② diastolic rumble at 　　apex if $Q_p/Q_s>2$ 3. large 　① P_2 항진 　② pansystolic m. 　③ diastolic rumble	1. 좌상연 : 구출성 수축기 잡음 2. 제 2심음 : 넓은 고정성 분열 3. 삼첨판을 지나는 혈류 증가 → 흉골 좌하연 : 짧은 윤전양 확장 중기잡음 : 좌우 단락률 이 최소한 2:1 이상임을 시사	Complete AVSD
EKG 영상 소견	1. small : normal 2. moderate 　① 좌심실 비대 　② pul, vascularity 3. large : 양심실비대	QRS : 정상 or 우축 편위 우 심실 용적 과부하소견 우심방 확대	1. 정의 : 4 chamber 모두가 통한다.(ASD, VSD, 　MV, TV의 cleft) 2. 증상 　① 영아기 : 심부전, 폐렴 　② 심확대가 현전 3. 검사소견 　① X-선 : 우심방 및 양심실 비대 　② 심전도 : QRS-좌축 편위, 우심실 비대나 양심 　　실 비대 4. 치료 : 외과적 교정술
치료	1. 작은결손 : 심내막염 예방 2. 수술 적응증 　① pul, HTN 지속 : 우좌단 　　락시 op. Cix 　② 내과적 치료에 반응 × 　③ Qp/Qs ≥ 1,5 　④ 폐동맥협착이 진행될 　　때 　⑤ subarterial VSD	1. 유일하게 감염 심내막염 예방 필요없음 2. 증상이 있거나 좌우단락비 (Qp/Qs)가 2 이상인 경우 →개심술로 결손 부위 교정 (입학 전)	
예후	1. severe : 호흡기 감염으 　로 사망 2. 무증상 3. AR 4. 작은 결손-막힘 5. Eisenmenger synd. 6. 감염 심내막염	* Eisenmenger 증후군 1. 심한 좌우단락을 가진 심질환(large VSD, PDA, ECD 등)을 적절한 시기에 교정하 　지 않을 경우, pulmonary HTN에 의해 폐소동맥에 해부학적 변화가 초래된 것 　→ 폐혈관저항증가가 비가역적(12 wood unit/m² 이상 or $R_p/R_s>1$) 2. 청진 : ejection click, P2 accentuation 3. EKG : 우심실 및 우심방 비대 4. 심잡음 소실(외견상 호전) 5. 치료 : 대증요법, VSD의 수술 금기	

1. 흉골 좌연 제2늑간에서 협착성 수축기 잡음 & thrill 2. early ejection click 3. P2↓	좌심실 비대	1. 좌흉골연 2nd ICS : continuous murmur 2. 단락이 多 → apical diastolic rumble 3. 맥박 : full bounding 4. 맥압 : 40mmHg 이상으로 넓어짐
EKG : 협착정도를 유추하는데 유용 – 우심실비대 		정상 or LVH or BVH pul, HTN–RVH 우세
1. 경증 : 수술X(우심실과 폐동맥압의 차가 50mmHg 이하) 2. 우심실과 폐동맥압의 차가 50mmHg 이상 : balloon valvuloplasty 3. 2실패 시 수술 4. 협착이 심한 신생아에서는 PGE1을 사용	1. 나이나 체중에 상관없이 즉시 도관을 이용한 치료나 수술해줌 2. 종류 ① 풍선 확장술 ② stent 삽입 ③ 수술 : 대동맥 절제와 단단 문합술	1. 연령과 동맥관 개존의 크기에 관계없이 심내막염, 심부전, 폐혈관질환 발생을 막기 위해 수술 또는 심도자 폐쇄술을 시행
	* 미숙아 PDA 1. 동맥관 평활근의 혈중 산소 농도 증가에 대한 반응과 혈중 PG 농도의 감소가 적절히 이루어지지 않아 동맥관 폐쇄가 지연(특히 유리질막증이 지연) 2. 치료 : 대개 생후 1주 전후로 자연 폐쇄되나 만약 X–indomethacin 3회 투여–그래도 X : 수술	

VI 후천성 심질환

1. 류마티스열(Rheumatic fever)

1) 원인

Group A β−hemolytic streptococcus의 세포막 단백질(M 단백)의 특정 혈청형

2) 역학

(1) 온대, 열대 지역의 개발 도상국, 밀집 상태로 거주하는 사람들에서 흔함.

(2) 가을, 겨울, 초봄에 흔하다.

(3) pharyngitis후에만 유발(부적절한 치료를 받을 때 많이 나타남, 1∼3주간의 잠복기 후 발병)

(4) 피부감염 후에는 일어나지 않음.

3) 진단기준

✚ 초발 예의 류마티스열 진단에 대한 Jones기준(1992년 기준*)

1. 주 증상(Major manifestation)
   1) 심염(carditis)
   2) 다발성 관절염(polyarthritis)
   3) 무도증(chorea) : 타원인 없이 무도증 단독으로 rheumatic fever의 진단이 가능하다.
   4) 피하 결절(subcutaneous nodule) : extensor surface에 호발
   5) 유연 홍반(erythema marginatum)
2. 부증상(Minor manifestation)
   1) 임상 증상(관절통, 발열)
   2) 검사 소견(ESR ↑, CRP(+), PR 간격 연장)
3. 선행된 A군 사슬알균 감염의 증거
   1) 인두 배양검사(+) or 사슬알균 항원 신속 검사(+)
   2) 높은 항사슬알균 항체가나 연속적으로 검사하여 증가된 항체가

* – 처음 진단기준: 선행된 A군 사슬알균 감염의 증거가 있으면서 2개 이상의 주 증상이 있거나, 또는 1개의 주 증상과 2개 이상의 부 증상이 있을 때 급성 류마티스열이 높은 가능성이 있다고 판정한다.
  – 재발 진단기준: 선행된 A군 사슬알균 감염의 증거가 있으면서 2개 이상의 주 증상 또는 1개의 주 증상과 2개의 부 증상, 고위험군에서는 3개의 부 증상이 있는 경우
  – 고 위험군: 학동기 아동에서 류마티스열 빈도가 10만 명당 2명 이상이거나 모든 연령에서 류마티스 심염 빈도가 1,000 명당 1명 이상인 경우
  – 고위험군 주 증상: 단발 관절염
  – 고위험군 부 증상: 단발 관절통, 열 38℃ 이상, ESR 30mm/시간 이상

---

4) 증상

증상	
심염 **(Carditis)**	40~80% 경한 빈맥에서 심부전까지 다양 전층 심염(pancarditis) : 심낭염, 심근염, 심내막염을 모두 포함하는 염증 PR 간격 연장이 흔하게 나타남 MR murmur(심첨의 수축기 심잡음), AR murmur(확장기 심잡음) 예후 결정인자
다발성 관절염 **(Polyarthritis)**	m/c 관절염이 거의 항상 이동하는 양상 주로 큰 관절 침범하고 영구적 관절 손상은 유발하지 않음 치료 않더라도 1개월 정도에 증상 소실 항염제 투여로 증상이 조속히 소실 cf. JRA와 감별(JRA는 항염세에 반응×)
무도증 **(Chorea)**	몸통과 사지의 불수의적으로 반복되는 운동장애 근쇠약감과 불안이 동반 얼굴, 상지에 主 ┐ 얼굴, 상지에 主 수면 중에는 소실되고 흥분 시에는 악화되는 경향 ┘ 증상중 제일 늦게 나타나고 잠복기가 수개월, 수주 또는 수개월 후 소실 → 무도증 단독으로도 진단 가능
피하 결절 **(Subcutaneous nodule)**	염증이 동반되지 않으며 무통성의 0.5~2cm 정도의 작은 결절 뼈의 신근면(extensor surface) 피하부위에 호발
유연성 홍반 **(Erythema marginatum)**	분홍색 홍반이 마치 뱀이 기어간 양상, 그 중심부는 정상 피부 모습 주로 몸통(얼굴은 침범×) 가렵지 않고 경화(induration)가 없으며 압력을 가할 때 소실

5) 검사 소견

(1) ASO (antistreptolysin O) : 사슬알균 감염의 80% 이상에서 상승

(2) Throat culture : Acute의 25%에서 균 배양

(3) 급성기 반응 : ESR↑, CRP↑ – 류마티스열의 활동성 여부 판단

(4) 백혈구 증다증, 빈혈

(5) EKG : PR 간격 연장(1st degree AV Block), ST-T의 변동, QT간격 연장, 부정맥

6) 치료

(1) A군 용혈균의 제거

① Benzathine penicillin

② Penicillin allergy(+) : erythromycin, clindamycin

(2) 항염요법 – 확실한 관절염 증상이 있을 때 Salicylate

(3) 심한 심염 – corticosteroid

(4) 울혈성 심부전 – digitalis, furosemide

[5] 무도증 – diazepam (Sedatives), haloperidol

7) RF의 예방

[1] 1차 예방 : 상기도 감염 후 조기에 항생제

[2] 2차 예방

- Benzathine penicillin : 3~4주 마다 IM(경구보다 IM이 더 효과적)

8) 경과 및 예후

[1] 예후 결정 요인 : 심장의 손상 정도

[2] 시간이 지나면 완화 → 류마티스성 심염 환자의 70~80%에서 판막 질환의 임상 증상
이 소실

[3] 만성 판막 질환으로 진행 : 재발 방지를 위한 예방 요법 중요

2. 류마티스성 심질환(Rheumatic heart disease)

- 주로 승모판이 m/c 침범되고 다음으로 대동맥판이 침범

(MR > MS > AR)

3. 감염 심내막염(Infective endocarditis)

1) 발생 원인

[1] 와류로 인하여 심내막이 손상을 받기 쉬운 선천성 또는 후천성 심질환에서 대부분 발생

[2] 흔한 원인이 되는 선천성 심질환 : VSD, PDA, AS, bicuspid aortic valve, TOF, TGA
(ASD는 아니다!)

[3] 선행 유발 요인 : 심장 수술, 치과 처치, 구강, 인두의 수술, 비뇨기과의 처치

[4] 원인균

① viridans-type streptococci (α-hemolytic streptococci) : 치과 처치 후

② *Staphylococcus aureus* (m/c) : 인공판막 치환술 후

③ HACECK 병원체(haemophilus, acinobacillus, cardiobacterium, eikenella, kingella)는 신
생아나 면역결핍 소아의 흔한 원인균

④ Group D Enterococci : 하부 위장관, 비뇨생식기 처치 후

⑤ *Pseudomonas aeruginosa, Serratia marcescens* : 정맥 내 약물 사용자

⑥ Fungus : 장기간 항생제, 스테로이드 치료, 개심술 후그 외 G(-) bacilli, *S. epidermidis*

2) 증상

  (1) 선행 유발 요인(30%) : 감염(흔히 상기도 감염), 구강 내 수술

  (2) 초기 증상은 경미 : 발열, 관절통, 근육통, 두통, 오한, 구역이나 구토 등

  (3) 판막 손상에 의한 새로운 심잡음, 기존 심잡음의 양상 변화

  (4) 통증을 동반한 비장비대, 신장염 및 혈뇨

  (5) microembolus에 의한 피부나 점막 출혈반

  (6) Osler node : 혈관염의 증상, 손가락 끝, 손가락, 발가락에 통증이 있는 홍진성 결절

  (7) Janeway lesion : 손바닥과 발바닥의 작은 무통성 출혈

  (8) 손톱과 발톱의 선상 출혈(splinter hemorrhage)

  (9) 여러 장기(뇌, 폐, 신, 비상 등)에 색전(50%)

3) 진단 및 검사소견

  (1) 백혈구, ESR 증가, 빈혈, 단백뇨, 혈뇨

  (2) 혈액균 배양(확진) : 항생제 투여전에 빨리 검사

  (3) 흉부 X선 사진 : 심비대

  (4) 심초음파 : 증식 조직(vegetation) 증명

  (5) Duke criteria(2개의 주 진단기준, 1개의 주 진단기준 & 3개의 부 진단기준, 5개의 부
     진단기준을 만족하면 심내막염으로 진단)

    • 주 진단기준 : Ⓐ 혈액배양검사 양성, Ⓑ 심초음파상 심내막염 소견

    • 부 진단기준 : 심장병이 있던 환자, 발열, 색전에 의한 증후, 면역 복합 현상, 1회
      혈액배양검사 양성이거나 감염의 혈청학적 증거, 심초음파

4) 치료

  (1) 항생제(4~8주)

    • Staphylococcus : Oxacillin or Cloxacillin + GM(+rifampin)

    • Streptococcus : Penicillin G or ampicillin + GM

    • Fungus : Amphotericin B

    • Unknown : Penicillin G + Oxacillin + GM

  (2) 안정, 심부전 치료

  (3) 수술 : 증식 조직 제거, 판막 대체술

5) 예방

(1) 심질환을 교정

(2) 구강 위생이 중요

(3) 예방적 항생제 요법 : 치과처치(잇몸 조직, 치아뿌리끝 주위의 치료 또는 구강 점막의
천공이 발생되는 경우), 호흡기계 침습적 처치, 인공 삽입물을 삽입하는 심장 수술,
편도선 절제나 기관지경 검사 등

✚ **소아 심내막염 예방을 위한 예방적 항생제 요법**

1. 치과, 구강, 식도, 또는 상기도 처치 및 수술
   1) 대부분의 환아: Amoxicillin 50mg/kg을 처치 30~60분 전에 경구 투여
   2) 내복이 어려운 환아: Ampicillin 50mg/kg을 처치 전 30분 이내에 근육 또는 정맥주사

✚ **심내막염 예방이 필요한 심질환**

1. 인공 심장 판막 또는 인공 삽입물을 사용하여 심장판막을 교정해 준 경우
2. 전에 심내막염을 앓은 과거력이 있는 경우
3. 선천 심질환
   1) 수술받지 않은 청색증형 선천 심질환
   2) 선천 심질환 완치 수술 시 인공 삽입물 또는 장치(device)를 사용한 수술 후 6개월 이내
   3) 선천 심질환 수술 후 인공 부착물이나 판막 주변에 잔류 결손(residual defect)이 남아 있는 경우
   4) 심장 이식 후 판막 병변이 있는 경우

---

4. 심막염(pericarditis)

1) 정의

심막의 벽측이나 심막낭 내에 염증성 변화

2) 원인

(1) 교원성 질환(rheumatic fever, rheumatoid arthritis 등), 요독증, 신생물, 심막 절개술 후,
외상

(2) virus : Coxsackievirus B (m/c), influenza virus, ECHO virus, adenovirus

(3) 세균 : staphylococcus, pneumococci, hemolytic streptococci, meningococci, 결핵균

3) 임상 양상

(1) 흉통 : 가장 먼저 나타남.

① 예리하고 찌르는 듯한 느낌(전흉부, 왼쪽 어깨, 등)

② 똑바로 눕거나 숨을 깊이 들이 마시면 더 심해지고 비스듬히 앉거나 특히 앞으로 기울이면 경감

(2) 청진

① Friction rub(삼출액이 적을 때, 급성기)

② 심음 감소(다량의 삼출액)

(3) 심장 압전(cardiac tamponade)

① 심막낭 내 압력 증가 → 심장 확장이 제한 → 정맥혈 환류 장애 → 간이 커지고 호흡곤란 나타남

② 경정맥 확장, Kussmaul's sign(흡기시 jugular v. pr. 증가), pulsus paradoxus(흡기시 맥박이나 대동맥압이 정상보다 더 떨어짐)

(4) X선 검사 : water-bottle shaped appearance (pleural effusion으로 인함)

(5) 심전도 : QRS 전압 저하, 경한 ST 분절 상승, T파 역전

(6) 심초음파 검사 : 가장 예민한 방법(epicardium과 pericardium 사이의 clear echo free zone)

4) 치료

(1) 원인 질환 치료

(2) cardiac tamponade : 심막천자(digitalis 사용 금기)

(3) 화농성 삼출액 : 응급 외과적 배농, 적절한 항생제 사용

(4) 류마티스성 심막염 : aspirin or steroid

5. 심근염(myocarditis)

1) 원인

(1) 대부분 바이러스성(Coxsackie, echo, adeno)

(2) 세균감염(디프테리아, 장티푸스)

(3) Kawasaki, Takayasu 동맥염, 류마티스 열, 리케차병 등

2) 임상 양상

(1) 신생아

① 열, 심한 심부전, 호흡곤란, 청색증, 약한 심음, 빠른 맥, 승모판막 역류, 말달림 율동, 산증 쇼크

② 전격적으로 심근염이 진행할 경우, 증상 시작 후 1~7일 내에 사망

⑵ 연장아 : 서서히 진행하는 심부전, 갑자기 발생한 부정맥

⑶ X선 : 심확대, 폐부종 소견

⑷ EKG : 빈맥, 저전압 QRS파, ST저하, T파의 이상(flattening or 역전)

⑸ ESR, CK, CK-MB, cardiac troponin I, BNP, LDH 상승

⑹ 심초음파 : 심장 수축력 감소, 심확대, 심장막 삼출, 방실 판막 역류

　　　*부정맥 + 발열 + 심확대 → 급성 심근염 강하게 의심!

3) 치료

⑴ 매우 중한 질환이므로 주의 깊은 관찰과 안정 필요(입원 치료 필요)

⑵ 심부전에 대한 치료가 기본(이뇨제, digoxin, dobutamine, dopamine, amrinone)

⑶ 부정맥에 대해 적극적으로 치료

6. 심근 질환(Disease of the myocardium)

1) 비후형 심근증(Hypertropic cardiomyopathy)

⑴ 정의 및 역학

① 심실의 비후로 인하여 심실 내강이 좁아져 있음

② 말기를 제외하고는 수축 기능은 정상이나 이완 능력이 감소

③ 많은 경우 심실 중격에 더 심한 비후를 보이며(asymmetric septal hypertrophy), 좌심실 유출로의 협착이 동반된 경우도 있다(idiopathic subaortic stenosis : IHSS).

④ 가족력이 있는 경우(21.5%)도 많지만 산발적으로 발생하는 경우도 있다.

⑤ 상염색체 우성 유전 : β-myosin heavy chain 유전자 돌연변이와 관계

⑵ 증상

① 흔히 심잡음, 가족 선별 검사에서 발견

② 대개 10대 이후에 나타남.

③ 운동시 호흡곤란, 피로감, 허약, 흉통, 실신(첫 증상이 심한 심실 부정맥이나 혈류 장애로 인한 급사인 경우도 있다)

④ 좌측골연 상부나 심첨부에서 ejection systolic murmur(운동 직후, Valsalva 조작시, 직립자세에서 증가)

⑶ 검사 소견

① EKG : 비특이적, 좌심실 비대 ST-T 변화, 비정상적인 Q파

② 심초음파 : 심실중격 및 좌심실 후벽의 비후, 승모판 전엽의 수축기 전방 이동(systolic anterior motion : SAM)

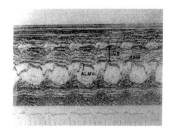

비후형 심근 환자의 좌심실의 M형 심에코도

심실중격(IVS)과 좌심실후벽(LVPW)이 두꺼워져 있고 승모판의 전엽(ALPW)이 수축기에 전방이동(SAM)을 보이고 있다.

(4) 치료

① 과도한 운동 제한

② inotropic (digitalis), 이뇨제 : 금기(좌심실 유출로의 협착을 악화)

③ 베타차단제, 칼슘통로차단제 : 좌심실 유출로의 협착 완화, 좌심실의 이완 기능 호전(but 급사 예방은 할 수 없음)

④ 좌심실 유출로의 폐쇄가 심한 경우 : 외과적 절제

(5) 경과

① 좌심실 유출로의 협착은 진행될 수 있어 나이가 들어감에 따라 점차 증상이 나타남.

② 급사의 빈도 : 소아(4~6%), 어른(2~4%)

③ 증상이 어린 나이에 나타나거나 가족력이 있으면 예후가 나쁘다.

2) 확장형 심근병증(Dilated cardiomyopathy): m/c

(1) 정의 및 역학

① 심실의 심한 확장, 심비대, 수축기능저하

② 대개 원인 알 수 없음, 50% 이상에서 대사 질환을 포함하는 유전적 원인이며, 가족력은 서구에서는 20~50%, 한국에서는 약 2.7% 빈도로 조사되었다.

(2) 증상

① 무기력, 운동 시 호흡곤란, 허약

② 교감신경 항진에 의한 보챔, 신경질, 창백, 빈맥

③ 폐울혈, 부종, 복수, 간비대

④ 사지 맥박 약함, 흉부 돌출, 승모판막 역류에 의한 수축기 심잡음(심첨부)

[3] 검사소견

① 흉부 X선 소견 : 심비대, 폐울혈, 늑막 삼출

② 심전도 소견 : 심방 및 심실비대 소견, T파 이상, 동성 빠른맥과 심방성 또는 심실성 부정맥

③ 심초음파 소견 : 좌심실이 비정상적으로 늘어나 있고, 좌심실이 얇아져 있거나, 일부에서는 두꺼워져 있음, 심장막 삼출, 좌심실 내 혈전, 좌심실 단축률(shortening fraction) 감소, 구축률(ejection fraction)이 감소, 경도의 승모판막 역류를 볼 수 있다.

[4] 치료

① 심부전 치료 : 강심제, 이뇨제, 혈관 확장제(ACE 억제제)

② 베타차단제 : 성인에서는 사망률 낮출 수 있다고 보고되고 있으나, NYHA class 3-4에서는 조심

[5] 경과 : 대개 진행되어 궁극적으로 심이식술 필요

3] 제한형 심근병증(Restrictive cardiomyopathy), 소아에서는 드묾

[1] 정의

① 심실의 compliance 장애 → 심실의 이완기 충만 장애

② 심실 확장없이 심방이 심하게 확장

[2] 증상 : 경정맥 확장, 간비대, 복수, 전신 부종, 폐부종

[3] 검사소견

① 심전도 : 심방 비대, 심방 세동, 심방 조동, ST 분절 하강, T파 역전

② 흉부 X선 : 전반적 심비대, 폐울혈, 늑막 삼출

③ 심초음파 : 심실크기 정상, 심방 심하게 확장

④ 심생검 : 비후된 심근세포, 심근의 섬유화

[4] 치료

① 이뇨제 : 울혈 증상 완화

② 칼슘통로차단제 : 심실의 유순도 증가, 느린맥 유도

7. 가와사끼병(Kawasaki disease)

1) 원인

- unknown

2) 역학

(1) 주로 5세 이하의 영유아(87%)

(2) 남 : 여 = 1.44 : 1

3) 병태 생리

- 중간 크기의 혈관을 주로 침범하는 전신성 혈관염

4) 증상

진단기준

(1) 급성기(1~2주)

① 심하게 보챔, 설사, 복통, 담낭종대(hydrops), 무균성 뇌수막염, 무균성 농요, 경한 간염, 관절염

② 심장의 침범 : 심근염, 경한 심낭 삼출, 판막 역류

③ 오랜 발열 기간은 관상동맥 합병증에 영향을 미칠 수 있다.

(조기치료 안 할수록 발생↑)

(2) 아급성기

① 손가락, 발가락 끝, 항문 주위의 막양 낙설(desquamation) : 제일 나중에 생겨 제일 오래 감

② 혈소판 증가 : Cx와 관련

③ 관상동맥류 : 발병 1~2주에 나타나 4~8주까지 최대, 거대 관상동맥류(지름 8mm 이상)는 파열, 혈전형성폐쇄에 의한 심근경색증의 위험(주요합병증)

5) 진단

(1) 전형적인 임상 증상

(2) 백혈구↑, ESR↑, CRP↑, 단백뇨, 농뇨, AST↑, 혈소판↑ (아급성기)

✚ 진단기준

- 5일 이상 지속되는 발열(주로 38.5℃ 이상, 이장열(remittent), 항생제에 반응이 없다)
- 다음 5가지 중 4 항목 이상
  ① 화농이 없는 양측성 결막 충혈
  ② 입술, 입안의 변화 : 입술의 홍조 및 균열, 딸기혀, 구강 발적
  ③ 부정형 발진(polymorphous)
  ④ 급성기의 비화농성 경부 임파절 종창(1.5cm 이상)
  ⑤ 손, 발의 변화 : 급성기의 손발의 경성부종, 손발바닥의 홍조, 아급성기의 손톱, 발톱 주위의 막양 낙설(desquamation,
  참고 : 피부낙설-가장 늦게 생김(회복기 소견))
- 기타 증상
  ① 심장혈관 : 관상동맥류
  ② 소화기 : 담낭 종대
  ③ 혈액 : 혈소판 증가, ESR↑, CRP↑
  ④ 소변 : 농뇨
  ⑤ 피부 : BCG발적부위의 발적
  ⑥ 호흡기 : 기침, 콧물
  ⑦ 신경 : 척수액의 단핵구 증가

6) 치료

[1] 급성기 치료 : Aspirin + high dose IVIG

① 면역글로불린(IVIG) : 고용량 2g/kg을 10~12시간에 걸쳐 서서히 IV

② Aspirin (50mg/kg/일)

[2] 발병 후 1~2주에 심초음파 검사를 하여 관상 동맥의 합병증이 없는 경우 아급성기에는 저용량의 aspirin (3~5mg/kg/일) 6~8주 투여(항혈소판 효과), 운동 제한은 필요 없다.

[3] 관상동맥류가 지속될 경우 : 장기적인 저용량 aspirin, 항응고요법

[4] 관상동맥 협착 또는 폐쇄에 의한 허혈소견 : 칼슘통로차단제, 경피적 관상 동맥 성형술, 외과적 관상동맥 우회술 고려

[5] 관상동맥 합병증이 없는 경우는 예후가 좋아 1년 이후의 추적 관찰은 권장 되고 있지 않다.

[6] 고용량 IVIG 투여 후 생백신인 MMR 은 11개월 후에 시행해야 함"

[7] IVIG에 반응하지 않는 가와사키 병 : IVIG 재투여하거나 stroid, 또는 infliximab을 투여함

7) 가와사키병에서 관상동맥질환의 위험요인

① 1세 이하, 남아

② prolonged active dz. : 2주 이상 fever 지속

③ Biphasic febrile

④ 낮은 Hb, 낮은 혈소판, 높은 중성구, 저나트륨혈증, 낮은 알부민, 나이에 비해 낮은 IgG level

VII 부정맥

1. 상심실성 빈맥(Supraventricular tachycardia)

1) 방실 회귀 빈맥(WPW : Wolff-Parkinson-White syndrome) : accessory pathway

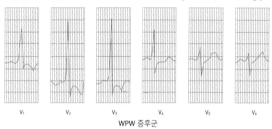

| V_1 | V_2 | V_3 | V_4 | V_5 | V_6 |

WPW 증후군

[1] 심실 조기 흥분(preexcitation)의 대표적

[2] 심전도에서는 짧은 P-R 간격, δ파, 연장된 QRS

[3] 소아의 0.15%, 남아에서 약간 더 많으며 가족력이 있는 경우도 있다.

[4] 약 1/3에서 심장이상(Ebstein 기형, 수정 대혈관 전이, 심근증 등)이 동반

[5] 소아 발작성 상심실성 빈맥의 가장 큰 원인

2) 방실 결절 회귀 빈맥

발작성 상심실성 빈맥(Paroxysmal supraventricular tachycardia), PSVT

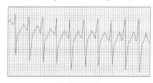

상심실성 빈맥

[1] 증상

① 심박수, 빠른 맥 지속 시간, 연령 등에 의해 좌우

② 두근거림, 식욕 부진, 호흡곤란, 창백, 흉통, 복통, 실신

[2] 진단

① 심박수 매우 빠름(180~300회/분)

② 심전도 : 규칙적 정상 QRS파의 빠른 맥. P파 발견하기 쉽지 않음.

3) 치료

　(1) Diving reflex (Vagus nerve 자극) : 특히 영, 유아기에서 효과적, 얼음물에 얼굴을 담그
　　거나 얼음 수건으로 얼굴을 덮고 20초 가량 덮어 부교감 신경을 강력히 항진

　(2) 다른 미주 신경 자극법 : Valsalva법, 찬물을 마시게 한다, 경동맥 압박, 안구 압박(4세
　　이전에는 효과가 불확실하고 부작용 많으므로 쓰지 않음) → 부교감 자극

　(3) ATP나 adenosine 정주 : 강력한 방실 결절 억제 작용, 부작용은 순간적

　(4) Digoxin : 작용 시간이 늦어서 급성기의 1차 치료약은 아니다.

　(5) Edrophonium이나 phenylephrine : 혈압을 올리거나 acetylcholine 분해를 억제시킴으로써
　　부교감 신경이 항진되어 방실 차단을 일으킨다.

　(6) Verapamil 정주 : 1세 이전의 영아나 심한 심부전이 있을 때에는 사용금지

　(7) Propranolol 정주 : 방실 결절 차단제, 소아 PSVT에서 예방 목적으로 사용함

　(8) 심박 조율(atrial pacing)

　(9) Cardioversion : 심부전이 심한 경우

　　• 어떤 경우에도 심부전이 심하면 우선 DC cardioversion 시행
　　　그러나 혈역학 상태가 견딜만 하면 방실접합부를 차단하는 방법이 우선 시행
　　　→ 3~5세 이후 부정맥의 근본적 치료(주로 radiofrequency ablation)가 점점 선호되고
　　　있음

✛ 치료 대상이 되는 빈맥의 유형

1. 상심실성 빈맥
　방실 회귀 빈맥(WPW 증후군, Mahaim, 불현 부전도로)
　방실 결절 회귀 빈맥
　심방 빈맥
　심방 조동
　접합부 이소성 빈맥
2. 심실 빈맥
　특발성 심실 빈맥
　심질환과 동반된 심실 빈맥(예: 심근병증, Fallot 4징 등 수술 후)

심부전(Congestive heart failure)

1. 원인

소아 심부전의 m/c cause : 선천성 심질환(심실 용적 과부하, 압력 과부하 일으킴), 성인
의 심부전은 심근 자체의 기능이상에 기인하는 경우가 많다.

(1) 태아 : 심한 빈혈, 상심실성 빈맥, 심실빈맥, 완전 심차단

(2) 신생아

① 미숙아 : 수액 과부하, PDA, VSD, 폐성심, 고혈압

② 만삭아 : 질식성 심근병증, 동정맥 기형, CoA, LV형성부전, 단심실, 총동맥간증,
바이러스 심근염

(3) 영아 : VSD, PDA, AVSD, 동정맥 기형, 좌측 관상동맥 기시 이상, 대사 심근병증,
용혈요독증후군, 상심실성 빈맥, 가와사키병, 바이러스 심근염

(4) 소아청소년기 : 류마티스열, 급성 고혈압(사구체신염), 바이러스 심근염, 갑상샘 중독
증, 혈색소증, 암 치료, 심내막염, 심근병증

> 용적 과부하(m/c) : VSD, PDA, AV septal defect
> 압력 과부하 : 심실 유출로 협착, AS
> 심근 수축력 : 심근염, 심근증, 심내막 섬유 탄성증, 관상 동맥 이상
> 심박 수 이상 : 지속적인 서맥 또는 빈맥
> 혈액의 산소 운반 능력 저하 : 빈혈, 저산소증
> 조직의 산소 요구량 증가 : 갑상샘 기능 항진, 대사 항진

2. 임상 증상

1) 심기능 장애에 대한 보상 운동

(1) 빈맥, 분마 율동(gallop rhythm), 약한 사상 맥(thready pulse)

(2) 심비대

(3) 교감 신경계의 긴장 항진으로 인한 성장 부전, 발한 과다, 차고 습한 피부, 수유곤란

2) 정맥 울혈에 의한 소견

(1) 폐정맥 울혈(좌심부전)

① 빈호흡

② 운동시 호흡곤란(작은 영아는 수유 곤란)

③ 기좌 호흡(나이가 많은 큰 소아)

④ 천명 및 폐 수포음(악설음)

(2) 체정맥 울혈(우심부전)

① 간종대

② 부종(영아는 주로 안검 또는 안면 부종)

③ 경정맥 확장(영아는 목이 짧아 관찰하기 어렵다).

3) 심부전이 있는 아기의 증상

젖을 빨 때 숨이 차고, 식은땀을 흘리며, 체중증가가 제대로 안 된다.

3. 진단

1) 병력, 임상 증상, 신체진찰 소견, 흉부 X선 사진 소견 등을 종합하여 진단한다.

2) 흉부 X선 사진과 심전도 : 원인 질환이나 심부전에 따른 소견을 보인다.

3) 심초음파 검사 : 심실 기능의 평가 및 원인 심질환의 진단에 큰 도움이 되며, 치료 효과의 평가에 유용하게 사용.

4) 혈액검사 : 심부전 환자의 병리 생리를 평가에 필요

신경 호르몬계의 활성화를 나타내는 여러 가지 혈중 검사치는 심부전 정도를 판단하고 치료의 효과를 평가하는데 이용할 수 있다.

4. 치료

1) 일반적인 요법

(1) 휴식, 적절한 수면, 체위는 반좌위 상태

(2) 가습이 된 산소(40~50%) : 호흡곤란이 있는 경우

(3) 이뇨제가 효과적으로 사용되고 있는 경우에는 염분 및 수분의 엄격한 제한은 필요치 않다.

(4) 적절한 영양 공급

(5) 심부전을 악화시키는 요인 치료(열, 빈혈, 감염 등)

(6) 심부전의 원인 치료(고혈압, 갑상샘 중독증, 부정맥 등)

2) 약물요법 : 성인 심부전과 동일

(1) 급성 심부전(혈역학적 불안정), 증상이 지속되는 경우 디곡신 투여 : ① digitalis, ② dobutamine, dopamine(아드레날린 수용체 작용제)

(2) 이뇨제 : 폐부종, 말초부종 조절

(3) ACEI : 혈역학적 안정 상태일 때 주치료, 혈관 확장제 or 후부하 감소제

(4) 베타차단제, 알도스테론 차단제

※ Digitalis 요법

① digitalis가 제대로 들어가고 있는지를 보는 지표 : 맥박수, 임상 반응

② digitalis에 대한 반응

- 그 연령에 정상 맥박수를 나타내는 것은 반응이 있음을 의미

- 치료효과 판정하는 임상소견 : 체중감소, 심박수 감소, 간크기 감소, 수유량 증가

③ digitalis 중독

- 구역과 구토 : 가장 흔한 증상

- 심전도를 찍으면 임상 증상이 나타나기 전에 알 수 있다.

④ 독성을 잘 일으키는 소인

- 갑상샘 기능저하

- quinidine, verapamil, amiodarone 등과 같은 약과 병용

- 저칼륨혈증, 고칼슘혈증, 등과 같은 전해질 이상

- 저산소증, 알칼리증

✚ Digitalis 효과와 중독 시 나타나는 심전도 변화

효과
- QTc의 단축(가장 먼저 나타나는 소견) : 심전도 변화가 임상증상보다 믿을 수 있다.
- ST 분절의 하강(sagging 혹은 scooped) 및 T파의 진폭 감소(T파의 벡터는 변화지 않음)
- 심박수의 감소

독성
- PR 간격의 연장 : digoxin 투여 전의 심전도와 비교해서 판단해야 되며, 2도 방실 차단으로 진행할 수 있다.
- 심한 동서맥(sinus bradycardia), 동방차단(SA block) 고도의 방실 차단(2도 및 3도 방실 차단)
- 상심실성 부정맥
  (소아에서는 심실성 부정맥보다 더 흔히 본다)
  심방 또는 심실 결절의 이소 박동이나 빈맥(특히 방실 차단 동반)
- 심실성 부정맥
  심실 조기 수축, 심실성 빈맥 등

※ Digitalis 중독시 처치

① digoxin 투여를 즉시 중단, 혈중 K를 저하시키는 이뇨제의 사용 중지, 포도당은 K을 주지 않고 단독으로 투여해서는 안됨.

② 빈맥성 부정맥 : phenytoin, lidocaine

③ 서맥 : atropine

④ 고도의 방실 차단(완전 방실 차단)으로 인해 혈역학적 장애가 생긴 경우에는 인공 심박 조율기를 사용

16 혈액 질환

Power Pediatrics

I 총론

1. 소아의 조혈기관 및 혈액 질환의 특이성

(1) 성장 과정 → 정상치가 연령에 따라 큰 차이가 있다.

(2) 성인에 비해 조혈계가 외부자극에 예민하게 반응 : 감염, 영양장애, 독성 물질에 대하여 골수뿐 아니라 간, 비장, 림프절 같은 골수외 조혈기관에까지 반응 → 말초 혈액에 반영됨.

(3) 선천적, 유전적 요인이 많이 관여 : 빈혈, 출혈경향의 환아는 가족력 및 과거력, 신체의 다른 선천적 이상 관찰해야 함.

(4) 신생아의 빈혈, 혈소판감소, 과립구감소증이 있을 경우 모체의 이상, 모체가 사용한 약제, 면역, 항체의 이행 등에도 관심을 두고 조사

2. 조혈계의 발달

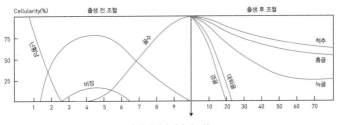

출생 전 및 출생 후의 조혈

① 난황낭 : 중배엽성 조혈이 임신 10~14일에 시작

② 간 : 임신 6~8주가 되면 난황낭 조혈은 줄어듦 → 간이 주된 조혈기관
(20~24주까지)

③ 골수 : 임신 10~12주가 되면 중배엽성 조혈이 중단되고 골수에서 조혈

3. 소아의 연령별 적혈구 및 백혈구 치

	혈색소 (g/dL)		적혈구 용적 (%)		망상적혈구 (%)	MCV (fL)	백혈구 수 (X 10³/mm³)		호중구 (%)		림프구 (%)	호산구 (%)	단구 (%)
나 이	평균	범위	평균	범위	평균	최저치	평균	범위	평균	범위	평균	평균	평균
제대혈	16.8	13.7~20.1	55	45~65	5	110	18	9~30	61	40~80	31	2	6
2주	16.5	13.0~20.0	50	42~66	1		12	5~21	40		63	3	9
3개월	12	9.5~14.5	36	31~41	1		12	6~18	30		48	2	5
6개월~6세	12	10.5~14.0	37	33~42	1	70~74	10	6~15	45		48	2	5
7~12세	13	11.0~16.0	38	34~40	1	76~80	8	4.5~13.5	55		38	2	5
성인													
여	14	12.0~16.0	42	37~47	1.6	80	7.5	5~10	55	35~70	35	3	7
남	16	14.0~18.0	47	42~52									

영아와 소아의 말초혈액 정상치

4. 소아의 골수흡인 검사

[1] 소량의 흡인액으로 대개 조혈 기관 전체의 상태를 대표하는 소견을 보여 줌.

[2] 시행부위

① 영아 : proximal tibia, post. iliac crest

② 소아기 : post. iliac crest 또는 ant. iliac crest

• 소아 : 골수에서 blast가 1% 이내 범위에서 보일 수 있음(정상적).

II 적혈구 질환

1. 빈혈의 분류

1. 소적혈구(Microcytic)
   철분 결핍
   탈라세미아
   납중독
   만성 질환
   　감염
   　암
   　염증
   　신질환
   비타민 B6 반응성
   구리 결핍
   철적혈모구(일부)
   혈색소

2. 정상 적혈구성(Normocytic)
   생산의 감소
   　재생 불량성 빈혈
   　　선천성
   　　후천성
   골수 대치
   백혈병
   종 양
   축적 질환(storage disease)
   골화석증(골대리석증)
   골수 섬유화증
   혈액 손실
   내부적 또는 외부적
   분리(sequestration)

용혈:적혈구 내부적 이상
　혈색소 이상
　효소이상
　적혈구막 이상
　　유전 구상 적혈구증
　　후천적:발작 야간 혈색소뇨증
용혈: 적혈구 외부적 이상
　면역학적
　　수동적(신생아 용혈 질환)
　　능동적:자가 면역
　독소
　감염
　미세혈관증
　파종혈관내응고(DIC)
　용혈 요독 증후군
　고혈압
　심질환

3. 대적혈구(Macrocytic)
   정상 신생아
   망상적혈구 증가증
   비타민 B12 결핍
   엽산 결핍
   골수 형성 이상 증후군
   재생불량 빈혈
   간질환
   갑상샘 저하증
   비타민 B6 결핍(일부)
   티아민(thiamine) 결핍

적혈구 평균 혈구 용적(MCV)과 적혈구 분포 폭(RDW)에 의한 빈혈 분류					
MCV ↓ RDW 정상	MCV ↓ RDW ↑	MCV 정상 RDW 정상	MCV 정상 RDW ↑	MCV ↑ RDW 정상	MCV ↑ RDW ↑
이종 접합 탈라세미아, 만성 질환	철분 결핍, Hb S, β-thalassemia, Hb H, 적혈구 분절	만성 질환, 만성 간질환, 빈혈이 없는 혈색소이상 (예 : AS, AC), 수혈, 약물요법, 만성 골수성 백혈병, 출혈, 유전 구상 적혈구증	혼합 결핍, 초기 철결핍 빈혈, 빈혈이 있는 혈색소이상 (예 : SS, SC), 골수 섬유화증, sideroblastic anemia	재생불량 빈혈, 백혈구 전구상태	엽산 결핍 비타민B12 결핍, 면역 용혈 빈혈, 한랭 응집소

AS: sickle cell trait, AC: hemoglobin C trait, SS: sickle cell anemia, SC: hemoglobin SC 질환

2. 빈혈의 진단

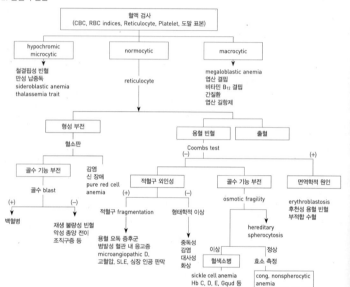

소아 빈혈의 진단 방법

소아 빈혈의 진단기준(정상 하한치)		
나이	Hemoglobin (g/dL)	Hematocrit (%)
제대혈	13.5	42
1~3일(cap)	14.5	45
1~2주	13.5	40
1개월	10	31
3~6개월	9.5	29
6개월~2년	10.5	33
2~6년	11.5	34
6~12년	11.5	35
12~18년		
남	13	37
여	12	36

cap:capillary

3. 신생아기의 빈혈

1. 출혈(Hemorrhage)
   ① 출생 전 출혈(경태반 출혈 또는 수혈)
      ⅰ) 태아로부터 모체로
      ⅱ) 쌍둥이 간
   ② 출생시 출혈
      ⅰ) 태반 또는 탯줄의 기형
      ⅱ) 신생아 출혈 질환
   ③ 출생 후 출혈
      ⅰ) 외출혈
         배꼽 또는 장관 출혈, 의인(진단적 채혈, 교환 수혈 후)
      ⅱ) 내출혈
         머리혈종(cephalhematoma), 모상건막밑(subgaleal), 뇌내, 뇌실, 복강안, 복막뒤공간(retroperitoneal), 장기 파열 출혈(비장, 간, 부신, 신장), 패혈증 등

2. 용혈 빈혈
   ① 선천 용혈 빈혈
      ⅰ) 적혈구막 이상: 둥근적혈구증, 타원적혈구증 등
      ⅱ) 효소 결핍: PK 결핍증, G6PD 결핍증 등
      ⅲ) 혈색소 이상: α, γ-chain 혈색소병증

   ② 후천 용혈 빈혈
      ⅰ) 면역성
         자가 면역성
         동종 면역성: Rh 부적합증, ABO 부적합증
      ⅱ) 비면역성
         감염: 거대세포바이러스, 톡소포자충증, 헤르페스바이러스, 풍진, 아데노바이러스, 말라리아, 매독, 세균성 패혈증(대장균) 등
         독성 물질(약물): 합성 비타민K, 모체의 티아지드 이뇨제 및 항 말라리아제 등
      ⅲ) 비타민 E 결핍증
      ⅳ) 대사 장애(갈락토스혈증, 골다공증)

3. 적혈구 조절 장애
   ① 선천성
      선천 순적혈구 빈혈(Diamond-Blackfan 빈혈), 판코니 빈혈 등
   ② 후천성
      감염: 풍진, 거대세포바이러스, 헤르페스바이러스, 파르보바이러스, 말라리아 등
      미숙아 빈혈

1) 시기별 원인
   ① 출생기 또는 첫 24시간 이내에 심한 빈혈이 나타날 때 : 출혈 또는 동종 면역성 용혈
   ② 첫 24시간 이후에 나타날 때 : 동종 면역성 용혈과 외부 또는 내부적 출혈이나 또 다른 여러 가지 비면역성 용혈

2) 태아로부터 모체로의 출혈(Fetomaternal hemorchange)
   진단하는 가장 예민한 방법(Kleihauer-Betke stain)
   ① 태아 혈색소가 산에 의한 분리에 강한 특성을 이용 : 산 첨가시 파괴되지 않는 적혈구가 태아 HbF
   ② 산모 혈액의 도말표본을 염색하여 태아의 적혈구를 감별

3) 쌍둥이 간 출혈
   일란성 쌍생아에서 두 아기 사이에 5g/dL, 적혈구 용적률이 15% 이상의 혈색소량의 차가 있을 때 의심

4. 영아의 생리적 빈혈

1) 특징

RBC와 Hb는 출생시에 약간 polycythemia 상태에 있다가 처음 2주간 급격히 떨어지고, 그 후 서서히 떨어지는데 <u>생후 8~12주</u>, 혈색소 9~11g/dL될 때까지 감소

2) 원인

① 태아가 출생한 후부터 호흡이 시작됨에 따라 동맥혈의 <u>산소포화도가 45%에서 95%로</u> 급격히 상승하므로 조혈이 갑자기 중단

② 태아기에 높은 수준으로 유지되던 erythropoietin이 출생 후 2일 째부터 생후 6~8주까지 혈청이나 소변에서 측정되지 않을 정도로 떨어져 6~8주 지속

③ 태아 적혈구의 수명이 짧아 출생 후 빨리 파괴

④ 출생 후 첫 3개월 동안의 <u>빠른 성장에 따른 혈액량의 급격한 증가</u>로 혈색소가 상대적으로 희석

3) 치료

특별한 치료가 필요 없음

5. 소아의 철결핍 빈혈

1) 원인

1. 출생시 철 저장의 부족 또는 철 소실의 증가
  ① 미숙아, 쌍둥이
  ② 태아 실혈(feto-maternal bleeding, twin-to-twin transfusion)
  ③ 분만 시 출혈(태반, 탯줄로부터의 출혈)

2. 철분 섭취의 부족
  ① 철분이 부족한 식사(모유, 우유, 미음만으로 오랫동안 영양을 섭취했을 때)
  ② 만성 설사
  ③ 흡수 불량 증후군(Malabsorption syndrome)
  ④ 위장 이상

3. 철 수요량의 증가
  ① 미숙아
  ② 성장 속도가 빠른 영아 또는 사춘기

4. 실 혈
  ① 기생충(특히 구충)
  ② 위궤양, 반복되는 코피, polyp, Meckel diverticulum, 월경 과다 등

2) 증상

[1] 6개월~3세에 호발(6개월 지나면 저장철 부족), 11~17세 그 다음으로 호발 연령

[2] Hb 6~10g/dL 정도 떨어질 때까지는 피부나 점막이 약간 창백할 정도,

별다른 증상없는 경우 많음

(3) Hb 5g/dL 이하 시 증상 나타남

- 식욕이 없어지고 기분이 좋지 않으며 주위에 대한 관심도 적어지고 잘 보챈다.
- 기운이 없고 활동이 줄어들며 감염이 잘 일어난다.
- 이미증(pica)을 보여 흙, 숯, 종이 들을 주위 먹을 수 있다.

(4) 전신적 증상(철함유 조직단백의 결핍 때문)

- 상피조직의 변화 : 설염, 구각염, 스푼형 손톱
- 위장관 점막의 변화 : 저 위산증, 잠혈반응, 흡수장애, 저단백증

3) 검사소견

(1) 첫 단계로 조직 철분이 감소하면서 혈청 ferritin이 12~15ng/mL 이하로 감소

(2) 다음 단계로 혈청철(serum iron)이 감소(10~60μg/dL)하면서 총 철결합능이 증가 (350~500μg/dL)

(최대한 남아있는 철이라도 긁어모으기 위하여)

(3) transferrin saturation rate < 10~16%

(4) FEP 증가(free erythrocyte protoporphyrin)(heme의 전구물질 축적)

(5) hypochromic, microcytic anemia → MCV↓, MCHC↓

(6) RDW 증가(크기가 작은 혈구들이 만들어지므로)

(7) 혈소판이 종종 2~4배로 증가(unexplained)

(8) reticulocyte 정상이거나 약간 증가(절대수는↓)

4) 진단

(1) 기본 3검사 : transferrin saturation, FEP, 혈청 ferritin

(2) 확진 : 철분제제로 치료적 진단

Hb가 정상이었더라도 치료 후 1~2g/dL 이상 상승 시 철결핍성 빈혈로 진단

5) 경구 철제 요법

★(1) ferrous sulfate가 가장 효과적

(2) 추천 용량 : elemental iron으로 4~6mg/kg/day(1일 3회 공복에 분복)

(3) Hb 정상화 후 2~3개월 더 투여

(4) 치료에 반응

철제 투여 후의 기간	반응
12~24시간	세포 내 iron enzyme 보충, 증상 호전(식욕 증가)
36~48시간	최초 골수 반응 : 적혈구계 증식
48~72시간	망상적혈구 증가, 5~7일 peak
4~30일	혈색소치가 상승
1~3개월	철분의 저장

6) 예방

(1) 모유 권장(모유가 우유보다 철분흡수가 잘 됨)

(2) 과량의 우유섭취 피해야 : 생우유는 위장관의 잠혈 출혈을 유발시킴.

(3) 철의 흡수를 도와주는 식품 첨가

(4) 철분 공급

① 만삭아는 생후 3~4개월부터 3세까지

② 미숙아는 생후 2개월부터 3세까지

6. 범혈구 감소증

✦ 재생 불량성 빈혈(aplastic anemia)의 분류

1. 후천성 재생불량 빈혈의 원인
   방사선, 약물, 화학 물질
   예측 가능: 항암화학 물질, 벤젠
   특이 체질: chloramphenicol, 항경련제, 금,
   3,4-methylene-dioxymethamphetamine
   바이러스
   Cytomegalovirus
   Epstein-Barr virus
   Hepatitis B, hepatitis C, hepatitis non-A, non-B,
   non-C (seronegative), HIV
   면역 질환
   호산구 근막염
   저감마글로불린혈증
   가슴샘 종양
   임신
   발작 야간 혈색소뇨증
   골수 치환 질환
   백혈병
   골수 형성 이상 질환
   골수 섬유화증

자가면역질환
기타
   선천 각화이상증(신체 이상 동반하지 않은 경우)
   Telomerase 역전사효소 단수 부전
   (hypoinsufficiency)

2. 선천 범혈구 감소증
   Fanconi 빈혈
   Schwachman-Diamond 증후군
   Dyskeratosis congenita(선천성 각화이상증)
   선천 무거대핵세포 혈소판감소증(Congenital
   Amegakaryocytic thrombocytopenia)
   비분류 선천 골수 부전 증후군
   기타 유전 증후군
      Down 증후군
      Dubowitz 증후군
      Seckel 증후군
      망상 발생 장애(Reticular dysgenesis)
      가족성 재생 불량성 빈혈(비 Fanconi형)
      Noonan 증후군

7. 선천성 재생불량성 빈혈(Fanconi 빈혈이 m/c type)

1) 유전양식

상염색체 열성

2) 선천성 기형(약 2/3에서 동반, 즉 1/3은 동반하지 않는다.)

① hyperpigmentation, Cafe-au-lait spot, 백반

② 엄지손가락 결여 또는 형성 부전 등의 골격이상

③ 저신장

④ 나양한 피부 및 장기기형

⑤ 많은 수에서 소두증, 소안증, 귀 이상을 보이는 특징적 얼굴 형태

3) 검사소견

골수 부전 : 10세 전에 출현, 처음에는 주로 혈소판감소가 선행하다가 중성구 감소와 대
구성 빈혈을 초래한다. 대부분 후천 중증 재생불량 빈혈과 동일한 심한 골수 부전이 나
타나나 진행 속도와 발현 양상은 다양하다.

4) 치료

① 스테로이드, androgen의 단독, 병합요법(ATG 효과 없음)

② 조혈모세포 이식 : 유일한 완치 방법

③ GM-CSF 피하주사

8. 후천성 재생 불량성 빈혈

1) 원인

[1] drug : 항암제, chloramphenicol (m/c), 간질약, 항말라리아제

[2] chemicals : 살충제

[3] toxin : benzene, toluene

[4] irradiation

[5] infection : hepatitis, AIDS, EBV...

[6] 면역질환 : GVH disease, thymoma

[7] 영양결핍질환

[8] 임신

2) 임상증상

(1) 혈소판감소로 인한 출혈이 첫 번째 증상

(2) 비장, 림프절비대는 없다 : leukemia와의 감별점

3) 중증 재생 불량성 빈혈

(1) 골수 조직 검사상 저세포성(hypocellular)이면서(BM Cellularity<25%)

(2) 다음 중 2가지 이상이 동반될 때 : 절대 호중구 수(ANC) 500/mm³ 이하,

혈소판 2만/mm³ 이하, corrected reticulocyte 1% 이하

4) 치료

(1) 종합적인 보조 요법과 함께 근본적인 골수 장애의 치료를 시도

(2) ATG (antithymocyte globulin)

(3) androgen

(4) BMT : TOC

5) 예후

일부 자연회복이 가능하지만, 중증 범혈구 감소증 환자는 치료에 반응하지 않는 이상 예후가 극히 불량

9. 유전 구상적혈구증(Hereditary spherocytosis)

1) 원인 : 세포막 이상

(1) 적혈구의 모양을 유지하는 세포막의 골격구조의 주성분인 spectrin, ankyrin 또는 band 3, 4.1단백, 4.2단백, 글리코포린의 결합 → 적혈구가 구상(sphere)을 이룸.

(2) 구상 적혈구는 양이온에 대한 투과력, ATP이용, 해당대사가 증가하여 비장 통과 시에 모양변화능력이 떨어져 쉽게 파괴

(3) 상염색체 우성(AD) 유전

2) 증상

(1) 용혈의 정도, 골수의 기능, 간의 대사 능력에 따라 증상의 출현 시기가 다름.

(2) 신생아기에 빈혈과 고빌리루빈혈증 초래

(3) 용혈이 경하면 성인이 될 때까지 증상이 없음, 심한 용혈 시 창백, 황달, 피로감, 무기력

(4) 비장비대는 영아기 이후

⑸ 색소성 담석증은 10세 이후에 일어남.

⑹ Parvovirus에 의한 aplastic crisis

　　소아기 동안의 가장 심각한 합병증. 심한 빈혈, 고박출성 심부전, 저산소증, 심혈과
　　허탈로 사망가능

3) 검사소견 및 진단

★⑴ 용혈소견 : 망상적혈구 증가, 빈혈, 고빌리루빈혈증(indirect↑), haptoglobin감소, 담석,
　　　Coombs(−)

　⑵ 혈액도말검사상 정상적혈구보다 작고 진하며 central pallor가 없는 구상 적혈구 관찰

　⑶ 골수에서 적혈구계 생산 증가

★⑷ 삼투압 취약성 검사(osmotic fragility test) : 진단에 도움

　　세포막의 결함으로 저장액내에서 정상 적혈구보다 쉽게 파괴된다.

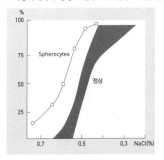

유전성 구상 적혈구증의 osmotic fragility
curve(점을 찍은 부분은 정상 범위)

⑸ 자가 용혈검사(autohemolysis test) : glucose 없는 상태에서 37℃ 보육기에서 48시간
　　incubation → 정상 적혈구는 5% 미만에서 용혈, 구상 적혈구는 15~45% 용혈

4) 감별진단

　면역성 용혈 빈혈(Coombs test), 유전성 구상 적혈구증은 Coombs test(−)

5) 치료

★(1) 비장절제(splenectomy) : 경증에서는 일반적으로 권고되지 않고, 심한 빈혈, 잦은 골수
저형성 또는 골수무형성 발증, 성장장애 또는 심비대가 있는 환아에서 권고된다.

  • 시기 : 6세 이후에 실시한다.
  • 이유 : 비장절제 후 발생할 수 있는 치명적 패혈증의 가능성을 줄이기 위해

★(2) 비장 절제 후 폐렴구균, 인플루엔자, 수막구균에 대한 예방접종이 필요

  (3) 비장 절제 후 평생동안 예방적 penicillin G나 amoxicillin 20mg/kg/일 사용 권장

10. 신생아 용혈 빈혈

1) 신생아 용혈 빈혈의 진단적 접근 방법

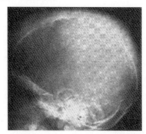

만성 용혈 빈혈 때 보이는 hair-on-end 변화

※ 신생아 빈혈 환자에서 시행해야 할 검사 : Hb, Reticulocyte count, Coombs test, PBS

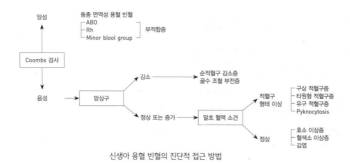

신생아 용혈 빈혈의 진단적 접근 방법

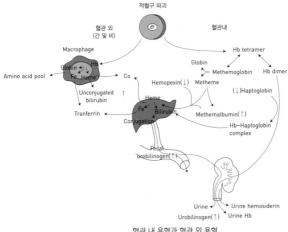

혈관 내 용혈과 혈관 외 용혈

※ 태아적혈모구증(erythroblastosis tetalis : 신생아 용혈 질환) : 영아의 적혈구에 대한 산모의
항체가 태반을 통과하여 적혈구를 파괴함으로써 생기는 용혈 질환

11. Rh 부적합증

1) 발생기전

(1) 산모가 Rh 음성

(2) 태아는 Rh 양성

(3) 어떤 원인(자연유산, 인공유산 또는 출산)에 의하여 태아 적혈구(1mL 이상)가 모체 순
환 혈액 내로 수혈

(4) 모체가 Rh 항원에 대하여 감작되어 항체를 생성

(5) 생성된 Rh 항체가 태반을 통하여 태아에게 반입

(6) Rh 항체가 태아 적혈구에 부착

(7) 항체가 부착된 태아 적혈구는 RES에서 파괴

(8) Rh 부적합증 발병빈도는 임신횟수에 비례(첫 임신은 드묾)

2) 검사소견

(1) 산모가 감작되게 되면 먼저 IgM anti-D가 생성되고 다음에 IgG anti-D가 생성

(2) IgG anti-D의 역가↑ → Rh 부적합증↑

(3) 직접 Coombs 검사는 보통 양성

3) 증상

(1) 경증(15%) : 경미한 용혈

혈중 빌리루빈 농도가 1주내 20 mg/dL 이상되지 않으면 치료 필요 없음.

아기 혈액 내 항체가 계속 존재하므로 추적관찰 필요

생리적 빈혈현상이 심하게 나타날 수 있음.

(2) 중등도 : 용혈 질환 현상

(3) 중증 : 태아수종증(hydrops fetalis) → 자궁내 또는 출생 직후 사망함.

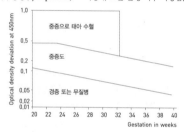

태아의 용혈 정도를 추정할 수 있는 양수의 빌리루빈 측정 곡선

4) 진단

(1) 출생 전 진단 : 부모의 혈액형 검사

엄마 IgG 항체가를 12~16주, 28~32주 및 36주에 측정

태아-산모혈액에서 태아 RBC 혈장 DNA 분리 또는 양수 천자

(2) 출생 후 진단 : Rh 음성 산모에서 태어난 아이에게 ABO, Rh, 혈색소, Hct, 직접형 Coombs 검사 시행

5) 치료

(1) 태아 : 수혈치료

(2) 출생 후 : 신선하고 낮은 항체 O형이고 Rh 음성 혈액공급

⑶ 교환수혈(제대혈 Hb 10g/dL 이하, bilirubin 5mg/dL 이상에서 고려)

⑷ 후기 합병증 치료 : 철분 보충, erythropoietin or 수혈

⑸ Rh 감작 예방 : RhoGAM 300mg을 출산, 복부외상, 양수천자, 융모막생검 또는 임신 중절한지 48시간 내 근육주사

6) 예방

⑴ 항 D 면역글로불린(RhoGAM) 투여산모가 Rh 항원에 감작되지 않아야 하며 분만 후 48시간 이내에 사용

⑵ Rh 음성 여성이 유산하거나 자궁외 임신한 경우에도 투여

12. ABO 부적합증

1) 발생기전

엄마와 태아 사이에 주요 혈액형이 부적합함 → Rh 부적합증보다는 경함.

⑴ natural Ab인 anti-A, anti-B는 IgM으로서 태반통과가 어려움

⑵ O형 혈액형은 anti-A, anti-B 중 일부분이 IgG의 형태로 존재하여 태반을 통과가능

→ 즉 산모가 O형이고 아기가 A형 또는 B형일 때 발생

⑶ 첫 아기 : 빈도↑

2) 임상 경과

⑴ Rh 항원과 달리 A 및 B 항원은 성숙도가 미숙, 성인 적혈구에 비해 수량↓

→ Rh가 ABO보다 증상 심함.

⑵ 항원 항체 반응도 경미. 용혈현상도 Rh 부적합증에 비해 경미

⑶ 10%에서는 심한 용혈 현상으로 중증 고빌리루빈혈증을 일으킴.

3) 검사소견 : 다음 소견보이면 진단

⑴ 첫 24시간 동안 황달 출현, 간접형 빌리루빈 증가

⑵ 엄마는 O형, 아이는 A 또는 B형

⑶ 말초혈액에 구형적혈구 보임.

⑷ 다염성 보임, 유핵적혈구의 증가, 망상적혈구 10~15% 증가

4) 치료

⑴ 광선요법 : 임상적으로 경미한 대부분의 경우(혈청 빌리루빈을 낮추는데 효과적)

⑵ 교환 수혈 : 심한 용혈 현상이 있는 경우(Rh 부적합증 치료에서와 유사한 적응증)

Rh 및 ABO 부적합증의 임상 및 검사 소견		
구분	Rh 부적합증	ABO 부적합증
임상 소견		
안면 창백	심함	경함
황달	심함	경함
태아 수종증	흔히 동반	거의 없음
간비장비대	심함	경함
검사 소견		
혈액형		
산모	Rh(−)	O
태아	Rh(+)	A 또는 B
빈혈	중증	경증
직접 Coombs 검사	양성	흔히 음성
간접 Coombs 검사	양성	양성
고빌리루빈혈증	중증	일정치 않음
적혈구 형태	유핵 적혈구	구형 적혈구

● 적혈구 수혈

　• 소아 및 청소년

　• 순환 혈액량 25% 이상의 급성 출혈

　• 수술 전후 혈색소 8g/dL 미만

　• 중증 심폐질환 시 혈색소 13g/dL 미만

　• 증상을 보이는 만성 빈혈에서 혈색소 8g/dL 미만

　• 골수 부전에서 혈색소 8g/dL 미만

III 백혈구 질환

1. 백혈구의 양적 이상

1) 백혈구증가증

(1) 호중구증가증(neutrophilic leukocytosis)

① 급성 감염 : 화농성 감염, 어떤 바이러스 감염의 초기, 어떤 spirochetal disease, 교원
병(예: 류마티스 열, 류마티스관절염, 결절성 동맥주위염)

② 급성 출혈 혹은 혈관 내 용혈

③ 체조직의 파괴 혹은 단백질의 혈관 내 주사

④ 스트레스 반응: 경련, 오래 계속되는 구토, 탈수, 산증

⑤ 약물: 에피네프린, 스테로이드, 재조합 성장 인자

(2) 호산구 증가증(Eosinophilia)

① 알레르기성 질환 : 습진, 천식, 고초열, Loffler 증후군

② 기생충 감염

③ 성홍열, 결핵 회복기

④ 종양 : Hodgkin Ds, CML

⑤ 기타 : 열대성 호산구 증가증, 가족성 호산구 증가증, 비장절제 후, 결절성 동맥주
위염, 특발성 호산구 증가 증후군, 기무라병

(3) 호염기구 증가증(Basophilia)

① 알레르기성 질환 : 알레르기 비염, 천식, 아토피 피부염, 약물 알레르기

② 혈액 질환: 골수 증식 질환, 특히 만성 골수성 백혈병, 진성 적혈구 증가증, 만성
용혈 빈혈

③ 감염: 수두

④ 종양: 호지킨(Hodgkin)병

⑤ 기타 : 갑상샘 저하증, 간경화, 궤양 결장염, 천식, 방사선 조사후, 비장절제 후

(4) 림프구 증가증

① 바이러스 감염: 전염 단핵구증, 거대세포 감염증, 바이러스 간염

② 세균 감염: 결핵, 부루셀라병, 매독

③ 소아기의 생리적 림프구 우세

④ 내분비 질환: 갑상샘항진증, Addison 병

⑤ 영양 장애: 구루병, 만성 저혈색소 빈혈, 영양실조

⑥ 급성 림프모구 백혈병

[5] 단구 증가증(Monocytosis)

① 어떤 감염: 세균 감염(예: 결핵, 감염 심내막염, 장티푸스, 발진티푸스), 원충 감염
(예: 말라리아, kala azar)

② 급성 감염 또는 무과립구증의 회복기, 비장절제 후

③ 약품 : tetrachlorethylene

④ 호지킨병, Niemann-Pick병, 연소형 만성 골수단구 백혈병

2] 백혈구 감소증

[1] 호중구 감소증(Neutropenia)

① 어떤 종류의 감염 : 바이러스성 감염(홍역, 돌발진, 풍진, 전염성 간염)
세균성 감염(장티푸스, brucellosis)
원충성 감염(말라리아)

② 약물 혹은 독물 : 정신 안정제(chlorpromazine)

③ 혈액질환 : 무과립구증, 재생 불량성 빈혈, 백혈병, 거적아구성 빈혈 등

④ 혈청병

[2] 호산구 감소증(Eosinopenia)

① 부신 겉질 호르몬제 사용

② 출생 직후, Down 증후군 환자의 일부

[3] 단구 감소증(Monocytopenia)

① 부신 겉질 호르몬제 투여

② 내독소

[4] 림프구 감소증(Lymphopenia)

① 유전 질환: Wiskott-Aldrich 증후군, adenosine deaminase 결핍증, purine nucleoside
phosphorylase 결핍증

② 감염: 바이러스 감염, 세균 감염

③ 약물 또는 치료: 항암제, 방사선 치료, antilymphocyte globulin 투여, psoralen, 적외
선 치료, 스테로이드 투여

④ 전신 질환: 전신홍반루푸스(SLE), 중증 근무력증(myasthenia gravis), 호지킨병, 단백
소실장관염, 신부전, sarcoidosis, 재생불량 빈혈

2. 백혈병모양 반응(Leukemoid reaction)

(1) 정의 : 총 백혈구 수가 50,000/mm³ 이상이면
서 미성숙 세포들이 말초 혈액에 증가하여 백
혈병과 비슷하게 보이는 현상

(2) 소아의 조혈기관은 매우 불안정하여 백혈병
양 반응을 자주 볼 수 있다.

(3) 원인 : 심한 패혈증, 뇌막염, 폐렴, 디프테리
아, 결핵, 신생아의 동종 면역성 용혈 빈혈,
신생아의 동종 면역성 악성종양의 골수전이

	Leukemoid reaction	CML
Ph chromosome	−	+
LAP Score (m/i)	정상 or ↑	↓
비타민 B$_{12}$	정상	↑
basophil, eosinophil	정상 or ↓	↑
PB의 myelocype	few	many
Splenomegaly	−	+
Sternal tenderness	−	+

1) 진짜 백혈병과의 감별점

(1) 임상증상

(2) CBC

(3) 골수검사

(4) LAP score (CML과의 감별점)

IV 출혈성 질환

1. 지혈 기전

출혈은 모세혈관, 혈소판 또는 혈장 내 응고인자의 정상기능에 장애가 있을 때 일어난다.

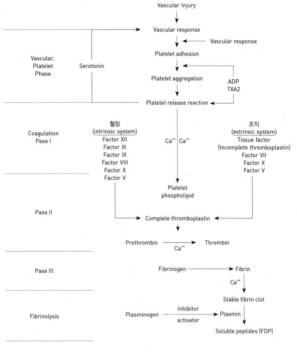

지혈 기전

2. 출혈성 질환의 감별진단

주요 출혈성 질환의 진단적 검사와 주요 검사 소견					
출혈성 질환	선별 검사				특수검사
	PC	BT	PT	PTT	
1. 혈관 장애					
1) Henoch–Schonlein 자반증	N	N	N	N	임상적 소견만으로 진단
2) Ehlers–Danlos 증후군	N	N*	N	N	임상적 소견만으로 진단
2. 혈소판 장애					
1) 특발성 혈소판감소성 자반증(ITP)	L	P	N	N	임상적 소견과 골수검사 가능하면 혈소판 항체 검사(양성)
2) Glanzmann병(thrombasthenia)	N	P	N	N	Clot retraction(비정상), 혈소판 응집 검사(1차 응집 반응에 이상)
3) Aspirin 효과	N	P	N	N	혈소판 응집 검사(2차 응집 반응에 이상)
3. 혈액 응고장애					
1) 고전적 혈우병	N	N	N	P	VIII 인자 분석
2) Christmas병	N	N	N	P	IX 인자 분석
3) von Willebrand 병	N	P	N	P	VIII : C, VIII : Ag, VIII R : CoF 분석
4) VII 인자 결핍증	N	N	P	N	VII 인자 분석
5) X 인자 결핍증	N	N	P	P	X 인자 분석
6) 비타민 K 결핍증	N	N*	P	P	II, VII, IX, X 인자 분석
7) 범발성 혈관 내 응고증(DIC)	L	P	P	P	I, II, V, VIII 인자 분석, FDP 검사

PC : platelet count, BT : bleeding time, PT : prothrombin time, aPPT : activated partial thromboplastin time
N : 정상, L : 저하, P : 연장, *BT의 연장을 때로 보일 수 있다.

3. 출혈성 질환의 분류

1) 혈관 장애(Vascular Disorder)

   (1) 선천성

      ① 선천 피부 과신증(Ehlers–Danlos 증후군)

      ② 유전 출혈 모세혈관 확장증

   (2) 후천성

      ① 알레르기 또는 아나필락시스 자반병(Henoch–Schönlein 자반증)

      ② 패혈성 또는 독성 혈관염

      ③ 비타민 C 결핍증

2) 혈소판 장애(Platelet Disorder)

[1] 혈소판감소증(PLT < $150 \times 10^3/mm^3$)

① ITP(급성, 만성)

② 신생아기 혈소판감소 자반증

③ 약물에 의한 면역학적 자반증 ⎫ ① – ④ : 파괴 증가 또는 소모

④ 비기능항진증

⑤ 재생불량성 빈혈

⑥ 백혈병 : 악성 종양의 전이 ⎫ ⑤ – ⑦ : 생산 감소

⑦ 약물 또는 방사선에 의한 골수 장애

[2] 혈소판 기능이상(수는 정상)

① 선천성

• 혈소판 무력증(thrombasthenia, Glanzmann 병)

• Bernard-Soulier 증후군

② 후천성

• 약물 : Aspirin, indomethacin, dipyridamole

• 요독증

3) 혈액응고장애(Plasmatic disorder)

[1] 선천성 혈액응고인자 결핍증

① 고전적 혈우병(hemophilia A) : VIII 인자 결핍증

② Hemophilia B : IX 인자 결핍. Christmas 병

③ Von Willebrand 병

[2] 후천성 혈액응고인자 결핍증

① DIC : 감염, 주산기 질환, 용혈 요독 증후군, 거대 혈관종 등

② 간질환(Prothrombin 및 V, VII, IX, X 인자, protein C, S)

③ 비타민 K 부족(prothrombin 및 VII, IX, X 인자)

④ 항암제, warfarin

⑤ 신증후군

⑥ 항응고물질 : lupus erythematosus, heparin

4. 특발성 혈소판감소성 자반증(ITP)

건강하던 소아(1~4세)에서 갑자기 나타나는 혈소판감소증의 m/c 원인

일종의 자가면역성 질환

1) 원인

   (1) 일부 소아에서 virus 감염 후 1~4주에 혈소판 표면 자가항체 형성(anti-PLT Ab+)

   (2) spleen의 macrophage가 항체 결합된 혈소판을 탐식, 파괴

2) 증상

  ☆(1) 매우 건강해 보이던 2~9세 소아가 갑자기 전신적 점상출혈, 자반증, 잇몸 등 점막출혈

   (2) Virus 감염이 1~4 주전 선행

   (3) 진찰소견은 정상, 드물게 비장비대(현저한 간비대 or 림프절비대시 다른 질환 의심)

   (4) 서서히 발병, 사춘기에 발병 시 만성 ITP or SLE 의심

   (5) 급성 ITP 의 70~80%는 6개월 이내 자연치유

3) 검사소견

   (1) thrombocytopenia : $< 20 \times 10^3/mm^3$로 심한 혈소판 감소 흔함.

   (2) BT↑, BT 이외 응고 검사는 정상

   (3) Tourniquet test(+)

   (4) 혈소판 크기 : 정상 또는 크다.

  ☆(5) 골수소견 : 거핵구 정상 또는 증가

      미숙한 거핵구

   (6) 심한 비출혈이나 월경 과다 시 : Hb 감소

   (7) ANA : SLE 등 류마티스질환과 구별(사춘기에 자주 양성 반응, 만성화 ITP될 가능성 ↑)

4) 치료

   (1) 소아 ITP 지침서에 의하면 ┌ 혈소판 $> 30 \times 10^3/mm^3$ → 치료 필요없음

                      ├ 혈소판 $< 20 \times 10^3/mm^3$+ 점막출혈 : 치료필요

                      └ 혈소판 $< 10 \times 10^3/mm^3$+ 경미한 자반증 : 치료필요

  ☆(2) 고용량의 γ-globulin 정맥주사요법이 효과적 : 소아에서 TOC

      (1~2일간 투여하면 95%환자에서 48시간 내에 혈소판 수가 2만/mm³ 이상 증가된다)

[3] Prednisolone 경구치료 사용(대개 2~3주간) : 혈소판 수 2만 이상으로 올라가면, 빠르게 감량

[4] 생명위협하는 출혈 시 혈소판 수혈과 고용량 스테로이드(30mg/kg)와 IVIG 치료 병행

[5] Splenectomy를 고려

    Ix. : ① 6세 이상의 소아에서 심한 ITP가 1년 이상 지속되는 만성 ITP이면서 위의 치료로 쉽게 조절이 되지 않을 때

        ② 두 개 내 출혈 같은 생명을 위협하는 출혈이 합병되어 혈소판 수혈이나 IVIG or steroid 치료로도 조절이 안 되는 경우

[6] anti-D 정주 : Rh 양성 환자

5] 만성 ITP

[1] 급성 ITP의 10~20%에서 6개월 이상 지속되어 만성화 됨.

[2] 자가면역에 의해 파괴(급성 ITP는 RES에 의해 파괴)

    (이 경우 SLE나 HIV 검사 해봐야 함)

[3] 치료 : splenectomy로 만성 환아의 64~88%에서 완치, but 감염에 대한 위험부담

Acute ITP	Chronic ITP
① 보통 2~6세 사이 어린 아이	① 다른 자가면역질환과 동일하게
② M=F 동일	② 20~40세
③ 대개 바이러스 감염(상기도 감염) 1~4주 이후	③ 여자가 3배 더 많다
④ 6개월 내에 자연 소실(비장절제를 시행 안함)	④ 서서히 증상이 나타남
⑤ 기전	⑤ 많은 경우 이전 easy bruising or 월경 과다 경험
– 바이러스 감염	⑥ 임상 양상이 fluctuating
– PLT 표면에 대한 자가 항체 생성	⑦ 자연 소실 ×
– 면역 복합체가 혈중에 돌아다니면서	⑧ 오랜 기간 만성적인 경과를 밟음
– RES(비장 대식세포)에 의해 인지	⑨ 자가 항체 형성
– 파괴됨	– PLT 관련 auto-Ab : 75%
	– 항-PLT IgG auto-Ab : 50~85%
	⑩ 다른 자가면역 질환과 흔히 연관됨 : SLE

증상	검사 소견
① 출혈	① PLT 감소
② purpura 자반	② PLT life span : 2~3일(정상 : 10일)
③ easy bruising : 쉽게 멍이 든다	③ BT 증가
④ 비장 비대 없음	④ 토니켓 test : 양성
⑤ lymphadenopathy 없음	⑤ 응고시간 : 정상
※ 현저한 간비대 / 비장 비대시 다른 질환 의심	⑥ BM : megakaryocyte
	⑦ 항-PLT Ab : 양성
	⑧ Evan's 증후군 : ITP + 용혈 빈혈
	⑨ IDA

5. 혈우병(Hemophilia)

1) 분류

혈우병 A, B는 유전성 중증 출혈진단 중 가장 흔하며, 출혈증상 유사

[1] Classic hemophilia(혈우병 A) : factor VIII 결핍

[2] Christmas 병(혈우병 B) : factor IX 결핍

[3] 혈우병 A가 B보다 6배 정도 많고, 성염색체 열성(XR)으로 유전되므로 남자에서만 볼
수 있다(출생남아 5천명 당 1명).

[4] 출혈성 경향의 정도에 따른 혈우병의 분류

출혈성 경향의 정도에 따른 혈우병의 분류		
혈우병 A 또는 혈우병 B	흉고 인자 농도 (정상인에 대한 %)*	출혈 양상 및 정도
중증	1% 이하	자연적인 출혈
중증도	1~5%	경도나 중등도의 외상에 의한 출혈
경증	5~25%	수술 후의 출혈

* 정상인의 혈장내 응고인자의 농도를 임의로 100% 정의

2) 임상 양상

[1] 일반적으로 신생아기에는 출혈 증상을 보이지 않는 게 대부분(30%에만 출혈증상)

[2] 대부분 걷기 시작하는 1세 전후경부터 특징적 출혈 증상

[3] 3~4세 이후부터는 관절이나 근육 내 출혈이 주 증상

☆[4] 혈관절증(Hemarthrosis) : 무릎, 팔꿈치, 발목 관절강 내가 흔함, 통증이 초기증상, 운
동장애 초래

[5] 근육내 출혈 : forearm의 굴근, 비복근 및 복강내 장요근(iliopsoas) → 단지 서혜부통증
과 함께 혈액량 감소에 의한 쇼크 유발

[6] 중추신경계, 상기도의 출혈 : 생명위험
→ 방사선 촬영시 정상인자 보충(100U/dL 또는 100%) 선행

3) 검사소견 및 진단

[1] 혈소판 수, 출혈시간(Bleeding time), prothrombin 시간(PT) : 정상

☆[2] 응고시간(coagulation time), partial thromboplastin 시간(PTT) : 연장

[3] VIII, IX의 blood level 감소, VIII 인자, IX 인자의 정량검사로 확진

[4] coagulation time은 PTT보다 예민도 떨어지므로 선별검사로 부적합

4) 치료

(1) 급성 출혈시의 치료

★① 부족인자의 보충(factor VIII, cryoprecipitate) : 수분 내지 1~2시간 내 통증 사라짐.

② 진통제 : aspirin은 금기, acetaminophen이나 codeine 사용

(2) 장기 치료

① corticosteroid : 관절강내 출혈이 심할 때 일시적인 항염증 효과

② 응고인자(factor VIII)보충 : FFP, cryoprecipitate, factor VIII concentrate : 경미한 출혈 시에는 VIII or IX 인자 농축제제 15~25 unit/kg (30~50% 상승) 1회 투여로서 출혈 이 보통 교정됨.

③ 중등도의 관절강 내 출혈시 인자 활성도를 30~40%로 올려줌. : 1 unit/kg 당 2%의 인자 활성도를 높일 수 있다.

(3) 수술 시 : 처음 80~100%로 올리고 술 후 1주 동안 50% 이상 유지, 다음 1주 동안은 30% 이상 유지

(4) 그 외 가정요법, 재활치료와 같은 포괄적 치료가 요구됨.

혈우병은 일생동안 출혈성 증상이 반복될 수 있는 질환. 인자보충요법뿐 아니라 재활 치료, 정신과적 치료 등의 포괄적 치료 필요하다.

혈우병의 치료		
출혈의 형태	혈우병 A	혈우병 B
관절강 내 출혈[1]	첫날 VIII 인자 50U/kg 투여[2], 그 이후 2일째, 3일째, 5일째에 각각 20U/kg씩, 관절이 정상화될 때까지 매일 동량 반복 투여, 7~10일간 격일로 추가 치료, 예방 치료 고려	첫날 IX 인자 80~100U/kg 투여, 그 이후 2일째, 4일째에 각각 40U/kg씩 투여, 7~10일간 격일로 추가 치료, 예방 치료 고려
근육 내 또는 상당량의 피하 내 혈종	VIII 인자 50U/kg 투여 : 증상 완화시까지 격일 치료	IX 인자 80U/kg 투여 : 증상 완화시 2~3일 간격으로 치료 고려
구강 내, 유치 또는 치아 발치	VIII 인자 20U/kg 투여 : 항섬유소 용해 인자 치료 : 흔들리는 유치 제거	IX 인자 40U/kg 투여[3] : 항 섬유소 용해 인자 치료 : 흔들리는 유치 제거
비출혈	15~20분간 압박 : petrolatum 거즈로 막음 : 항섬유소 용해 인자 치료 : 상기 치료 실패시 VIII 인자 20U/kg 투여[4]	15~20분간 압박 : petrolatum 거즈로 막음 : 항섬유소 용해 인자 치료[3] : 상기 치료 실패시 IX 인자 30U/kg 투여[6]
주요 수술, 치명적인 출혈(예 : 중추신경계, 소화기, 기도)	VIII 인자 50~75U/kg 투여, ?4시간 동안 VIII 인자 100% 이상 유지 위해 2~4U/kg/시간 연속 주입, 다음 5~7일간 VIII 인자 50% 이상 유지 위해 2~3U/kg/시간 연속 주입, 다음 5~7일간 VIII 인자 30% 이상 유지	IX 인자 120U/kg 투여[5] : 5~7일간 IX 인자 40% 이상 유지 위해 12~24시간마다 50~60U/kg 투여, 총 10~14일간 격일로 40~50U/kg 투여[6]
엉덩허리근 내 출혈	VIII 인자 50U/kg 투여, 증상 소실될 때까지 12시간 마다 25U/kg 투여, 총 10~14일간 격일로 20U/kg 투여[4]	IX 인자 120U/kg 투여 : 증상 소실될 때까지 IX 인자 40% 이상 유지 위해 12~24시간 마다 50~60U/kg 투여 : 총 10~14일간 격일로 40~50U/kg 투여[6]
혈뇨	활동제한 : 수액 치료를 유지량의 150% : 1~2일 이내에 증상 완화되지 않으면 VIII 인자 20U/kg 투여 : 이후에도 증상 지속시 prednisone 치료(HIV 비감염인인 경우)	1~2일 이내에 증상 완화되지 않으면 IX 인자 40U/kg 투여 : [6]이후에도 증상 지속시 prednisone 치료(HIV 비감염인인 경우)
예방적 치료	최저치를 1% 이상 유지하기 위해 VIII 인자를 격일로 20~40U/kg 투여	최저치를 1% 이상 유지하기 위해 IX 인자를 2~3일 간격으로 30~50U/kg 투여[6]

① 고관절 내 출혈인 경우, 장두골의 무혈성 괴사를 방지하기 위해 흡인술 여부에 대한 정형외과적 진료 고려

② 경증 및 중등도 혈우병 환자인 경우, 환자의 VIII 인자에 대한 지혈 반응 정도를 알고 있는 경우 VIII 인자 대신 desmopressin, 0.3 μg/kg 사용 : 반복 용량 사용시 빠른 내성에 대한 VIII 인자치 측정 필요

③ 프로트롬빈 합성 인자 주입 시 4~6시간 이후까지 항섬유소 용해 인자 투여 금지

④ 치료 중단 전에 방사선의학적 검사의 반복 시행 필요

⑤ 합성 IX 인자 사용 시 정량대로 투여 : 혈장 추출 IX 인자 사용 시 정량의 70%만 투여

⑥ IX 인자의 반복 투여가 필요한 경우 고도로 정제된 IX 인자 사용 필요

5] 합병증

[1] Hemarthrosis : 관절의 장애나 deformity

[2] 근육 내 출혈에 의한 contracture나 신경 마비

[3] 응고 인자 수혈에 의한 viral infection

[4] 과도한 응고 인자 출혈 시 thrombosis의 형성

[5] VIII나 IX factor에 대한 Ab 형성

6. 폰빌레브란트병(von Willebrand disease) 병

유전성 출혈성 질환 중 m/c, 단백질 부족(1형), 질적이상(2형), 결핍(3형)

: vWF는 VIII 인자와 결합해 복합체 이룸 → vWF는 혈소판의 adhesion에 관여

[1] AD유전(빈도 : 혈우병 A > VWD > 혈우병 B)

[2] 혈소판 기능 장애와 VIII 인자 결핍증상을 특징으로 하는 출혈성 질환, 여러 subtype 가짐

[3] 코피, 잇몸출혈, 멍이 잘 들고 작은 상처에도 출혈이 멎지 않으며 월경과다증도 보임

[4] 관절이나 근육 내 출혈은 없다.

[5] PT와 혈소판수는 정상, PTT는 약간 연장, 출혈 시간 매우 연장됨, 혈소판 접착 작용 현저히 감소

☆[6] Tx. : DDAVP 투여 → 혈관 내피세포로부터 vWF 방출토록 유도

   (1형은 효과 있으나 효과없는 3형은 농축 vWF 보충요법 사용)

   cryoprecipitate or FFP

   경구피임제(월경과다 때문)

	Hemophilia A	Von Willebrand Ds.
① factor	VIIIR은 정상, VIIIC는 비정상	VIIIR과 VIIIC 모두 감소
② 유전	XR 유전	AD 유전
③ 검사	PLT 수와 BT, PT는 정상 CT와 aPTT 연장 확인은 VIII의 정량검사	BT ↑↑(PLT adhesion ↓) PT와 PLT 수는 정상 aPTT 연장

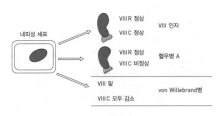

von Willebrand병과 혈우병 A의 차이

7. 파종 혈관 내 응고 증후군(DIC)

어떤 underlying ds.의 경과 중 합병될 수 있는 후천성 출혈성 질환

DIC의 유발 인자	
유발 인자	**임상적 원인**
내독소(endotoxin)	Gram 음성 패혈증 괴사성 장결장염(NEC)?
Thromboplastic material (조직액)	쇼크 내피(endothelium) 손상(virus, 세균, 리케차, 열사병), 외상/화상, 심한 저산소증—산증(초자 양막증) 악성 종양(백혈병, 신경모세포종, 횡문근육종) 쌍둥이 중 한쪽 배아기 사망한 경우 용혈 수혈 반응 저체중 출생아 및 미숙아(태반 경색증)
항원–항체 복합물	면역 질환(purpura fulminans ?) 아나필락시스 쇼크
혈류 정체	전신적 : 쇼크 국소적 : 거대 혈관종
특별한 물질	용혈 수혈 반응

1) 발생기전

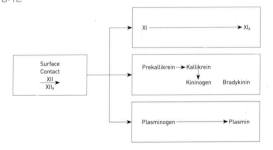

2) 임상소견

(1) 출혈성 소질 : 응고인자(특히 I, II, V, VIII) 소모

(2) 미세혈관 혈전증

(3) 섬유소 용해작용으로 FDP 증가(FDP의 항응혈 작용으로 출혈 악화)

(4) 장기부전증(폐, 신장, 간, 뇌, 위장관, 피부의 허혈, 괴사) : microthrombi 때문

(5) 순환 RBC의 fragmentation으로 microangiopathic HA 발생

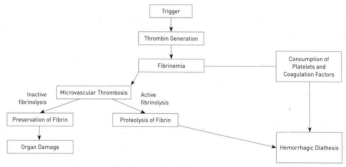

DIC 증후군에서 일어나는 복합적인 현상 및 증후

3) 증상

(1) 출혈성 경향 : 피하 출혈반, 자반, 채혈 또는 주사 부위에서의 계속적인 출혈

(2) 장기 기능 부전 현상 : 호흡곤란, 핍뇨, 간기능저하, 저혈압

(3) 미세혈관병 용혈 빈혈(microangiopathic hemolytic anemia)

4) 검사소견

(1) 말초혈액도말 표본검사에서 미세혈관성 용혈(burr cell, fragmented RBC)

(2) 혈소판 수 감소(<10만/mm³)

(3) FDP의 상승(>1 : 4)

(4) PT 및 PTT의 연장

(5) thrombin 시간 연장

(6) 혈장 내 응고인자(I, II, V, VII) 감소

(7) Antithrombin III (AT III) 감소

5) 진단

임상증상과 특징적 용혈검사 소견으로

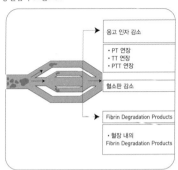

응고 인자 감소

• PT 연장
• TT 연장
• PTT 연장

혈소판 감소

Fibrin Degradation Products

• 혈장 내의
Fibrin Degradation Products

DIC 선별검사

6) 감별진단

검사	DIC 증후군에 있어서 감별진단		
	질병		
	DIC	비타민 K 결핍증	간질환
aPTT	↑	↑	↑
PT	↑	↑	↑
TT	↑		
Platelet count	↓	정상	정상/↓
섬유소 분절물	+	−	±
Fibrinogen	↓	정상	↓
Facter VIII	↓	정상	정상/↓

7) 치료

사망은 DIC로 인한 출혈이나 혈전증보다 원인질환 악화에 기인

(1) 원인 질환 치료 및 보존적 요법

(2) (1)에도 불구 악화될 때 항응고요법 : 저분자량 헤파린(LMWH) 사용권장

(3) (2)에도 호전이 없을 때 ATIII, 혈소판 또는 응고인자 보충

(4) 신생아(패혈증으로 인한 심한 DIC) : 헤파린이 섞인 혈액으로 교환수혈

17 종양 질환

Power Pediatrics

I 총론

1. 연령에 따른 소아 악성 종양의 발생빈도

1) 성인에 비하여 발생빈도가 낮으나(소아 10만명 당 매년 약 16.6명)

- 소아 질병 사망의 m/c 원인
- 급성 백혈병이 소아 종양의 30%(M/C), 제2위는 고형종양 중 m/c 뇌종양

  *전체 소아암 발생빈도 : 백혈병 > 뇌종양 > 림프종 > 신경모세포종 > 연부조직육종

  *고형암 발생빈도 : 뇌종양 > 신경모세포종 > 연부조직육종 > 윌름종양 > 골종양

2) 성인은 나이가 증가함에 따라 암의 발생이 급격히 증가하는 양상을 보이나,

소아암의 발생은 5세미만의 소아와 청소년기에 두 정점을 보임.

(1) 생후 첫 1년 동안 : 신경모세포종, Wilms종양, 망막모세포종, 속질모세포종 등 선천성

경우 많은 종양들 호발

(2) 2~5세 : 급성 림프모구 백혈병, 비 Hodgkin림프종, 신경아교종(glioma) 등 호발

(3) 청소년기 : 골종양, 연부조직육종, Hodgkin병, 생식세포종양(gern cell tumor), 갑상샘

암 등 다양한 암발생빈도 증가

2. 종양 발생의 빈도가 높은 유전성 질환

	유전성 질환	종양	유전 양상
염색체 증후군	Chromosome 11p with sporadic aniridia	Wilms 종양	비뇨기 이상, 정신 발달 지연과 연관성
	Chromosome 13q	망막모세포종, 육종	정신 발달 지연, 골격 기형과 연관성 :
	Trisomy 21	ALL 또는 AML(특히, megakaryocytic) 일과성 백혈병양 반응	AD (양측성) 또는 산발적 새로운 돌연변이 위험성 : 정상의 15배
	Klinefelter 증후군(47, XXY)	유방암, 생식샘외 생식세포 종양	
	Trisomy 8	전백혈병(Preleukemia)	
	Noonan 증후군	소아 골수 단백구 백혈병(JMML)	
	Monosomy 5 또는 7	골수 형성 이상 증후군	반복되는 감염이 신생물에 선행
염색체 취약성	색소 건피증 (Xeroderma pigmentosum)	기저세포 피부암, 평편세포 피부암	AR : 태양광에 손상받는 DNA의 회복 부전
	Fanconi 빈혈	백혈병, 골수 형성 이상 증후군,	AR : AML에 대한 위험성 10%
	Bloom 증후군	간 종양, 드물게 두경부 종양, GI 및 GU 종양	AR : sister chromatid exchange 증가, BLM 유전자 변이
	모세혈관 확장성 운동실조 (Ataxia–telangiectasia)	백혈병, 림프종, 고형 종양 림프종, 백혈병	AR : 방사선 조사에 예민, ATM 종양 억제 유전자 변이
면역 결핍 증후군	Wiskott–Aldrich 증후군	림프종, 백혈병	XR : WAS 유전자 변이 (Xp11 .22–23)
	X–linked immunodeficiency (Duncan 증후군)	림프 증식성 질환	X 연관 : EBV가 유발 인자 SH2D1A 유전자 변이
	X–linked agammaglobulinemia (Bruton 병)	림프종, 백혈병	X 연관 : BTK 유전자 변이로 성숙 B세포 결핍
	Severe combined immunodeficiency	백혈병, 림프종	X 연관 : ADA 유전자 변이
기타	신경섬유종증 1	신경섬유종, 시각아교종, 청신경종, 별아교세포종, 수막종, 갈색세포종, 육종	AD : 종양 억제 유전자 NF1의 변이
	망막모세포종	육종	AR, RB1 유전자 변이, 10~20년 후에 2차 암의 위험성 증가
	반신비대 ± Beckwith 증후군	Wilms 종양, 간모세포종, 부신 겉질 암종	WT1 유전자 변이, 25%에서 종양 발생, 대개 5세 이전
	Li–Fraumeni 증후군	골육종, 연부조직육종, 유방암	AD : p53 종양 억제 유전자의 변이.

3. 진단의 원칙

- 소아에서 흔히 발생하는 암의 증상 : 발열, 림프절비대, 복부 종괴, 종격 종괴, 뼈의 통증, 범혈구 감소증(pancytopenia), 출혈, 아침에 심한 두통과 구토 등
- 경부 림프절의 크기 증가는 소아에서 감염이 있을 때도 흔하지만, 림프종일 때도 동반 지속적으로 통증이 동반되지 않고 점차 커지는 림프절 → 림프종 의심 → 생검

4. 종양 치료의 일반적인 원칙

1) 화학요법

소아암에서 가장 많이 쓰이는 치료방법. 악성세포에서 대사 및 세포주기 활동성의 증가
는 화학요법의 세포독성효과를 더 증진

항암화학요법					
약물	작용	대사	배출	적응	독성
1) 항대사제					
Methotrexate	엽산 길항, Dihydrofolate reductase 억제	간	소변, 담즙	급성 림프모구 백혈병, 림프종, 속질모세포종, 골육종	골수 억제(nadir 7~10일), 점막염, 구내염, 피부염, 간염, 고용량 투여시 leucovorin으로 점막, 신장과 중추 신경계 독성 예방
6–Mercaptopurine (Purinethol)	Purine 동족체 Purine 합성 억제	간	소변	급성 림프모구 백혈병	골수 억제, 간괴사, 점막염, allopurinol은 독성을 증가시킴.
Cytarabine (Ara–C)	Pyrimidine 동족체 DNA polymerase 억제	간	소변	급성 림프모구 백혈병, 림프종	골수 억제, 결막염, 점막염, 중추신경계 기능부전
2) 알킬화제					
Cyclophosphamide (cytoxan)	Alkylates guanine DNA 합성 억제	간	소변	급성 림프모구 백혈병, 육종	골수 억제, 출혈성 방광염, 폐 섬유화, SIADH, 방광암, 아낙필락시스
Ifosfamide (Holoxan)	Cyclophosphamide와 유사	간	소변	림프종, Wilms 종양, 육종, 배세포와 고환 종양	Cyclophosphamide와 유사, 중추신경 기능부전, 심독성
3) 항생제					
Doxorubicin (Adriamycin) and daunorubicin (Cerubidine),	DNA와 결합, 삽입	간	담즙, 소변	급성 림프모구 백혈병, 급성 골수성 백혈병, Ewing 육종, 림프종, 신경모세포종	심근병증, 붉은 소변, 혈관 외 유출시 조직 괴사, 골수 억제, 결막염, 방사성 피부염, 부정맥
Dactinomycin	DNA와 결합, 전사 억제	간	소변, 대변	Wilms 종양, 횡문근육종, Ewing 육종	혈관 외 유출 시 조직 괴사, 골수 억제, 방사성 감수성, 점막염
Bleomycin (Bleocin)	DNA와 결합, DNA 절단	간	소변	Hodgkin 병, 림프종, 배세포 종양	폐렴, 구내염, 폐섬유화, 피부염, Raynaud 현상
4) Vinca Alkaloids					
Vincristine (Oncovin)	미세관 형성 억제	간	담즙	급성 림프모구 백혈병, 림프종, 신경모세포종, 윌름 종양, Hodgkin 병, 횡문근	국소 연조직염, 말초신경병증, 변비, 장마비, 경련, 하악통, SIADH, 안검 하수, 경한
Vinblastine (Velban)	미세관 형성 억제	간	담즙	Hodgkin병, Class 1 조직구 증식증	국소 연조직염, 백혈구 감소
5) 효소					
L-asparaginase	L-asparagine의 고갈	–	세망내피계	급성 림프모구 백혈병	알레르기 반응, 췌장염, 고혈당, 혈소판 기능이상, 응고장애, 뇌증

항암화학요법					
약물	작용	대사	배출	적응	독성
PEG-asparaginase (Pegaspar)		−	세망내피계	급성 림프모구 백혈병	L-asparaginase에 알레르기가 있는 환아에게 적응
6) 호르몬					
Prednisone	미 상	간	소변	급성 림프모구 백혈병, Hodgkin병, 림프종	쿠싱 증후군, 백내장, 당뇨병, 고혈압, 근병증, 골다공증, 감염, 소화 궤양, 정신병
7) 기타					
Carmustine (Nitrosourea)	DNA의 carbamylation; DNA 합성 억제	간	소변	중추신경계 종양, 림프종, Hodgkin병	지연된 골수 억제제(4~6주), 폐섬유화, 구내염, 종양 유발
Carboplatin, Cisplatin (Platinol)	DNA 합성 억제	−	소변	생식샘 종양, 골육종, 신경모세포종, 중추신경계 종양, 배세포 종양	신독성, aminoglycoside는 신독성 증가, 골수 억제, 귀독성, 테타니, 신경독성, 용혈 요독 증후군, 아나필락시스
Etoposide (Vepesid)	Topoisomerase 억제	−	소변	급성 림프모구 백혈병, 림프종, 배세포 종양	골수 억제, 2차 백혈병
Tretinoin (all-trans retinoic acid)	정상 분화 촉진	간	간	급성전골수구 백혈병, 신경모세포종	구강 건조, 탈모, 거짓뇌종양, 조기 골단 폐쇄

(1) antimetabolite : S단계에 작용

MTX, 6-MP, Ara-C, 5-FU 등

(2) Alkylating agent : DNA의 수소 이온을 알킬기로 대치 → 신진대사의 장애

Nitrogen mustard, cyclophosphamide, chlorambucil, mephalan

busulphan, cisplatin, nitrosoureas

(3) Antibiotics : DNA와 결합 복합체 형성, DNA, RNA 합성을 방해

Dactinomycin (Actinomycin), daunorubicin, Bleomycin, mithramycin, mitomycin C, doxo-

rubicin

(4) Vinca alkaloids : M phase에서 방추체 형성 저지

vincristine, vinblastine, etoposide (G_2)

(5) 효소 : L-asparagine을 분해, 세포의 단백 합성을 차단

L-asparaginase

(6) 호르몬제와 기타 : DNA 합성억제

prednisone, hydroxyurea, procarbazine

2) 급성 합병증과 지지 요법

[1] 치료 초기의 합병증은 대사장애, 골수 억제 및 중요한 장기에 대한 종양의 압박

[2] uric acid nephropathy : 큰 종양(백혈병, Burkitt 림프종, 큰고형종양(간모세포종, 생식
세포종, 신경모세포종))을 가진 환자에서 종양세포가 파괴될 때 요산 결정체의 신세뇨
관 침착

① 치료 개시 전 uric acid와 Cr의 혈청 농도를 측정

② 적절한 수액요법

③ 미리 allopurinol을 투여(xanthine oxidase 억제제), urine의 알칼리화

④ rasburicase(유전자 재조합 urate oxidase)를 사용 → 요산치 낮춤

[3] tumor lysis syndrome : 고인산혈증, 저칼슘혈증, 고칼륨혈증

K, P 증가 후 이차적인 Ca 저하(tetany발생시 P 낮추기 위해 Aluminum hydroxide 투여)

[4] 과립구감소증(500/mm³ 미만)

① 발열 상태의 과립구감소증 환자는 바로 경험적, 광범위 항생제 투여 → 열 없고 과
립구 증가될 때까지 치료 계속

② 광범위 항생제 투여에도 불구하고 발열이 1주일 이상 지속될 때에는 진균 감염을
의심

③ candida, aspergillosis 등의 진균 감염이 흔하다.

④ 중증 또는 만성적 면역 억제 시에는 *P. jirovecii* 감염을 예방하기 위해 TMP-SMX 투여

[5] 바이러스 생백신은 금기

수두 노출 시에는 ZIG 투여, 증상 발생시 acyclovir 투여

[6] 항암요법 중인 환자는 보통 체중이 10% 이상 감소

→ 경구 섭취가 어려울 경우에는 정맥으로 고농도 영양주입(hyperalimentation)이나 장
관 영양을 시행

치료 초기 급성 합병증				
상태	증상	병인	암	치료
1) 대사성				
고뇨산혈증	요산 신병증, 통풍	종양 용해 증후군	림프종, 백혈병	Rasburicase, allopurinol, 소변 알칼리화, 수분 공급과 이뇨
고칼륨혈증	부정맥, 심정지	종양 용해 증후군	림프종, 백혈병	Polystyrene resin (kayexalate), sodium bicarbonate, 포도당과 인슐린, 시험관에서 백혈병 세포의 용해로 인한 가성 고칼륨혈증과 감별
고인산혈증	저칼슘혈증에 의한 테타니; 전이성 석회화, 광선 공포증, 소양증	종양 용해 증후군	림프종, 백혈병	수분 공급, 인위적 이뇨, 소변 알칼리화 중지, phosphate와 결합하는 경구 aluminum hydroxide
저나트륨혈증	경련, 기면; 무증상	SIADH: 구토, 설사, 이뇨제로 수분과 염분 소실	백혈병, 중추 신경계 종양	SIADH 시 수분 제한, Na 고갈 시 보충
고칼슘혈증	식욕 감퇴, 오심, 다뇨, 췌장염, 위궤양; PR 간격 연장, Qt 간격 단축	골흡수 부갑상샘 호르몬, 비타민 D, 프로스타글란딘	Hodgkin병, 뼈로 전이	수분 공급과 furosemide이뇨제, corticosteroids, plicamycin, calcitonin, diphosphonates
2) 혈액학적				
빈혈	창백, 쇠약, 심부전	골수 억제 또는 침윤, 혈액 소실	항암 화학 요법	농축적혈구 수혈
혈소판 감소	점상 출혈, 출혈	골수 억제 또는 침윤	항암 화학 요법	혈소판 수혈
파종혈관내응고	쇼크, 출혈	패혈증, 저혈압, 종양인자	급성 전골수구 백혈병	신선냉동혈장 또는 혈소판 수혈, 감염 치료 등
호중구 감소	감염	골수 억제 또는 침윤	항암 화학 요법	발열 시 광범위 항생제와 과립구 자극 인자 투여
백혈구 증가 ($>50,000/mm^3$)	출혈, 혈전증, 폐herb증, 저산소증, 종양 용해 증후군, 시력 장애	백혈구 정체, 혈관 폐쇄	백혈병	백혈구 분리 반출법, 항암 화학 요법
이식편대 숙주병	피부염, 설사, 간염	면역 억제제와 방사선 조사되지 않은 혈액제 투여, 조혈모세포 이식	면역 억제	corticosteroids, cyclosporine, antithymocyte globulin
3) Space-occupying lesions				
척수압박	요통 ± 방사통, T10 상부 척수: 대칭 약화, 건반사 항진, 감각 신경 증상, toes up, 장, 방광 증상 Conus medullaris (T10–12): 대칭 약화, 슬개건 반사 항진, 발목 반사 감소, saddle 감각 소실, toes up or down Cauda equina (below L2): 비대칭 약화, 건반사 소실, 감각 결손, toes down	척추와 수질외 공간으로의 전이	신경모세포종, 속질모세포종	방사선 치료, 추궁 절제술, 항암 화학 요법
두개 내압 항진	착락, 혼수, 구토, 두통, 고혈압, 느린맥, 경련, 유두 부종, 수두증, III, VI 신경 마비	원발 또는 전이, 뇌종양	신경모세포종, 별세포종, 신경교종	corticosteroids, phenytoin, 뇌실 복막강 단락, 항암 화학 요법
상대정맥 증후군	경정맥 확장, 안면 홍조, 두경부 부종, 청색증, 안구 돌출, Horner 증후군	상부 종격동 종양	림프종	항암 화학 요법, 방사선 치료
기관 압박	호흡 부전	종격동 종양,	림프종	방사선 치료, corticosteroids

3) 후기 후유증

암 치료의 후기 후유증	
문제	원인
불임	알킬화제 : 방사선 조사
2차 종양	유전적 소인 : 방사선 조사, 알킬화제
패혈증	비장절제
간독성	Methotrexate, 6-mercaptopurine, 방사선 조사
절단	골육종 수술
척추측만증	방사선 조사, 수술
폐(폐렴, 섬유화)	방사선 조사, bleomycin, busulfan, nitrosoureas
심근병	Doxorubicin, daunomycin : 방사선 조사
백질뇌증	뇌 방사선 조사 ±methotrexate
인지 장애/기능 장애	뇌 방사선 조사 ±methotrexate
뇌하수체 이상	뇌 방사선 조사
(성장호르몬 단독 결핍, 범뇌하수체 저하증)	
갑상샘 저하증	경부 방사선 조사
백내장	Corticosteroid, 뇌 방사선 조사

♣ 후기 합병증 : 2차 종양 발생(가장 심각), 화학요법 의한 심한 장기 손상 초래 각별한 주의 필요

4) 조혈모세포 이식

동종 조혈모세포 이식의 대상 질환 및 이식 시기	
질환	이식 시기
표준 위험군 급성 림프모구 백혈병	2차 관해 후
고위험군 급성 림프모구 백혈병	1차 또는 2차 관해 후
급성 골수성 백혈병	1차 또는 2차 관해 후
만성 골수성 백혈병	만성기
중증 재생 불량 빈혈	대량 수혈 전
Fanconi 빈혈	대량 수혈 전
선천 면역결핍증	감염 전
선천 대사 질환	2차적 장기 손상 전

5) 완화요법

- 임종이 가까운 환자에게 고통을 줄여 주고 편안함을 줌.
- 통증을 막기 위한 투약 원칙에 따라 단계적인 방법으로 관리
- 용량은 부작용이 없도록 해야 함.

II 각론

1. 백혈병(Leukemia)

- 소아기 악성종양 중 m/c
- ALL이 m/c(70%), 남 > 여
- 병형과 관계없이 비슷한 임상양상을 보임

(모두 심한 골수 기능의 장애를 일으키기 때문)

소아 백혈병의 병형별 빈도	
병형	비율(%)
Acute lymphoblastic	70~80
Acute myelocytic	15~20
Acute monocytic	3~8
Chronic myelocytic	2~5
기타	2

한국 소아의 백혈병	
병형	비율(%)
Acute lymphoblastic	60
Acute myelocytic	30
Acute monocytic	5
Chronic myelocytic	3
기타	2

1) 급성 림프모구 백혈병(Acute lymphoblastic leukemia; ALL)

[1] 병리

ALL은 형태학적, 면역학적, 세포유전학적(cytogenetic), 분자유전학적(molecular genetic) 특징에 따라 분류

① 형태학적 분류로는 L1, L2, L3로 분류되는 FAB 분류법이 보편

② 면역학적 분류(모세포 기원에 따라)는 B, T, early pre-B, pre-B로 구분

Ⓐ early pre-B cell와 pre B cell에서 ALL의 대부분이 발생됨(85% 이상)

Ⓑ 또한 early pre-B cell or pre-B cell ALL 환아의 90% 이상에서 common ALL antigen (CALLA)을 나타냄(90% 이상에서 L1 형태를 가짐)

Ⓒ T cell은 ALL 환아의 약 15%에서 보임. 이 환아들의 백혈구 수는 높고, 큰 남아에 많으며, 림프절비대나 종격동 종괴, 간비장비대, 중추신경계 침범을 보이는 빈도가 높고, 예후가 좋지 않다.

(2) 임상증상

4세 전후에 m/c 발생(남아 > 여아). 진단 4주전 : 2/3에서 이상 소견

① 최초 증상 : 비특이적 증상(오심, 보챔, 무기력 등)

→ 골수부전 진행되며 leukemic cell증가로 pancytopenia증상(빈혈, 점상출혈, 감염)과 여러 기관 침범, 증식에 의한 여러 증상

고열(60%), 창백, 식욕부진, 피로감, 골통, 복통, 관절통, 림프절비대, 체중감소 등

② 대부분의 환아는 창백하고 50%에서 점상출혈이나 점막출혈

③ 60%에서 발열이 동반 – 상기도감염이나 중이염 오인 가능

④ 림프절비대, 비장비대(60%), 간비대(낮은 빈도)

⑤ 환아의 25%에서 심한 골통이나 관절통

⑥ 드물게 CNS침범, 증식 : 두통, 구토, 시력장애, 뇌수막염 증상

뇌신경 침윤 : 얼굴신경마비, 눈꺼풀처짐, 제6뇌신경 마비로 인한 복시 등

⑦ 초기증상으로 종격동 종대, 골수 침범 있으면 : T cell이 많고, 10세 이상의 남아 호발(예후 불량)

⑧ T cell과 B cell ALL 은 좀 더 나이든 연령에서 생기며 non B, non T cell ALL은 7세 이하의 어린 연령층에서 많다.

(3) 검사 소견

★① 말초혈액검사 : 빈혈, 과립구 감소, 혈소판감소, leukemic cell (blast)

② 흉부 X선 촬영 : 종격 종양 유무 확인

③ 뇌척수액 검사 : 발병 초기에 CNS 침범 유무가 예후와 치료에 중요하므로

④ 골방사선 촬영 : 골에서의 증식진단, 임상적 의미별로 없음

⑤ 세포화학적 검사 : 림프 모세포, 골수모 세포의 구분 및 아형분류

⑥ 신기능 검사 : LDH, 혈청 요산 증가

⑦ 간기능 검사

★⑧ 진단 : 말초혈액검사상 모세포 출현으로 의심, 골수천자검사로 확진(blast ≥ 25%)

백혈병 세포 형태 감별에 도움이 되는 histochemical staining					
	PAS	Sudan black B	Peroxidase	ANE	NCE
Leukemic lymphoblast	+	–	–	–	–
Lymphocyte, mature, normal	–	±	–	–	–
Myeloblast	–	+	±	+	++
Monoblast	–	+	±	++	–
More mature myeloid cell	+ ~ +	+ ~ ++	++	+	++
Monocyte	+	+ ~ ++	+	+	+

⑷ 감별진단

대개 혈액 및 골수검사로써 진단은 되나, 간혹 증상이나 혈액상이 특징적이 아닐 때 다른 질환과의 감별진단을 요한다.

① 원인불명의 열 : 류마티스열, 류마티스 모양 관절염, 아급성 세균 심내막염, 골수염, 여러 화농성 감염

② 신경모세포종이나 림프종 등이 골수를 침윤 했을 때도 pancytopenia 가능하여 감별 (골수검사상 정상 골수사이에 악성세포 군집이 퍼져 있음)

③ 전염성 단핵구증과 감별 : Paul-Bunnel test, EBV에 대한 항체 증명

④ 출혈 경향을 나타낼 수 있는 질환 : 특발성 혈소판감소성 자반증, 재생 불량성 빈혈 등

⑤ 림프절비대와 간비장비대를 가져오는 질환 : Hodgkin ds, NHL, histiocytosis

⑸ 치료

	ALL	AML
관해유도 (induction of remission)	prednisone vincristine	Ara-C (cytrabine)
	L-asparaginase or daunorubicin	daunorubicine or idarubicine
공고요법 (consolidation)	high-dose MTX cyclophosphamide cytrabine	induction 때와 같다
중추신경계 예방 (CNS prophylaxis)	cranial irradiation intrathecal MTX	안한다 (?survival에 관계없다)
관해유지 (maintenance of remission)	6-MP, MTX (꼭 해야 한다)	no benifit

① 관해 유도 : 관해란 골수에서 백혈병 세포가 5% 미만, 말초혈액 소견 정상, 임상 증상이 소실된 상태

Ⓐ vincristine과 prednisone을 관해 도입까지 4~6주간 주고, L-asparaginase는 3주 동안 사용

Ⓑ 표준 위험군 소아 ALL 환자의 98%는 4주(드물게 6주) 면 완전 관해에 들어감.

Ⓒ 완전관해(complete remission)

• blast가 골수에서 5% 이하이고, 말초혈액 내에는 없을 것.

• normal peripheral blood count 회복

• 진찰 소견 상 extramedullary involvement 의 소견이 없을 것.

② 공고요법(consolidation)과 관해유지(Maintenance of remission)

Ⓐ 관해 유도후 시행(14~28주) : 백혈병 세포를 추가적으로 줄여 장기적 예후 좋게 함.

Ⓑ 강화 요법 : 관해 유도 요법에서와 비슷한 약물 + 골수억제

유지 요법 : methotrexate, 6-mercaptopurine, vincristine, prednisone 등을 포함시켜서
복합 요법

③ 중추신경계 예방치료(CNS prophylaxis)

Ⓐ 공고 요법 기간 중에 시행

Ⓑ 안 할 경우 50% 이상에서 첫 재발부위가 CNS

Ⓒ 두개강 방사선 조사 또는 척수강내 화학요법

Ⓓ 예방으로 CNS 재발이 5% 이하로 감소

④ 면역요법(Immunotherapy) 및 생물학적 반응 조절 물질

Ⓐ 능동적 또는 수동적 면역 요법

Ⓑ cytokine, 성숙 분화 유도 제제, GM-CSF, G-CSF

⑤ 조혈모세포이식(Hematopoietic stem cell transplantation)

: 재발후 2번째 관해된 경우 시행하여 장기생존율↑

⑥ 감염에 대한 치료

Ⓐ 감염은 출혈과 더불어 백혈병 환자의 주된 사망원인의 하나이다.

Ⓑ 특히 과립구가 적은 환자에게 위험성이 많다(특히, 500/mm³이하).

Ⓒ *Pseudomonas, E. coli, Klebsiella, Staphylococcus, Pneumocystis jirovecii, Candida albicans* 등에
의한 기회 감염

Ⓓ esp. 수두 위험 : 접촉 시에는 ZIG 주사, 발병 시 acyclovir 정주, antiviral agent 생
백신이므로 관해 중 1~2주간 화학요법 중단하고 Vaccination 후 2주 후 다시 화
학요법 을 시작

⑦ 출혈에 대한 치료

Ⓐ 다량 출혈 시 신선한 혈액으로 수혈

Ⓑ PLT<2만개/mm³ → 농축 혈소판 수혈

★※ Uric acid nephropathy : 항암 치료 중 흔한 합병증

① 백혈병 치료 초기에 수많은 백혈병 세포의 파괴 → uric acid 결정체가 신장에 축적

② 예방 : 충분한 수액, NaHCO₃ 투여로 urine의 알칼리화, 약물로서 allopurinol 또는 ras-
buricase (urate oxidase, 요산 분해 효소)

[6] 재발

① 골수 재발 : m/c (15~20%)

• 재발된 환자들의 70~80%에서 재관해

• 특히 완전 관해 기간이 2년 경과 후 재발된 경우 : 항암화학요법으로 50~60% 생
존율

- 치료 중 또는 치료 종료 6개월 이내 재발 경우 : 항암화학요법 + 동종 조혈모세
  포 이식
② 골수외 재발
- CNS : 척수강 내 화학요법 + RT (brain + spine)
- Testes : 진단−고환의 조직검사, 치료−전신항암요법 + 국소 RT

[7] 예후
① 소아기 ALL의 전체 생존률 : 80% → 완치가능 확신시켜 주는 것 중요
② 예후 불량 요소
- 1세 이하 또는 10세 이상
- 남자 아이
- 초기 검사상 말초 혈액 백혈구 수 50,000/mm³ 이상
- 간비대 또는 비장비대가 상당히 심한 경우
- Philadelphia 염색체[t(9;22)], 또는 t(4;11)
- t(1;19) 를 보이는 경우에는 나이와 백혈구 수에 따라
- hypodiploidy < 45 염색체
- 상부 종격동의 종괴, T세포
- 형태학적 분류상 FAB L3
- 중추신경계의 침범
- 초기 치료에 대한 반응이 느린 경우
- IKZF1 유전자 결손
- 치료 29일째 MRD > 1%
③ 좋은 예후 인자
- hyperdiploidy(염색체 50 이상, DNA index ≥ 1.16)
- *TEL/AML 1* 유전자의 재배열
- β 전구세포(early preB)
- 초기 치료에 대한 반응이 빠른 경우(14일 이내에 M1골수)
- 치료 29일째 MRD < 0.01%

증상	검사 소견 및 진단
(1) 최초 　① 비특이적 오심 　② 보챔 　③ 무기력 증상 (2) 대부분 환아 : 창백 + 점상출혈(점막 출혈) (3) 25% : 발열 존재 (4) 60% : 비장비대~간 비대는 덜 흔하다 (5) 25% : 심한 골통 / 관절 통 존재 (6) 드물게 CNS 침범 　① 두통 / 구토 　② 시력 장애 　③ 뇌막염 증상 (7) 뇌신경 침윤 　① 안면 신경 마비 　② 인검 하수 　③ 제6신경 마비 → 복시 (8) T 세포 백혈병 　① ALL 환아의 15% 　② 주로 10세 이상의 남아 　③ 높은 WBC수 　　림프절비대 　　충격성 종괴 　　간비장비대 　　CNS침범도 높음 　　예후 : poor	(1) PBS 　① 빈혈 　② 과립구 감소 　③ PLT 감소 　④ 백혈병 세포 (2) CXR : 종격동 종괴 유무 (3) 뇌척수액 검사 : CNS 침범유무가 예후에 중요해서 (4) 골 방사선 촬영 : 골에서의 증식 진단 (5) 세포 화학적 검사 　① 림프 모세포 　② 골수 모세포의 구분 및 아형 분류 (6) 신장 기능 검사 : LDH, 요산 증가 (7) PBS상 백혈병 세포로 의심 (8) BM 천자 : 확진(blast 20% 초과)

DDX	치료
(1) 불명열(FUO) 　① 류마티스 열 　② RA 　③ SBE 　④ 골수염 (2) 전염성 단핵구증 : 임상 양상 유사 (3) 신경모세포종 / 림프종의 골수 침범 → Pancytopenia (4) 출혈성 경향의 질환 　① ITP 　② Aplastic anemia (5) 간비장비대, 림프절비대 　① HD 　② NHL 　③ histiocytosis	(1) 복합 화학요법 : 70% 완치율 　① 관해 도입　　Vincristine 　　　　　　　　　Prednisolone 　　　　　　　　　L-asparaginase 　② 관해 유지　　MTX 　　　　　　　　　6-MP 　　　　　　　　　Vincristine 　　　　　　　　　Prednisolone 　③ CNS 재발 방지 : intracranial RTx, + intrathecal MTX (2) 면역 요법 (3) 조혈모세포 이식 : ALL 2번째 관해시 (4) 감염 : 항생제 치료 (5) 보조 요법 　① 출혈 치료 　② RBC / PLT 수혈 (6) 요산에 의한 신질환 예방 　① 수액 공급 　② allopurinol 　③ sodium bicarbonate 　④ 신기능 악화 시 : 투석

재발	예후 불량 요소
(1) 어느 부위에나 가능 (2) 골수 : m/c 　골수 재발 발견시 　① 이전 약 대신 다른 약 사용 　② 공고치료 시행 　③ 관해 기간이 18개월 이상 길었던 경우 → 예후 : 좋은 편 　④ 치료기간 중 재발한 경우 　　· 강화된 항암 치료 　　· 조혈 모세포 이식(SCT) 추천 (3) CNS 　① 기간 : CSF에서 백혈병 세포가 발견 안될 때까지(4~6 　　주 이상) 　② intrathecal CTx. 　③ CNS RTx. (4) 고환 　① 확진 : 생검 소견 　② 치료 : 고환에 RTx.	(1) 1세 이하 또는 10세 이상 (2) 남아 (3) 말초 WBC : 5만개 이상 (4) 심한 간비장비대 / 비장비대 존재 (5) t(1:19)를 동반한 B-progenitor ALL 필라델피아 염색체 　　[t(9:22), t(4:11)] 존재시 (6) 11q23이 포함된 translocation (7) hypoploidy 45 미만 (8) 상부 종격동의 종괴 (9) T 세포 ALL (10) CNS 침범 (11) 좋은 인자 　① hyperdiploidy 　　(염색체 50 이상, DNA index 1.16 이상) 　② TEL/AML-1 유전자의 재배열

2) 급성 골수성 백혈병(Acute myeloid leukemia; AML)

　[1] 정의 : 소아의 AML은 골수와 골수 외 장기에 골수, 단구, 거핵 세포 계열의 미성숙 백
　　혈병 세포(blast)가 증식되고 축적되는 것을 특징으로 하며, 골수내의 침윤은 정상 조
　　혈기능 장애를 일으켜서 치료받지 않으면 보통 2개월 이내에 감염 또는 출혈로 급속
　　히 사망하게 된다.

　[2] 빈도

　　① 전체 소아백혈병의 22.8%(2010년 중앙암등록본부 자료), 출생부터 10세까지 비슷
　　　한 발생빈도 보이나 청소년기에 상대적으로 증가

　　② 다운증후군, Fanconi빈혈, Diamond-Blackfan 빈혈, Kostmann증후군, Bloom증후군,
　　　Shwachman-Diamond 증후군, Li-Fraumeni 증후군 및 제1형 신경섬유종증과 같은
　　　다양한 질환에서 증가

　[3] 증상 : 골수부전에 해당하는 소견이 모두 일어날 수 있음

　　① 과립구 감소로 감염에 의한 발열

　　② 빈혈에 의해 창백하게 보이고 혈소판감소로 출혈의 증상

　　③ 피하 결절, 블루베리머핀 모양의 병변(특히 영아)

　　④ 림프절비대(주로 M4, M5), 중추신경계의 침범(환자의 5~10%, 주로 FAB M4, M5)
　　　증상

　　⑤ 잇몸비대(FAB M4, M5)

　　⑥ 백혈병 세포의 국소적 종양인 녹색종(주로 M$_2$) : 여러 장소에서 생길 수 있으나 안
　　　와 또는 경막 외부에 호발. 골수의 백혈병 세포의 축적에 선행하여 나타날 수 있다.

⑦ 백혈구수가 100,000/mm³이상인 경우 백혈구에 의한 혈류정체 → 뇌와 폐의 경색
　및 출혈 가능

⑧ M3에서는 파종 혈관내 응고(DIC) 유발 가능

(4) 진단

① 말초혈액검사 : 혈구수 비정상(빈혈, 혈소판감소, 백혈구 수는 증가, 저하 또는 정
　상소견)확진 : 골수검사에서 비정상 모세포가 유핵 세포의 20% 이상일 때

②

급성 골수성 백혈병 FAB 분류	
Type	FAB아형
Acute myeloblastic leukemia without differentiation	M_0
Acute myeloblastic leukemia without maturation	M_1
Acute myeloblastic leukemia with maturation	M_2
Acute promyelocytic leukemia	M_3
Acute myelomonocytic leukemia	M_4
Acute monocytic leukemia	M_5
Erythroleukemia	M_6
Acute megakaryoblastic leukemia	M_7

③

백혈병 세포 형태의 감별		
	AML	ALL
peroxidase, SBB	+	−
NSE		
muramidase	+	−
PAS	−	+
TdT	−	+
Auer body	+	−
N/C ratio	low	high
nucleoli	2~5	0~2

④

급성 골수성 백혈병에서 흔한 염색체 전좌			
염색체 이상	유전자 변이	관련 FAB 아형	예후
t(8;21)	AML1/ETO	AML M2	양호
inv(16), t(16;16)	CBFB/MYH11	AML M4Eo	양호
t(15;17)	PML/RARA	AML M3	양호
11q23 염색체변이	MLL유전자 재배열	AML M4, M5	불량
t(3;v)	EVI1	MDS/AML	불량
t(3;5)	NPM/MLF	MDS/AML	불량(?)
del(7q), −7	unknown	MDS/AML, AML M0	불량
del(5q), −5	unknown	MDS/AML, AML M0	불량

[5] 치료

① 관해요법 : 강력한 다약제 병합 화학요법 시행 시 80% 이상 관해

　　M3는 all−trans retinoic acid (ATRA) 같이 사용

② 동종 조혈모세포 이식 : 첫 관해 상태에서 형제, 자매 공여자가 있는 환자에서 시행
　　→ 장기 생존율 기대(60~70%)

③ HLA−일치 형제간 조혈모세포 일치 공여자 없는 경우 : 연속적인 공고−강화 화학
　　요법 시행(완치율 45~50%)

④ FAB M3 : all−trans−retinoic acid (ATRA), anthracycline, cytarabine 병합화학요법에 잘 반응

3] 백혈병과 다운증후군(Leukemia and Down syndrome)

[1] 15~20배 더 높은 백혈병 발생율

　　특히 급성 거대핵모구 백혈병(AMKL, FAB M7)은 500배

[2] *GATA1* 유전자의 변이

[3] ALL 가진 다운증후군 환아는 예후가 떨어지나, AML 가진 다운증후군 환아는 더 좋은
예후

4] 선천 백혈병(Congenital leukemia)

[1] 정의 :출생시부터 생후 4~6주 내에 진단되는 백혈병(대부분 AML)

[2] 원인

• unknown

• 11번 염색체의 q23위치의 MLL (mixed−lineage leukemia) 유전자의 재배열(80%)
　　: 6개월 이전 m/c → 자궁 내 약제나 독소 노출에 의한 유전적 이상 추측 가능

(3) 증상

- 현저한 백혈구증가증
- 점상 출혈
- 간비장비대
- 피부 소결절
- 중추신경계 백혈병

(4) 감별진단

① leukemoid reaction – 태아수종, 선천성 세균 또는 바이러스 감염에 의해 발병

② 다운증후군이나 21번 염색체 mosaicism에서 나타나는 일과성 골수 증식 증후군-감별 매우 어려움

(5) 치료 : 항암화학요법과 동종 조혈 모세포 이식

(6) 예후 : 나쁨

5) 만성 골수성 백혈병(Chronic myelogenous leukemia; CML)

(1) 소아 백혈병의 2~3%

(2) ① 성인형 : 5세 이후 특히 사춘기 직전, 필라델피아 염색체(+)

② 연소형 : 2세 이전, 필라델피아 염색체(−)

ⓐ 말초혈액과 골수에서 단구 및 단구의 전구세포가 증가

ⓑ 말초혈액에서 모세포 5% 이하, 골수에서 모세포 30% 이하, 혈소판감소, 빈혈, 백혈구증가

ⓒ 적혈구 : 태아 혈색소 증가, i항원 증가

ⓓ 피부병변, 혈소판감소로 출혈

ⓔ 급진적 경과, 치료에는 잘 듣지 않음.

(3) 필라델피아 염색체(95% 이상) : t(9;22) (q34;q11)

[4] 증상적으로 만성기, 가속기 급성기로 분류

CML의 성인형과 소아형의 비교		
특징	성인형	소아형
흔히 보는 연령 및 진단 시 연령	10~12세, > 2세	1~2세, < 2세
필라델피아 염색체	있다	없다
Fetal hemoglobin	정상	증가(15~50%)
비장비대	극도	중등도
림프절비대(화농성)	가끔	자주
피부발진	없다	있다
백혈구 수 증가	대개 100,000/mm³ 이상	대개 100,000/mm³ 이하
혈소판감소	드물게 있다	보통
말초 혈액에 blast form	드물게 있다	가끔 본다
골수에 megakaryocyte	가끔 증가	대개 감소
치료로 완전 완해	자주 온다	드물게 있다
과립구의 alkaline phosphatase	감소	감소(경도~중등도)
혈액과 소변의 muraminidase	약간 증가	심한 증가
평균 생존 기간	2.5~3년	<9개월

[5] 진단

① WBC 10만 이상 – 성숙한 골수성 세포

② 말초혈액 도말 표본에서 골수구 분화될 때 나타나는 골수구의 모든 종류가 관찰

③ 필라델피아 염색체 → 확인

④ 분자학적 검사 : bcr-abl 융합 유전자를 Southern blot analysis, PCR, FISH 검색

[6] 치료

① 만성기 – 목표 : 증상 완화(백혈구, hepatosplenomegaly ↓)

Ⓐ hydroxyurea 이용한 항암치료

Ⓑ imatinib mesylate (Glivec®)–성인환자의 70% 이상에서 효과적

Ⓒ Interferon-α+hydroxyurea 또는 저용량의 cytosine arabinoside 복합 투여

Ⓓ imatinib에 내성이 있을시 dasatinib (Sprycel®) 또는 nilotinib (Tasigna®) 등 사용

Ⓔ allogenic BMT (80%) – 진단 후 1년 이내

* 골수 이식 후 재발 : Interferon-α+공여자의 백혈구를 주입 혹은 백혈구 주입-가장

효과적인 면역 치료법

2. 악성 림프종(Malignant lymphoma)

소아에서 3번째로 많이 발생하는 종양

1) Hodgkin 병과 Non-Hodgkin 림프종과의 감별

	Non-Hodgkin림프종	**Hodgkin병**
Cellular derivation	90% B cell 10% T cell	Unresolved
Site of disease:		
Localized	Uncommon	Common
Nodal spread	Disconiguous	Contiguous
Extranodal	Common	Uncommon
Mediastinal	Uncommon	Common
Abdominal	Common	Uncommon
Bone marrow	Common	Uncommon
B symptoms	Uncommon	Common
염색체 전위	Common	Yet to be described
Curability	30~40%	75~85%

2) Hodgkin 병(Hodgkin disease)

[1] 빈도 및 증상

① 우리나라에서는 비교적 발생률 낮으나, 소아 연령에서는 중요한 질환의 하나

② 2세 미만은 거의 없고, 5세 이전에는 대단히 드물며, 10세 전후를 기준으로 증가
15~34세에 호발, 50세 때 호발(bimodal peak)

③ 70%에서 진단 시부터 국소적 림프절비대(특히 경부림프절) - 진단에 용이, 인접된
림프절을 따라 퍼지는 특징, 서서히 커지며 단단하고 무통성

④ B symptom

• 원인 불명의 발열, 야간 발한, 체중감소(6개월 동안 10% 이상 감소)

• Hodgkin병이 실질 장기에 퍼져 있다는 증거

• staging 시 있으면 B군, 없으면 A군

⑤ 림프절 이외의 침범되는 장기로는 간, 비장, 뼈, 골수, 뇌 등
종격(mediastinum) 림프절 침윤 시 가끔 기침이 나거나, 우연히 흉부 X선 촬영 때
발견

[2] 병리소견

★[1] 가장 기본적인 소견 : RS cell (Reed-Sternberg cell) - 큰 핵이 여러개 있으며, 세포
질이 풍부한 세포, 활성화된 항원전달 세포에서 유래

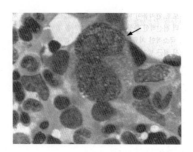

Reed-Sternberg 세포(화살표)

② 병리조직학적 분류

- 림프구 우세형(Lymphocyte predominance 형)(10~20%) : RS cell은 드물게 보이고, 예후가 좋다.
- 결절 경화형(Nodular sclerosis 형)(50%) : 가장 많은 형, 여자에서 호발
- 혼합 세포형(mixed cellularity)(40~50%) : 두 번째로 흔히 발생, RS cell 많이 보임.

④ 림프구 고갈형(lymphocyte depletion)(<10%) : 가장 적게 나타나고, 예후가 가장 나쁘다.
  → lymphocyte가 많을수록, RS cell이 적을수록 good Px.

[3] 진단

① 목이나 전신 어느 부위든지 림프절이 커지면 일단 Hodgkin병 의심
② 세균으로 인한 림프절염(특히 우리나라 경우 결핵 림프절염)이나 감염과 구분해야
  → 그것이 없을 때 생검 시행 → 림프절 생검검사로 진단하게 되면 병기결정 통해 치료방침 정함.
③ 경부 림프절비대시 흉부 X선에 림프절비대가 있으면 Hodgkin병 가능성 높음.
④ 골수 생검은 진행된 경우(병기 III, IV)이거나 B증상이 있는 경우에 시행

[4] 병기 & 치료

[1] 방사선 치료에 대단히 sensitive하므로 충분한 양의 방사선으로 완전한 치료가 가능하다. 그러나 소아의 경우에는 방사선 치료로 인한 장기적인 후유증 때문에 가능한 방사선 치료범위를 축소하고 여러 약제의 항암제를 투여하는 치료를 하게 된다.

(2)

Hodgkin병의 병기	
Stage I	1개 국소의 림프절(single lymph node region) 또는 1개의 림프절 이외의 장기(IE)에 침범된 경우(예 : 왼쪽 목에만 국한된 것, 혹은 종격 림프절에만 국한된 것)
Stage II	2개 이상의 국소의 림프절 침습(II), 또는 림프절 이외 장기(IIE)의 국소적인 침습이 있으나, 횡격막을 중심으로 같은쪽에 있을 때(예: 목의 림프절과 종격이 동시에 침습되었을 때)
Stage III	횡격막을 넘어서 국소의 림프절 침습(III), 혹은 림프절 이외의 국소적인 장기 침습(IIIE)이 있을 때 (예: 목의 림프절과 para-aortic lymph node에 침습시)
Stage IV	실질 장기의 전반적인 침습시(예: 간, 폐, 골수, 뼈 등)

① 초기병변(병기 I, II, IIIA)

Ⓐ 한 부위에 국한되어 있고, 수술로 제거된 경우 방사선 치료로 완치율 40~80%, 이후 재발된 경우일지라도 항암제 투여 재시도시 최종 완치율 90%이상 → 그러나 방사선 치료로 인한 장기적인 후유증 때문에 진단 시 처음부터 항암치료와 축소된 방사선 치료 병행 혹은 아예 항암치료만 시행하기도 함.

Ⓑ 약물치료 : MOPP (nitrogen mustard, vincristine, procarbazine, prednisone)요법이나 ABVD (adriamycin, bleomycin, vinblastine, dacarbazine)요법, 또는 두 요법 번갈아 사용 6개월 정도의 단기간 치료

② 진행된 병기(병기 IIIB, IV) : 항암제 투여가 기본 치료, 방사선 치료를 포함시키기도 함 → 완치율 60~70% 정도

③ 재발된 경우

Ⓐ 항암제 재투여시에도 반응 좋음.

Ⓑ 처음부터 관해에 도달하지 못한 경우나 처음 치료 시작으로부터 12개월 이내에 재발한 경우 : 예후 불량 → 최근 자가 조혈모세포 이식이나 동종 조혈모세포 이식 시도

3. 비 Hodgkin 림프종(Non-Hodgkin lymphoma; NHL)

• 림프절에서 발생하는 악성종양, 선천적 또는 후천적 면역결핍 상태인 경우 높은 발생률

• Hodgkin병과는 달리 병의 초기부터 림프절 이외의 부위에서 발병되는 경우도 비교적 많고, 실질 장기를 동시에 침습하는 수도 또한 발병시에는 림프절에 국한되어 나타나더라도, 진행되어 가는 양상이 혈관이나 림프 통로를 따라 예측할 수 없는 장소로 퍼져나감.

• 골수 침범이 처음부터 흔하며, 근본적 치료 받지 않거나 방사선 치료 등 국소치료만 하면 급성 백혈병으로 전환되는 율이 50% 이상(일단 백혈병이 되면 완치가 힘들다).

- 소아는 분화되어 있지 않고 성장이 빨라 급속히 전신으로 확산되는 high grade 유형(성인은 50%에서 low grade 유형) → 강력한 병합 화학요법 필요. 치료에 대한 반응 좋으므로 완치 기회 많음.

1) 소아에서 주로 생기는 high grade 유형 병리

  (1) lymphoblastic(30~35%) : 종격에서 주로 발생, Tcell 기원, 두경부 및 겨드랑이 림프절 비대(80%), 중추신경계 침범가능

  (2) Undifferentiated(40~50%) (small−non cleaved, Burkitt and non−Burkitt) : 복부 발생 종양의 80%, B cell 기원, t(8;14) , t(2;8) , t(8;22)중 한가지의 염색체 전좌

  (3) Large cell(15~20%) (histiocytic, cleaved, non−cleaved and immunoblastic): 복부, 종격, 피부, 뼈 등에 발생

2) 증상

  (1) 흔하게 발생하는 부위(림프절에서 발생하는 것보다 처음부터 실질 장기에서 발생하는 경우가 많다.) : 복부(31.4%), 두경부 림프절(29%), 종격(26%) 등

  (2) Hodgkin 병에 비해 두경부 림프절에서 발생하는 경우가 상대적으로 적음.

  (3) 종격에서 발생시는 전방에서 주로 발생 → 기침과 기도압박으로 인한 호흡부전이 생길 수 있음.

  (4) 림프절이 경부 정맥 압박시 목이나 얼굴에 부종, 충혈, 상대정맥증후군(SVC syn.) → Tx. 응급 RTx

  (5) 복부에서는 주로 회맹장 부위에 발생 → 복부종괴, 장폐쇄 또는 장중첩증의 소견

  (6) 난소, 복막뒤 공간 등에서 발병 → 종괴, 복수 동반

  (7) 골수 침범 경우 → 빈혈, 혈소판감소, 중추신경계 침범 → 뇌압상승, 중추신경 마비

3) 치료

  (1) 전신질환, 혈액을 타고 급속히 퍼져 나감 → 전신적인 치료 필요

  (2) 항암화학요법(vincristine, cyclophosphamide, prednisone, MTX, adriamycin 등)

    ① stage I, II : intensive combination chemotheraphy 후 유지요법

      → 치료성적 매우 좋음(2년 생존율 90% 이상).

    ② stage III, IV : 종양의 종괴가 크고 많이 퍼져 있으며, 종양 자체의 대사가 빠르므로 다약제 병용요법 시행시 종양 용해증후군(tumor lysis syndrome; 혈청 칼륨 증가, 요산 증가, 인산 증가, 칼슘 감소)

→ 결과적으로 요산신병증(uric acid nephropathy)유발 ∴충분한 수액요법, 소변알칼
리화, allopurinol, rasburicase같은 요산 분해 효소 투여

3. 뇌종양(Brain tumor)

1) 개요(임상적 특징)

① 발병률 : 소아기의 악성질환 중 2번째로 많다(백혈병이 m/c).

② 소아 인구 10만명당 1년에 2~5명

③ 남 : 여 = 1.2~1.4 : 1

④ 흔한 뇌종양의 발생 위치와 빈도 : 천막 상부(50~60%)와 하부(40~50%)에 생김.

⑤ 3/4가 glioma, 특히 low grade astrocytoma와 medulloblastoma는 주로 central neural axis(중
앙 신경축)를 따라 생김.

⑥ 예후 판정 : 조직학적 악성도, 종양의 위치, 연령, CSF 전이, RTx와 CTx에 대한 반응
도, 종양의 수술 적출 정도

⑦ 전이 – 드물다(lymphatics가 없고 BBB가 있기 때문)

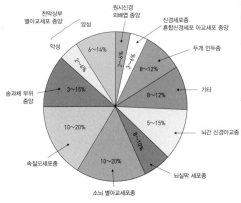

연령에 따른 소아 뇌종양의 주소/임상 양상의 차이점	
영아	소아
행동 변화	경련발작
숫구멍 팽창	두통
큰 머리증	구토
(수두증)	반신부전 마비
발육지체	시력 상실
구토	

소아 뇌종양의 종류와 빈도

2) 증상

(1) 뇌압 상승 증상

① 두통 : 주로 큰 소아, 아침에 일어날 때 호발

② 구토 : 이른 아침, 수면에서 깨어날 때 호발. 뇌압 상승에 따른 미주신경 긴장도의 증가로 인함

③ 유두부종(papilledema) : 가장 확실하고 객관적인 뇌압 상승 징후, 세포 외액의 축적으로 시신경 유두 가장자리가 불분명해지며, 정맥울혈, 유두주위 출혈 일으킴, 장기간 지속되면 시각신경 유두가 창백해짐.

④ 사시(strabismus) or 복시(diplopia) : 제6신경 or 제4신경 마비 소견

⑤ 사경(head tilt) : 복시를 보상하기 위해서, 상부 경수 신경근의 자극 증상

⑥ 현훈(vertigo)

⑦ 시야흐림(blurred vision)

⑧ 급성 의식장애

⑨ 경부 경직(neck rigidity)

(2) 국소 징후

① 전두엽 증상 : 성격, 행동, 인지기능 변화, 조화 운동 불능, 운동 실어증, 반신 마비, 요실금

② 측두엽 증상 : 청각, 언어, 시야, 기억력, 행동 변화, 균형감각 이상, 명칭 실어증

③ 두정엽 증상 : 감각 자극의 인식 결핍, 언어장애, 시야결손, 피질 감각 장애, Gerstmann 증후군, 실행성 실인증

④ 후두엽 증상 : 시야결손

⑤ 기저핵 증상 : 주로 운동장애

⑥ 간뇌 증상 : 주로 제3뇌실 폐쇄에 의한 뇌압 상승 증후

⑦ 뇌간 증상 : 다발성 뇌신경 마비, 소뇌 징후(보행 실조증, 안구 진탕), 장로 징후(반신 마비, 건반사 항진), Long tract sign

⑧ 소뇌 증상 : 중앙선 소뇌 및 제4뇌실 징후, 소뇌 반구 징후

(3) 경련 발작

① 천막 상부 종양의 30~60%

② 양성 종양에서 흔히 발생

3) 진단 및 검사

자세한 병력 및 철저한 신경학적 검사가 중요, brain CT, MRI

4) 뇌간 신경아교종(Brainstem glioma)

[1] 빈도 : midbrain, pons, medulla에 생기는 glioma, 소아기 뇌종양의 8~12% 차지

[2] 증상

① triad

Ⓐ 다발성 뇌신경 장애 : dysarthria, dysphagia

Ⓑ long tract sign : 반신부전 마비, Babinski sign(+)

Ⓒ 소뇌 징후

② 걸음걸이 장애가 m/c 증상

③ ICP 상승은 가장 뒤늦게 나타남.

④ 진단 – CT, MRI (CT<MRI)

⑤ 치료 – 방사선 치료(효과가 일시적), 항암요법, 수술적 치료

⑥ 예후 – 뇌종양중 가장 불량. 미만성일 경우 5년 생존율 : 5~10%

4. 신경모세포종(Neuroblastoma)

- 소아기에 호발(백혈병>중추신경계 종양>림프종>신경모세포종)
- 영아에서 가장 많이 보는 악성 종양(90%가 5세 미만에서 볼 수 있다).
- 진단시 중앙 연령은 2세, M:F = 1.1:1
- neural crest에서 유래되는 악성종양으로 교감 신경절을 따라서 또는 부신수질안에서 발생
- 약 70~80%가 복강 내에서 발생, 그 중 반이 부신 수질에서 기인
- 20%가 흉곽 내(주로 뒤 종격동), 그 외 경부, 코, 두개골 내에서 발생
- 임상 증상 및 생물학적 양상 다양 → 어떤 환아(주로 1세 미만)에서는 자연퇴화, 어떤 환아에서는 신속히 진행
- 1p–, loss of heterozygosity, N-*myc* 유전자 증폭, DNA 의 hyperploidy → 예후와 관계

1) 임상 증상

[1] 원발 종양에 의한 증상

☆① 복부의 덩어리로 촉지, 단단하고 불규칙적이며 중앙선을 넘어갈 수 있다. 우연히 복부의 덩어리 때문에 병원 방문

② 종격에 발생 시 : 호흡곤란, 기침, 천명(post. mediastinum), 무증상이 더 흔함

③ 골반에 발생 시 : 빈뇨, 배뇨곤란

④ 척추 주위 신경절에 발생 시 : 추간공을 통하여 종양이 척수강내로 침입하여 아령형의 종괴형성, 사지마비

⑤ 경부 신경절에 발생 시 : Horner's syndrome

⑥ 종양 수반 증후군 : 조화 운동 불능(ataxia), 빠르고 불규칙한 눈떨림(opsoclonus), 간 대성 근간련증(myoclonus)

[2] 전이에 의한 증상

50%가 진단 시에 이미 전이를 일으키고 있으며, 골수 및 뼈로의 전이가 m/c. 환자가 호소하는 주증상이 전이에 의한 증상일 수 있음

① 골수 전이 : 빈혈, 출혈 등 조혈기능저하에 의한 증상

② 골 전이 : 골, 관절통

③ 피하결절 : 신생아 또는 영아에 회백색의 1 cm 또는 그 이상 크기의 단단한 피하결절, 통증은 없음

④ 간 전이 : 간비대

⑤ 안구 후부의 침범 : 안구돌출, 안구 주위에 반상 출혈

[3] 기타 일반 증상

① 빈혈 : 골수침범에 기인

② 식욕부진, 체중감소

③ 설사 : VIP 분비에 기인

④ 발열

⑤ 고혈압 : 신혈관의 압박, catecholamine 상승에 기인

⑥ 드물지만 Hirschsprung병, central hypoventilation 증후군, neurofibromatosis 제1형, Beckwith-Wiedemann 증후군, DiGeorge 증후군 동반 가능

2) 진단

원발 종양의 조직학적 검사가 확진에 필수적이나, 골수에 신경모세포종의 특징적 세포가 관찰되고 소변의 VMA와 HVA의 증가가 있으면 진단 가능

① X선 검사 : 종양의 음영, 섬세한 석회화(50% 이상), CT 검사에서 신장이 밀려있는 소견

② 복부초음파 검사

③ CT, MRI : 더 자세하게 복막뒤 공간, 뒤종격동의 종양 관찰

④ bone scan : MIBG (metaiodobenzylguanidine) 스캔이나 ^{99m}Tc 스캔 이용하여 뼈 전이 여부 확인

⑤ 골수 생검 : staging 위해서 종양세포, rosette 형성을 볼 수 있다.

⑥ 소변의 VMA, HVA : 95%에서 증가 - 선별 검사 가능

⑦ 혈청 ferritin, NSE, LDH : 병의 진행정도, 예후평가

- 혈청 ferritin > 143 ng/mL
- NSE > 200 ng/mL ⎤ 예후 불량
- LDH > 1,500 U/L

⑧ 조직검사 : 확진

조직학적 분류와 N-*myc* 증폭 수는 예후를 알아보는 데 매우 중요

✦ 신경모세포종의 병기 분류법(INSS)

Stage 1 : 종양이 발생된 국소에 국한되어 있다. 완전한 외과적출(현미경상으로 종양이 남아 있든, 안 남아 있든 간에)로 어느 쪽 림프절에도 현미경상으로 침범이 안 되어 있다.

Stage 2A : 종양이 발생 부위에 국한되어 있으나 수술로 안전 적출이 안 된 경우. 어느 쪽 림프절에도 현미경상으로 침범이 안 되어 있다.

Stage 2B : 2A와 같으나 동측의 림프절이 침범되어 있다. 반대 측의 림프절은 현미경상 침범이 안 되어 있다.

Stage 3 : 적출 불가능한 한쪽에 국한된 종양이 중앙선을 넘었을 때이거나, 발생 부위에 국한된 종양으로서 반대측 림프절이 침범된 경우

Stage 4 : 종양이 멀리 떨어진 림프절, 뼈, 골수, 간 혹은 다른 기관에까지 전이를 일으킨 경우

Stage 4S : 1세 미만의 영아로서 종양의 단계는 1이나 2A, 2B에 속하는데, 전이가 간, 피부, 골수에 국한되어 있는 경우(S는 special에서 유래했음)

※ 4S : 전이 → 간, 피부, 골수, bone은 아님!

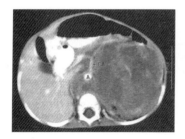 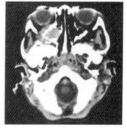

신경모세포종

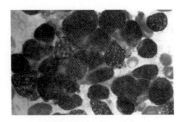

골수에서 보는 Rosette 형성

3) 치료

① 진단 시 나이, 병기, N-*myc* 증폭수, 조직학적 소견, 영아에서는 ploidy 결과 등에
따라 위험군을 나누어 치료

② 저위험군(stage 1, 2, 4S) : 수술만으로도 90% 이상 완치율

stage 4S : 종양의 자연 퇴화 → 거의 모든 환자 생존 ∴observation

③ 중간위험군 : 수술과 항암화학요법(cisplastin, carboplatin, cyclophosphamide, etopo-
side, doxorubicin 등) 필수적 + 경우에 따라 방사선 조사 → 80~90%의 생존율

④ 고위험군 : 연속 고용량 항암화학요법, 자가 조혈모세포 이식술 등

4) 예후

① 환자의 임상 소견과 종양의 생물학적 인자들이 예후에 중요

② N-*myc* 상승, 1p(+) → bad Px.

③ 1세 미만, hyperploidy → good Px.

④ 자연퇴행 빈도 높다.

5. 신종양

1) Wilms 종양(Wilms tumor)

신장의 어느 부위에나 생길 수 있고 뚜렷한 피막을 형성하며, 커지면서 주위의 정상 신
조직을 압박

(1) 임상적 특징

① most common malignant abdominal tumor of childhood(신경모세포종과 함께)

② 소아암 중 3%, 4번째로 흔한 소아 종양, 5세 이전 소아환자에서 Wilms tumor는
lymphoma와 함께 3위 차지

③ 호발 연령은 2~5세(neuroblastoma 보다 조금 높다)

④ 종양세포에서 chromosomal abnormality 증명

: 11p13 또는 11p15, p53 돌연변이가 85%에서 관찰

[2] 선천성 기형과 동반

반신비대(3%), 무홍채(aniridia)(1.1%), 비뇨생식기계 기형(2~4.4%)(심장 기형은 없음)

→ 위의 기형 발생시 Wilms tumor 발생 추적관찰

[3] 임상양상

☆① 80%가 abdominal mass : 복부팽만, 아이를 목욕시키다가 옆구리에서 덩어리가 만져져서 병원에 온다(배의 중앙선을 넘는 경우는 드묾). → 복부(신장) 초음파(1st step)

② abdominal pain : rapid growth, bleeding에 의함.

③ 15%에서 hematuria

④ HTN(25%) — Renal a. 압박에 의해

⑤ Nausea, vomiting, anorexia 등(전신증상은 neuroblastoma보다 적다)

⑥ 폐 전이(m/c)가 잘 일어난다 : 첫 진단 시 chest PA에 15% 발견

⑦ IVP : 신장이 외측으로 밀려 있으며 calyceal system 변형

[4] 병리소견

① 예후 양호군

Epithelial, blastemal, stromal component의 triphasic 소견

: 조직이 잘 분화되어 있고, 항암요법에 반응이 좋으므로 예후가 양호, 90%

② 예후 불량군

① Anaplasia : 예후가 불량, 10% 비교적 큰 핵을 가지고 염색질(chromatin) 증가, 곳곳에 세포 분열(mitosis)을 보이는 특징

② 투명 세포육종(clear cell sarcoma) : 뼈로 전이가 잘 되는 특징

[5] 진단

① 진단 : 복부 종괴 촉지(배의 중앙선을 넘는 경우는 드물다), 혈뇨 동반 가능

② 복부 US : 진단 초기에 유용, 신경 모세포종 등 복강 내 다른 종괴와 감별에 도움

③ CT스캔 : 정밀한 검색에 효과적, 괴사동반(low density)한 비균질 종괴, pseudocapsule로 정상 신조직과 경계 뚜렷(종양 내의 출혈이나 석회화는 신경모세포종에 비해 비교적 드물다)

④ CXR : 첫 진단 시 15%에서 폐전이 발견→흉부 CT 추가 : 상세관찰

⑤ IVP 상 calyceal system 변형 가능

⑥ 지속적으로 뼈의 통증 호소하는 환아 또는 병리 소견 상 투명 세포 육종 환자 : 뼈 스캔

[6] 치료

① 기본은 병변이 있는 신장의 수술적 완전제거(가장중요, 폐 전이여부 상관없이)

　주위 림프절 평가 후 절제

② 항암화학요법·방사선 치료 병행

　(vincristine, dactinomycin 복합 사용이 효과 우월)

[7] 예후

① Wilms 종양에서 예후 결정하는 m/i 요소 : 종양의 조직 소견과 병기

Neuroblastoma와 Wilms tumor 비교		
	Neuroblastoma	**Wilms tumor**
Age	newborn 4~6% 3세 이하	2~5세
Origin	adrenal gland, sympathetic ganglion	Kidney
임상증상	복부의 종괴, 전이에 의한 증상 (골통, 빈혈, 간종괴, 안구돌출)	복부의 종괴, 복통, 발열, 혈뇨 선천성 반신비대, GU tract 기형 무홍채
Mass	solid, midline, midline cross	unilateral, not cross
Metastasis	BM (m/c), bone, orbit, periorbital lesion, liver	lung (m/c), never to bone
Site	retroperitoneal	kidney
X선	kidney displace, calcification많다.	kidney shape change (I.V.P)
조직학적	pseudorosette cell	
생화학적	소변VMA, HVA↑ : 소변의 catecholamine ↑ 혈청 ferritin, NSE, LDH↑ serum Cr ↑	
예후인자	① 나이:1세 미만에서 생존율이 높다. ② 종양의 생물학적 인자(N-myc copy수, 종양의 ploidy, lp의 존재) ③ site : thorax, cervix >abdomen ④ 종양자체의 성숙도 ⑤ PB, BM, tumor내의 lymphocyte 증가율	종양의 조직 소견과 병기

6. 조직구 증식 증후군(Histiocytosis syndrome)

- 골수유래의 단구-대식 세포계에 속하는 조직구가 체내 여러 부위에서 증식, 침착하는 것을 특징으로 하는 원인불명의 질환군
- Langerhans cell의 존재유무와 질환의 악성도에 따른 분류

조직구 증식 증후군의 분류	
분류	**질병군**
Class I	Langerhans cell histiocytosis (histiocytosis X)
Class II	Histiocytosis of mononuclear phagocytes other
	than Langerhans cells
	1) Erythrophagocytic lymphohistiocytosis
	(familial and sporadic)
	2) Infection-associated hemophagocytic syndrome
	3) Sinus histiocytosis with massive lymphadenopathy
	4) Reticulohistiocytoma
Class III	Malignant histiocytotic disorders
	1) Malignant histiocytosis
	2) Acute monocytic leukemia (FAB M5)
	3) True histiocytic lymphoma (histiocytic sarcoma)

1) Class I 조직구 증식증(Langerhans cell histiocytosis, Histiocytosis X)

　[1] 임상특징

　　① 전통적으로 Letterer-Siwe ds, Hand-Schöller-Christian ds, eosinophilic granuloma의
　　　세 질환을 포괄하여 histiocytosis X로 명명

　　② 생검사 특징적인 조직구 증식의 증명으로 확진 : S-100단백, peanut agglutinin 결
　　　합, ATPase, mannosidase 중 2가지 이상 양성 or 병변 세포내 Birbeck 과립, T_6 양성,
　　　CD_{207} 증명

　　③ 면역학적 이상 흔함 : CD_8 세포 감소와 기능저하, 자가항체 생산 증가, hypergam-
　　　maglobulinemia

　[2] 증상

　　① 전신증상 : 열, 설사, 보채며 기운이 없다.

　　② 뼈의 증상 : 80% 이상에서 출현, 두개골 침범이 m/c (punched out defect 또는 지도
　　　모양병소), 척추뼈 침범(편평척추), 장골침범(골절)

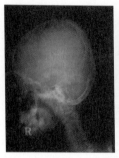
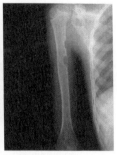

Langerhans cell histiocytosis의 두개골과 상박골

③ 피부증상 : 약 50%, 습진 비슷한 구진, 자반성 발진, 육아종성 궤양이 몸통이나 이마에 나타남.

④ 폐침범, 간비장비대, 조혈계 이상, 림프절비대, 안구 돌출 등

[3] 예후(poor Px. factor)

① 어릴수록(2살 미만)

② 침범기관 많을수록

③ 기관 장애가 많을수록

④ 조직학적으로 섬유화나 괴사가 많을수록

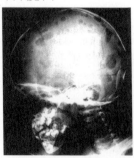

Langerhans cell histiocytosis의 두개골 사진

18 신·요로 질환

Power Pediatrics

I 신질환의 임상적 및 검사상 평가

1. 신질환의 진단

1) 병력

[1] 가족력 : 신질환(다낭신장, 요붕증, Alport 증후군, IgA 신병증, 당뇨병 신증 등), 난청,
고혈압, B형 간염 등

[2] 과거력 및 현병력

① 태반의 부종(체중의 25% 이상) : 선천 신증후군

② 신생아 가사의 병력이 있으면서 육안적 혈뇨가 있는 경우 : 신정맥혈전증

③ 제대 동맥 카테터 삽입 병력이 있는 영아에서 고혈압이 있는 경우 : 신동맥 혈전증

④ 영아에서 설명이 잘 안 되는 고열이 있는 경우 : 요로감염을 감별진단

[3] 배뇨 빈도, 배뇨량 및 배뇨 특성

[4] 기타 : 선행 상기도 감염 여부, 부종, 배뇨이상, 소변의 색깔 및 냄새, 약물 복용 여부 등

2) 진찰 소견

[1] 혈압 : 3회 이상 측정한 혈압이 나이, 성별에 비추어 95 백분위수 이상일 때 고혈압으
로 정의

* 대략의 95 백분위수에 해당하는 혈압

① 1~5세 : 115/75mmHg(심혈관질환 편 참조)

② 5~10세 : 125/80mmHg

③ 10~15세 : 135/85mmHg

(2) 진단에 도움이 되는 주요 진찰 소견들

① 신경성 난청 : Alport 증후군

② 무홍채증(aniridia) : Wilms 종양

③ 색소 망막염(retinitis pigmentosa) : Laurence−Moon−Biedl 증후군

④ 자반 : Henoch−Schönlein 자반병(HSP)

⑤ dystrophic nail : nail−patella 증후군

⑥ café−au−lait spot(1.5cm 이상, 6개 이상) : neurofibromatosis, 신혈관 고혈압, 갈색종

⑦ 얼굴의 나비 모양 홍반(malar rash) : SLE

2. 소변검사

일반적으로 배뇨 후 30분 이내에 시행, 이른 아침 농축된 첫 소변을 검사

1) 색깔

- 보통 옅은 황색.

- 기타 다른 색조를 띠는 경우(표)

소변색의 변화와 그 원인들		
소변색	질병	원인 약물 또는 섭취 음식
붉은색 검붉은색	혈뇨, Hb뇨(혈색소뇨) Myoglobin뇨 Porphyria	Aminopyrine, phenolphthalein Phenytoin, Azo 색소, Pyridium, Beets, Rhodamine B, Urates, Rifampin
검은색	Alkaptonuria Methemoglobinemia Tyrosinosis	Aniline Resorcinol Thymol
녹색 청색	Blue diaper syndrome (indican뇨) 간질환(폐쇄 황달)	Carotene, Resorcinol Indigo carmine, Riboflavin Methylene blue, Yeast
흰 밀크색	신증후군 유미뇨(chyluria)	Phosphate 결정

uric acid : red diaper(기저귀 붉게), occult blood test(−)

2) pH

(1) 소변의 pH는 4.5~7.5까지 될 수 있지만, 대개 5~6.5이다.

(2) 공기에 노출된 소변은 CO_2가 날아가서 pH가 상승되므로 소변을 받은 즉시 검사해야 함.

(3) 혈액의 pH가 산성이면서 소변의 pH가 높으면 우선 신세뇨관 산증을 의심. 혈액 pH가 정상이면서 소변의 pH가 7.5 이상인 경우 요소분해 세균 감염을 의심

3) 비중과 삼투압 농도(Osmolality)

(1) 섭취하는 수분량이나 전해질에 차이가 있더 라도 소변을 통하여 분비가 조절되므로 정상 혈장 osmolality는 약 285 mOsm/kg · H$_2$O로 유지

(2) 신장의 농축 또는 희석 능력 판단에 소변의 osmolality가 가장 중요한 지표되지만, [소변 Osm=(SG−1,000)×40,000]의 비교적 일정한 관계를 가지고 있으므로, 간단히 소 변 비중을 측정함으로써 소변 삼투압 농도를 추정 가능

(3) 당뇨시 1 g/dL당 0.004, 단백뇨 시 1 g/dL당 0.003 정도의 소변 비중이 상승

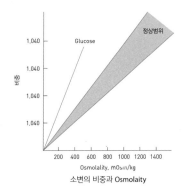

소변의 비중과 Osmolaity

4) 혈뇨(hematuria)

(1) 정의

N−hemastix를 이용하여 잠혈 반응이 양성이고,

(혈뇨, hemoglobin뇨, myoglobin뇨, 요로감염 시 세균의 peroxidase에 의해 양성 가능).

침전 소변 검사 시 5/HPF 이상의 적혈구를 보이는 경우

(2) 혈뇨 발생 부위의 감별

적혈구 원주, 적혈구 형태 중요

☆ 혈뇨 발생 부위의 감별		
구분	사구체	요로
적혈구 원주[1]	+	−
색깔	적갈색	선홍색
Three tube test[2]	색깔이 같다	서로 색깔이 다를 수 있다
현저한 단백뇨[3]	+	−
혈액 응고		
적혈구 형태[4]	dysmorphic	isomorphic

1) 적혈구 원주가 발견되면 신원(nephron)에서 생긴 혈뇨라 할 수 있다. 항상 발견되는 것은 아니므로 없더라도 신원으로부터의 혈뇨 가능성을 배제할 수 없다(nephritis).
2) 한 번에 보는 소변을 세 시험관에 연속해서 받도록 하여 관찰한다.
3) 현저한 단백뇨가 있는 경우 대개 신원으로부터의 혈뇨라 할 수 있으나, 하부 요로의 출혈이라도 현저한 육안적 혈뇨인 경우 어느 정도의 단백뇨를 보일 수 있다.
4) 적혈구 형태는 phase contrast microscope로 또는 Wright 염색하여 판별한다.

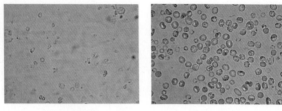

dysmorphic RBC   isomorphic RBC

[3] 무증상 혈뇨(Asymptomatic hematuria)

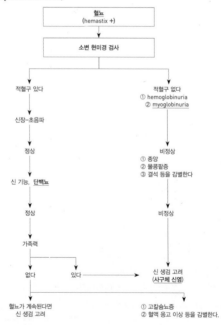

* m/c 원인 : 사구체성 원인 – IgA 신병증
　　　　　비사구체성 원인 – 특발성 과칼슘뇨증

[4] Dipstick test : Sensitivity는 좋으나, specificity가 낮다.

① 잠혈 반응 양성(위양성) : <u>myoglobinuria, hemoglobinuria, bacterial peroxidase</u>

② 잠혈 반응 음성(위음성) : ascorbic acid, captopril

5) 단백뇨(proteinuria)

(1) 정의

① 정상 소변에도 단백 포함 가능(대개 알부민 40%, Tamm-Horsfall 단백 40%, 면역글로불린 15%, 기타 혈장단백 및 효소 5%)

② 단백배설량 성인≥150mg/일, 소아) 4mg/m²/시간일 경우 단백뇨로 정의

(2) 단백뇨의 검출

① 정성검사 : 농도에 의하여 검출되므로 소변의 농축도를 반드시 고려

    Ⓐ Dipstick (Albustix) : Tetrabromophenol blue 포함, 단백(특히, 알부민)에 의하여 청색으로 변함(trace=10 mg/dL, 1+=30 mg/dL, 2+=100 mg/dL, 3+=300 mg/dL, 4+=1,000mg/dL)

    Ⓑ Sulfosalicylic acid (SSA)법 : 5 mL의 소변에 20% 용액을 3방울 떨어뜨리고 섞은 후 혼탁도 관찰, 알부민을 포함한 모든 단백에 예민한 방법

단백뇨의 정성 검사		
검사방법	위양성	위음성
Dipstick	심한 농축뇨 소변의 pH > 7.0 혈액 오염 농뇨	희석뇨 면역글로불린의 light chains
SSA	고도의 농축뇨 혈액 오염 농뇨 Radiocontrast media Penicillins Cephalosporins Sulfonamide의 대사물	

② 정량검사

    Ⓐ 24시간 소변단백
        정상 : ≤4mg/m²/시간
        단백뇨 : 4~40mg/m²/시간
        신증 범위 단백뇨 : >40mg/m²/시간

- 이때 소변을 정확히 모으는 것이 중요
- 크레아티닌은 근육량에 비례하여 비교적 일정한 양이 배출되므로, 크레아티닌을 측정하여 제대로 소변을 모았는지 판단

    Ⓑ 1회 배뇨량(spot urine)의 단백 – 크레아티닌 농도비(Up/Ucr) : 24시간 소변 단백 배설량과 상관 관계가 좋으므로 소변을 모으기 힘들 때 편리하게 이용
심하게 마른 체격이나 근육질의 체형에서는 실제와 큰 차이를 보일 수 있음. 일중 변화 있으므로 단백뇨 측정은 이른 아침에 채뇨한 것이 가장 좋음.

1회 소변 단백/크레아티닌의 비	
대상	단백(mg/dL)/creatinine (mg/dL)
정상아	< 0.5
≤ 2세	< 0.2
> 2세	> 1.5
신증후군에 해당하는 단백뇨 소아(> 1g/m²/일)	> 3.5
성인	

6) Nitrite 검사

• 음식물에는 질산염(nitrate)이 함유, 이는 그대로 소변으로 배설

• 세균감염이 생기면 질산염이 아질산염(nitrite)으로 변환(단, 방광에 소변이 4시간 이상 저류되어 세균에 충분히 오래 노출되어야 함)되어 소변에서 검출 가능

• 실온에 수 시간 방치한 후 검사 시 외부 세균에 오염될 수 있으므로 소변을 받은 즉시 검사해야 함

7) 현미경 검사

세포(적혈구, 백혈구, 상피세포), 세균(깨끗이 채취한 소변을 받은 즉시 관찰), 여러 가지 결정체(uric acid 결정, phosphate 결정, cystine 결정)와 원주(cast) 등을 찾아보아야 함

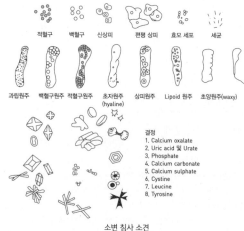

적혈구   백혈구   신상피   편평 상피   효모 세포   세균

과립원주   백혈구원주   적혈구원주   초자원주(hyaline)   상피원주   Lipoid 원주   초양원주(waxy)

결정
1. Calcium oxalate
2. Uric acid 및 Urate
3. Phosphate
4. Calcium carbonate
5. Calcium sulphate
6. Cystine
7. Leucine
8. Tyrosine

소변 침사 소견

3. 사구체 여과율 검사

1) 혈액 요소 질소(Blood Urea Nitrogen; BUN)

(1) 정상 혈장 요소치 : 영아의 경우 5~18mg/dL

(2) 요소는 자유로이 여과되지만, 약 40%가 재흡수되고 60% 만이 소변으로 배설됨.

→ 통상적 urea clearance는 실제 사구체 여과율의 60%에 지나지 않음.

(3) 사구체 여과율이 상당히 저하되면 혈액 내 요소 질소는 혈청 Cr과 마찬가지로 상승하지만 여과율 뿐 아니라 탈수, 소변량, 단백 섭취, 간기능 등에 의하여 변할 수 있으므로 실제 사구체 여과율 측정 지표로 이용하기에는 부적합

2) 혈청 크레아티닌(Creatinine; Cr)

(1) 크레아티닌은 근육에 있는 creatine의 대사 산물로 소변 중 배설량은 근육량에 의하여 결정되며, 비교적 일정량이 배설 됨.

(2) 혈청 수치는 연령이 많아짐에 따라 증가됨

　* 남녀 어린이에서 혈청 Cr

> 남자 : 혈청 Cr = 0.35 + 0.03 × 나이(년)
> 여자 : 혈청 Cr = 0.37 + 0.02 × 나이(년)

(다만, 출생 직후에는 태반을 통과한 모체의 혈청 Cr 치가 반영되므로 성인과 같은 값)

(3)

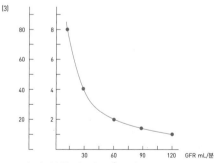

사구체 여과율(mL/min/1.73m^2) = kL/Pcr

k값 : 영아(0.45), 2~12세(0.55)
L　 : 키(cm)
Pcr : 혈장 Cr (mg/dL)

3] 크레아티닌 청소율(Creatinine Clearance; Ccr)

(1) inulin은 여과만 되고 분비, 재흡수되지 않으므로 GFR측정에 가장 적합하나 체내 주입
   이 필요

(2) Cr은 내인성 물질로 체내 주입이 필요 없으므로 임상에서 가장 흔히 이용됨.

(3) 사구체 여과율은 만 2세까지 증가

(4) 연령별 사구체 여과율

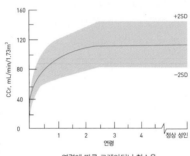

연령에 따른 크레아티닌 청소율

(5) $C_{cr} = \dfrac{U_{cr} \times V}{P_{cr}}$

   (정확한 Ccr을 얻기 위해서는 24시간 소변량을 정확히 아는 것이 매우 중요)

   U_{cr} : 소변 내 Cr 농도(mg/dL)

   P_{cr} : 혈장 Cr 농도(mg/dL)

   V : 소변량(mL/min)

(6) ① 신부전 환아 : ^{99m}Tc-DTPA, ^{125}I-iothalamate, ^{51}Cr-EDTA 등의 동위원소를 사용한
       사구체 여과율 측정

    ② 여과율이 15mL/분 이하인 경우, urea clearance를 함께 측정하여 둘의 평균치 사용

       실제 사구체 여과율 = $\dfrac{Curea + Ccr}{2}$

4) 혈중 요소 질소/혈청 크레아티닌 비율

BUN/Pcr의 비율이 변하는 경우(정상비 10:1)	
☆ 증가하는 경우	저하하는 경우

1. 요소 생산 증가
  단백 섭취 증가
  위장관 출혈
  용혈 빈혈
  발열
  스테로이드 복용
2. 탈수
3. 크레아티닌 생성 감소
  기아
	1. 요소 생산 저하
	  단백 섭취 감소
	  심한 간 손상
	
	2. 체액 증가
	3. 크레아티닌 생성 증가
	  Rhabdomyolysis
	  근육 손상

II 신질환

1. 사구체병증

1) 급성 사구체신염(Acute glomerulonephritis)

급성으로 혈뇨, 부종, 고혈압, 신부전 등의 증상을 초래하는 질환군

[1] 사슬알균 감염 후 급성 사구체신염(Acute poststreptococcal glomerulonephritis; APSGN)

① 원인 및 역학

ⓐ A형−β hemolytic streptococcus 중 nephritogenic strain에 의한 감염으로 발생

★㉠ pharynx 감염 : type 12 → 10일 전후 APSGN

★㉡ skin 감염 : type 49 → 3주 후 APSGN

ⓑ 학령 전기 및 초등학교 저학년 어린이에서 호발

구분	상기도	피부
사슬알균의 감염 부위에 따른 차이점		
지역	온대, 한대 기후	열대 기후
계절	겨울, 봄	늦여름, 초가을
연령	학령기 초기	학령 전기
성별	남>녀	남≒녀
잠복기	10일 전후	3주 전후
주된 항체 형성	ASO	Anti−DNase B

② 병리소견

ⓐ 광학현미경(LM) : 사구체 크기 증가, 메산지움 세포의 증식, 다형핵 백혈구의 침윤

ⓑ 면역 형광 검사(IF) : 면역글로불린(주로 IgG) 및 C3가 사구체기저막(Glomerular basement membrane, GBM) 및 메산지움에 침착

ⓒ 전자현미경(EM) : GBM의 상피하(subepithelial) 부위에 electron−dense deposit (hump)이 특징적 → subepithelial hump

③ 발병 기전

★• 병리 소견(면역복합체 침착)과 혈청 보체(C3)의 감소 → 면역 복합체가 사구체에 침착되어 염증 반응을 일으키는 것으로 추정

• 혈청 보체의 활성화는 주로 alternative pathway에 의한다.

④ 증상

• 전 연령층의 소아에서 호발하나 3세 이하에는 드물다.

• 신염의 정도는 증상이 없는 경한 현미경적 혈뇨에서부터 신증후군(10~20%), 급성신부전에 이르기까지 다양

- 고혈압으로 인한 경련이 주된 소견일 때도 있다.

    Ⓐ 잠복기 : 감염 후 1~2주 후에 사구체신염의 증상이 나타남. 피부 감염 후에 오는 경우는 일반 적으로 잠복기가 길어서 3주 전후이다. 만약 잠복기가 1주일 이내인 경우에는 다른 질환(IgA 신병증) 혹은 이미 있던 사구체신염의 갑작스런 악화의 가능성을 염두에 둔다.

    Ⓑ 부종 : 대개 수일간 지속되며 주로 수분 및 염분 축적에 기인함. 눈 주위에 가장 현저하며, 복수를 동반하기도 한다.

    Ⓒ 감뇨 : 사구체여과율의 감소로 인한 핍뇨의 소견은 흔히 관찰 되며, 대개 수일간 계속. 콜라색 소변

    Ⓓ 고혈압 : 발병 후 1~2주 이내에 약 ⅔의 환자에서 나타나며, 갑작스런 심한 고혈압으로 뇌증(두통, 구토, 경련 등)을 일으킬 수 있다. 대개 일시적이지만 때로는 수일 이상 지속되며, 발생 기전은 주로 혈량 증가에 기인한다.

    Ⓔ 기타 증상 : 쇠약감, 복통, 미열, 혈량 증가, 고혈압 등으로 인한 심부전, 폐부종 등

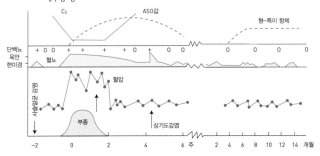

⑤ 검사소견

Ⓐ 혈청 검사

  ㉠ 인후 배양검사상 양성 배양은 감염일 수도 있지만 보균자일 수도 있으므로 사슬알균 감염의 확진을 위해서는 항체 상승이 확인되어야 함.

  ㉡ 사슬알균 항체 상승 :

  • ASO치 : 인후염 후 대부분에서(90% 이상) 증가를 보임.

  • but 조기에 penicillin 등의 항생제 치료를 시행한 경우나 피부 감염의 경우
    → ASO치의 상승은 별로 없음(피부 내에서 streptolysin O를 불활성화시키므로) → Anti−DNase B항체 측정이 가장 유용

- streptozyme test : 사슬알균 감염시 나타나는 ASO, antihyaluronidase, anti-DNase B 등을 동시에 측정

★ⓒ C3 저하 ← C3↓, CH50↓ (2주 안에 90%의 경우에서)(alternative pathway가 관여), C4 level은 정상, 보체 수치는 6~8주 내에 정상화된다.

   - 혈청 C3가 저하되는 신질환

     : APSGN, lupus nephritis, MPGN(C3 저하가 8주 이상 지속), 기타 감염 후 사구체신염

   Ⓑ 소변 검사

     ㉠ 흔히 육안적 혈뇨, acid hematin형성으로 대개 검붉은 색을 띰(콜라색 소변)

     ㉡ 적혈구 원주

   ⓒ 기타 빈혈, ESR 증가, 혈청 단백의 감소, 혈청 lipid의 증가, 고질소혈증

   Ⓓ 신생검 : 대개의 경우 필요치 않으나, 다른 사구체신염과의 감별이 애매할 경우 시행

     - Indication

       Ⓐ 급성신부전 또는 신증후군의 발생

       Ⓑ 사슬알균 감염의 증거가 없을 때

       ⓒ 혈청 C3가 정상일 때

       Ⓓ 심한 혈뇨 또는 단백뇨가 지속될 때

       Ⓔ 신기능의 저하 및 혈청 C3의 감소가 3개월 이상 지속될 때

⑥ 감별진단

   Ⓐ 반복성 혈뇨(recurrent hematuria) :

     - 대개 상기도 감염 후 수일 이내에 혈뇨가 나오고(synpharyngitic),

     - 경도의 단백뇨 또는 단백뇨가 전혀 없기도 하다.

     - 혈청 보체는 정상

     - 부종, 고혈압, 핍뇨를 보이는 경우는 드물다.

       예) IgA 신병증, 고칼슘뇨증(소변 Ca/cr 비>0.2, 24시간 소변 Ca>4mg/kg/일)

   Ⓑ 막증식 사구체신염(membranoproliferative glomerulonephritis; MPGN) :

     C3가 대부분의 환자에서 저하되지만 2개월 이상 지속적으로 저하되어 있다.

   ⓒ 유전 신염(hereditary nephritis)

     ㉠ Alport 증후군으로 대표되는 신질환

     ㉡ 지속적 신염을 보이며 신경성 청력장애가 흔히 동반됨.

     ㉢ 혈청 보체는 정상이며, 가족력이 감별진단에 도움

ⓓ Henoch − Schönlein 자반병 신염, 루푸스 신염 : 대개 다른 전신 증상을 동반

ⓔ 급성 출혈 방광염

- 학령기 아동에서 주로 아데노바이러스 또는 대장균의 감염으로 인하여 급격한 혈뇨를 보이는 질환
- 배뇨통, 빈뇨 등의 소견을 보이며, 혈뇨는 선홍색
- 부종, 고혈압 등의 신염 소견은 없음

⑦ 합병증 : 급성 신부전증으로 초래되며 체액증가, 심부전, 고혈압, 고칼륨혈증, 저칼슘혈증, 산증, 경련, 요독증 등

⑧ 치료

급성기에는 증상의 변화를 예측할 수 없으며, 중대한 합병증, 즉 신부전, 고혈압, 심부전 등이 발생할 수 있으므로 의심되는 환아는 입원시키는 것이 좋다. 급성 사구체신염의 치료는 신부전, 고혈압 등에 대한 대증 요법임.

ⓐ 안정 : 급성기를 제외하고는 활동을 제한할 필요가 없다.

ⓑ 식이요법 : 핍뇨, 부종, 고혈압 등이 있는 급성기에만 수분, 염분 제한, 신부전이 심한 경우 이외에는 단백은 제한할 필요가 없다.

☆ⓒ 고혈압 : 두통, 구역, 경련 등의 고혈압 증상이 있는 경우 응급 치료

☆ 대다수에서는 고혈압은 일시적이며, 만일 지속되는 경우는 hydralazine, diazoxide IV or nifedifine oral, reserpine 등 항고혈압제를 복용시킴

ⓓ 경련 : 대개는 고혈압에 의한 경련이므로 혈압을 낮추어 주면 회복, 드물게 항경련제가 필요

ⓔ 항생제 : 사슬알균의 전파를 차단시키기 위하여 penicillin제제 10일간 투여함이 권장, 신염의 경과와는 무관

⑨ 결과 및 예후 : excellent

ⓐ 급성기는 대개 1~4주 이내이며, 95% 이상에서 완전 회복

ⓑ 소변검사 상 혈뇨의 소실은 대체로 6개월 이내이나 소수에서는 1년 이상 지속되기도

ⓒ 아주 드물게는 급속 진행 사구체신염(RPGN)으로 진행

ⓓ 급성기에 사망하는 경우 : 고혈압에 의한 심부전, 뇌증, 신부전에 의한 것.

ⓔ 재발 : 극히 드물다.

ⓕ 급성 사구체신염은 무증상으로 경과할 수도 있다.

[2] 기타 감염 후 사구체신염(Post-infectious glomerulonephritis; PIGN)

    ① shunt nephritis : 대부분 coagulase 음성인 포도알균에 의함.

      항생제 요법으로 치유될 수 있으나, 감염된 shunt의 제거가 필요한 경우가 많음 .

    ② 세균 심내막염 : 사슬알균, 포도알균 등에 의하며, 적절한 항생제 투여로써 치유

    ③ B형 간염 바이러스

    ④ 기타 : 말라리아, 전염성 단핵구증, 나병 등

2) 급속 진행 사구체신염(Rapidly Progressive Glomerulonephritis; RPGN)

    • 발병 초기에는 여러 가지 형태의 사구체신염의 양상을 나타내다 수주 내지 수개월 내
에 말기 신부전으로 급격히 진행

    • 사구체에 특징적인 반월체(crescent)가 현저하게(50% 이상) 형성 → '반월형 사구체신염'

    [1] 분류

✚ 급속 진행(반월형) 사구체신염의 분류

1. 항사구체 기저막 매개 급속 진행 사구체신염
   1) Goodpasture 증후군
   2) 특발 항사구체 기저막 신염
   3) 막성 신염(반월체 동반)

2. 과립 면역 침착 동반 급속 진행 사구체신염
   1) 감염 후
     사슬알균 감염 후 사구체신염
     세균 심내막염
     지름길(shunt) 신염
     내장 농양, 기타 비사슬알균 감염
   2) 비감염성
     전신홍반루푸스
     HSP
     혼합 한랭글로불린혈증
     고형 종양

   3) 일차 신질환
     막증식 사구체신염
     IgA 신병증
     특발 면역복합체 신염

3. 사구체 면역 침착이 없는 급속 진행 사구체신염
   1) 혈관염
     다발 동맥염
     과민 혈관염
     Wegener 육아종증
   2) 특발 급속 진행 사구체신염

---

    [2] 병리 및 병태 생리

      ① 반월체 : 보우만 주머니 안쪽에서 나타남.

        벽측(parietal)상피세포와 섬유소 증식, 기저막 구성물과 대식세포로 구성

        사구체 모세혈관 벽의 괴사(necrosis)나 파열(disruption)

        → 보우만 주머니 내의 섬유소 침착

        → 반월체 형성 자극

② 특발성인 경우 대부분 면역학적인 기전의 증거가 없지만,

　　사구체 기저막에 대한 선상 면역글로불린 G 항체나 미세혈관 벽에 침착된 면역 복

　　합체가 동반되기도 함.

③ Wegener 육아종증과 현미경적 결절성 다발성 동맥염에 의한 반월형 사구체신염

　　(ANCA – 매개 사구체신염)

　　→ 면역 복합체 침착이 거의 없다.

　　→ pauci-immune 사구체신염이라고 함.

[3] 진단 및 감별진단

　① 혈청 검사

　　Ⓐ 항핵 항체(antinuclear antibody)

　　Ⓑ 혈청 C3

　　Ⓒ anti-deoxyribonucleotidase B titer

　② circulating antineutrophil cytoplasmic antibodies (ANCA)

　　Ⓐ 베게너 육아종증, 현미경적 결절성 다발 동맥염 등의 드문 혈관염 진단

　　Ⓑ 자가면역질환의 가능성 시사

　　Ⓒ 신생검 → 확진

[4] 예후 및 치료

　① PSGN에 의한 경우는 대부분 자연적으로 회복

　② 일반적으로 예후가 나쁜 경우

　　Ⓐ 항사구체 기저막 신염

　　Ⓑ 반월체가 50% 이상

　　Ⓒ 심한 세뇨관 간질의 병변

　　Ⓓ 광범위한 사구체 및 간질의 반흔

　　Ⓔ 핍뇨가 동반된 경우

　　Ⓕ 투석이 필요한 경우

　　Ⓖ 혈청 creatinine이 6mg/dL 이상인 경우

　③ 전신홍반루푸스, IgA 신병증, Henoch–Schönlein 자반병 신염

　　스테로이드와 cyclophosphamide 같은 세포 독성제의 병합 요법

　④ 기타 질병으로 인한 경우

　　pulse methylprednisolone과 경구 cyclophosphamide의 병합 요법, 혈장분리 반출술, 림

　　프구 성분 채집술(lymphocytapheresis)

　　예후 나쁨(2~3년 내에 말기 신증이 발생)

3] 신증후군(Nephrotic Syndrome)

[1] 정의

★① 심한 단백뇨 : 소아≥ $40mg/m^2/$시간($\geq 960mg/m^2/$일), 성인>3.5g/일

★② 저알부민혈증 : ≤ 2.5g/dL

[2] 병태생리

① thromboembolic tendency (hypercoagulable state)

: antithrombin III↓, fibrinogen↑, factor V, VII, VIII, X↑

→ 측복통, 하지부종, 폐색전, 육안적 혈뇨, 변동이 심한 GFR 및 요단백량

→ renal v. thrombosis 의심

② abnormalities in other plasma protein

Ⓐ IgG, factor B ↓ → 감염↑

Ⓑ cholecalciferol-binding globulin 배설↑ → 비타민 D def., hypocalcemia

Ⓒ transferrin 소실↑ → anemia

[3] 분류

① 1차성(특발성, idiopathic) : 소아 신증후군의 90%

종류) 미세변화형(85%), 국소 분절 사구체 경화증(10%), 메산지움 증식 사구체신염
(5%), 기타 막증식 사구체신염, 막성 사구체신염 등

Ⓐ 원인 : T세포의 기능이상 → 사구체 모세혈관 투과성을 증가시키는 물질이 분비
→ 단백뇨(주로 알부민) 초래

Ⓑ 병리소견

㉠ 미세변화형(minimal change nephrotic syndrome; MCNS : m/c NS, 95% 이상에
서 스테로이드에 반응

• 광학현미경 상 사구체는 정상

• 면역현미경 상 대부분 면역글로불린의 침착이 없음.

• 전자현미경 상 미만성으로 세포족돌기(foot process)의 소실

• 임상 양상

− 소아 일차성 신증후군의 m/c 원인

− Highly selective proteinuria(주 병인 : charge selective defect) :
주로 albumin이 배설

− Complement(정상)

− HTN, azotemia(−)

− 육안적 혈뇨(−), 현미경적 혈뇨(20%에서)

- 치료 및 예후
  - 자연 치유 : 소아는 30~40% 정도 자연 치유
  - 대증 치료
  - steroid : 반응도가 좋음.
  - cytotoxic agent : steroid에 반응이 없거나 multiple relapse

ⓒ 메산지움 증식 사구체신염(mesangial proliferative glomerulonephritis; MPGN) :
- 메산지움 세포와 기질의 증식을 보이며, IgM과 C3가 약간 침착
- 대략 50~60%에서 스테로이드에 반응

ⓒ 국소 분절 사구체 경화증(focal segmental glomerulosclerosis; FSGN) :
- 일부 사구체에서 분절성으로 경화를 나타내며, 메산지움 세포의 증식을 함께 보이기도
- 사구체 경화증은 수질에 가까운 사구체에서 나타나기 시작
- 약 20%에서만 스테로이드 또는 세포 독성 약물(cytotoxic drug)에 반응
  (steroid 저항성 → 치료 후 8주 후까지 단백뇨가 지속)

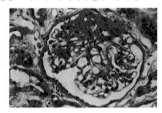

ⓒ 증상
  ㉠ 남아에서 여아보다 약 2배 많이 발생, 2~6세 호발
  ㉡ 발병시 또는 특히 재발 시 상기도 감염이 선행되는 경우가 적지 않음.
  ㉢ 대개 눈 주위의 부종으로 시작
    → 점차 전신적 부종이 나타남, 음낭부종이 현저하기도 함.
  ㉣ 소변량 감소, 식욕부진, 복통, 설사 등이 흔히 동반, 고혈압은 흔하지 않음.
ⓓ 진단
  ㉠ 거품뇨를 보이며, 소변검사상 3+ 내지 4+의 단백뇨를 보임.
  ☆㉡ 현미경적 혈뇨가 동반될 수 있으나, 육안적 혈뇨는 드묾.
  ㉢ 혈청 알부민의 저하, 혈청 지질의 상승을 보임.

ⓔ 소아에서는 스테로이드에 반응하는 미세변화형이 많기 때문에 신생검을 시행하지 않고 우선 스테로이드를 쓰는 경우가 대부분

ⓜ 신생검을 먼저 시행하는 경우 : 연장아(12세 이후), 혈뇨, 고혈압, 혈청 크레아티닌의 상승, B형 간염 항원 양성, 혈청 C3의 저하 등

ⓒ 합병증

★ⓐ 감염 : 1차 복막염이 m/i(원인균 : *Streptococcus pneumoniae*가 m/c), 기타 패혈증, 폐렴, 연조직염(cellulitis), 요로감염 등

  *감염이 잘 발생되는 이유

  • 혈청 IgG의 감소
  • 부종이 세균 배양액으로 작용
  • 혈청 properdin, factor B의 소변 내 소실
  • 면역 억제제 사용
  • 세포 매개 면역 결함.
    스테로이드를 쓰는 경우 증상이 뚜렷하지 않을 수 있으므로 신증후군 환아에서는 감염의 가능성을 항상 생각하여야 하며, 필요하면 배양검사 등을 시행. 처음에는 그람 양성과 음성균에 모두 효과적인 항생제를 투여. 신증후군이 관해 상태에 있을 때 폐렴사슬알균 백신을 주사

★ⓑ 혈전증 : 동맥, 정맥 모두에 혈전증이 발생할 수 있음

  * 원인

  • 섬유소원(fibrinogen)의 증가
  • 섬유소 용해를 방해하는 물질의 증가
  • 혈장 antithrombin III의 저하
  • 혈소판 응집성의 증가 : 동맥 천자를 하는 경우 혈전 발생 위험 높음 → 가급적 동맥과 심부정맥 천자 피해야 함.

  * 결과

  • renal ven thrombosis : 특히 MPGN, MGN, amyloidosis에서 잘 발생
  • 폐색전
  • 말초 동맥/정맥 혈전증

★ⓒ 급성 저혈량 위기(hypovolemic crisis) :

  • 미세변화형에서 잘 발생
  • 수분이 급속히 혈관 내에서 간질로 이동되어 혈장량이 감소되는 경우
  • 증상 : 손발이 차가워지고, 맥박수 증가, 구역, 구토, 복통, Hct 치 상승,

요중 Na 배설이 10mmol/L 미만으로 감소

- 치료 : 부종 동반 시 20% 알부민 투여

Ⓕ 치료

<일반요법>

　ⓐ 식이

- 부종이 있을 때에는 Na 섭취 제한(<2g/일, 조리할 때 소금쓰지 않게)
- 단백질은 통상의 양 섭취 고단백식은 단백뇨가 더 심해져 별 도움되지 않음.
- 부종이 심한 경우에 한하여 수분 섭취도 제한

　ⓑ 활동 : 부종이 심한 경우를 제외하고는, 가능한 한 정상 아동과 같이 활동

　ⓒ 이뇨제

- hydrochlorothiazide (1~2mg/kg/일, 분2), 또는 furosemide 투여와 함께 저칼륨혈증이 생기면 spironolactone(1.5~3mg/kg/일, 분2) 투여
- 부종이 아주 심할 때 : 20% 알부민(1g/kg/일)과 furosemide (1mg/kg) IV, 알부민의 투여로 고혈압, 폐부종 등이 초래될 수 있다는 점을 염두에 두고 혈장량 감소가 있다고 판단될 때와 같이 꼭 필요한 경우에 한하여 쓰도록

<면역억제제>

☆ⓐ 스테로이드

- 처음 발병 시 전신 감염이 없음을 확인하고 prednisolone 60mg/m^2/일, 3회 분할(최대량 60mg/일, ≤2mg/kg/일) 투여, 반응하는 경우 대개 2주일 정도면 단백뇨가 소실되지만, 최초로 치료할 때에는 6주간 투여
- 만약 치료 후 4주 이후에도 단백뇨가 계속되면 스테로이드 저항성으로 판단 → 신생검
- 상기 치료로 단백뇨 소실되면 6주 이후 40mg/m^2/일 양의 prednisolone을 격일로(아침 식사와 함께 한꺼번에) 6주간 투여, 5~6개월에 걸쳐 서서히 감량하며 중단
- 재발하는 경우 다시 매일 투여, 소변 단백이 음전되면 5일 후부터 격일요법
- 간혹 단백뇨만 있고 부종이 없는 경우. 특히 상기도감염 후 재발된 경우 저절로 단백뇨가 소실될 수 있으므로 며칠 기다린 후 다시 쓸 것인가 결정.
- 4주 이상 매일 프레드니솔론을 사용하여도 단백뇨가 지속되는 경우 → 대량의 methylprednisolone (30mg/kg, 최대량 1g)을 3~4시간에 걸쳐서 천천히 격일로 IV → 3회 주사 후에도 반응 없으면 → 신생검

☆ⓒ Cyclophosphamide

- 자주 재발하거나 스테로이드의 부작용이 심한 경우 사용

  장기간 관해를 유지할 수 있는 경우가 많음. 2~3mg/kg/일을 아침에 한번 씩, 8~12주간 사용

- 부작용

  - 백혈구 감소 : 매주 검사하여 5,000/mm³ 이하가 되면 잠시 사용을 중지

  - 심한 수두(disseminated varicella infection)

  - 출혈 방광염

  - 불임

  - 암

☆ⓒ Cyclosporine

- 스테로이드 부작용이 심하거나 스테로이드 저항성일 때 제한적으로 사용

- 사용중에만 효과가 있고 장기간 관해를 초래하지는 않는 것이 특징

- 신기능의 저하를 초래할 수 있으므로 신중히 선택

ⓖ 예후

  ⓐ 미세 변화형의 경우 :

  대개 자주 재발하기는 하지만 신기능의 저하는 없으며,

  10대 후반이 되면 많은 예에서 재발 없이 회복

  ⓑ 국소분절 사구체경화증의 경우 :

  스테로이드 저항성을 흔히 보이며, 만성신부전으로 진행하는 경우가 꽤 있음

  → 결국 말기 신부전 → 투석 또는 신이식 필요

  # 예후불량인자 : 혈뇨, 불량한 단백뇨 선택지수, 스테로이드 저항성

각 조직형에 따르는 소아 신증후군의 임상과 예후				
구분	미세변화 (MCD)	국소성 분절성 사구체신염 (FSGS)	막성 증식성 사구체 경화증 (MPGN)	막성 신병증 (MGN)
빈도(%)	80	8	6	1~2
발생연령	2~7	연장아	연장아	
남녀의 비	남>여	남>여	남<여	
고혈압	(−)	(+)	(+)	(±)
혈뇨	(−)	(+)	(+)	(+)
단백뇨선택지수	매우 선택적	불량	불량	불량
스테로이드반응	우수 (93% 반응)	저항성 (18~23% 관해)	불량	일부 반응
신생존율	우수	5~10년 후 50% 신부전	10년 후 생존율 50%	

(4) 2차성

- Henoch–Schönlein 자반병, 전신홍반루푸스 등의 전신 질환, 사슬알균 감염, B형 간염 바이러스 감염, 약물에 의한 경우 등
- 소아 신증후군의 약 10%를 차지

4) IgA 신병증 (IgA nephropathy)

- 전 세계적으로 m/c 원발 사구체질환
- 전신 증상 없음 + 현미경적 혈뇨와 간헐적인 육안적 혈뇨 + 단백뇨 동반하기도 + 조직 면역 형광 검사상 메산지움에 IgA 침착 보이는 면역 복합체 매개 사구체신염(이외 사구체 간질 IgA 침착 관찰되는 질환 : 자반병 신염, 루푸스 신염, 류마티스 모양 관절염, 강직 척추염, 간경화 등)
- 무증상성 현미경적 혈뇨를 보이는 사구체신염 중 m/c 원인 중의 하나

[1] 증상

　① 역학

　　Ⓐ 우리나라에서는 성별에 따른 발생 빈도의 차이는 없다.

　　Ⓑ 발병 연령 : 후기 아동기나 성인 초기에 많이 발생(10~20대에 m/c)

　⭐② 전형적인 증상 : 상기도 감염과 동반되는 반복적인 육안적 혈뇨(대부분 상기도 감염 후 2~3일 이내에 나타나므로 잠복기가 7~14일인 PSGN과 구별 가능)이나 대개는 무증상 혈뇨로 나타남. 육안적 혈뇨는 수일 혹은 수년 후에 재발하기도 하는데, 이러한 재발과 재발 사이에 소변검사가 정상일 수도 있으나 현미경적 혈뇨 및 단백뇨를 보일 수 있음.

　③ 혈청 보체치는 대개 정상이며 약 50%의 환자(모든 환자가 아님)에서 혈청 IgA치가 상승되어 있음.

[2] 병리소견

　① 광학현미경 소견 : 사구체 크기 약간 증가, 간질 세포의 증식과 기질의 증가로 사구체 간질 부위의 확장

　② 면역형광현미경 소견 :

　　Ⓐ IgA 신병증의 특징은 mesangium에의 IgA 침착이라 할 수 있음.

　　Ⓑ 대부분의 환자에서 C3나 properdin이 염색되지만 C1q나 C4는 검출되지 않음.

　　　(이것은 IgA 신병증에서 보체의 alternative pathway가 활성화됨을 뜻함)

　　Ⓒ IgA침착–IgA 신병증, SLE, HSP, 간질환, dermatitis herpetiformis 등 감별을 요함.

　③ 전자현미경 소견 : mesangium에서 electron–dense deposit가 주로 관찰 subendothelium, subepithelium 및 기저막 내에서도 발견됨.

⑶ 예후

① 나쁜 예후 인자

Ⓐ 연령이 높거나

Ⓑ 고혈압이 동반되거나

Ⓒ 심한 단백뇨나(하루 1g 이상) 신부전이 초기부터 있을 때

Ⓓ 병리학적 변화가 심할수록(IgA 수치와는 관련 없음)

　: gromerulosclerosis, interstitial fibrosis

Ⓔ 혈관의 병변이 심한 경우

② 진단 후 15~20년 동안 20~30%의 환자가 진행성 만성신질환으로 이환

③ 신장 이식을 받은 경우 다른 질환으로 인한 말기 신부전의 경우보다 예후 좋지만
이식 후 5년 이상 경과 시 20~50%에서 이식 신장에 IgA침착, 15%에서는 신기능
감소로 이식 신장 상실

⑷ 치료 : 아직 확립된 치료법은 없음

① 동반된 고혈압이나 신부전을 치료

② 단백뇨가 심한 경우 steroid 투여

③ ACE inhibitor 투여

④ 식이요법

⑤ cyclosporine 투여

5) Henoch-Schönlein 자반병 신염(HSPN)

⑴ 정의 : 피부, 위장관, 관절 및 신장 등에 전신 혈관염이 발생하는 증후군

⑵ 역학

① 환자의 75% 이상이 10세 이전의 소아에서 발병(호발 연령 : 2~8세)

② 겨울철 호발

③ 남아에서 2배 흔함

⑶ 증상

전형적인 증상 → 피부자반병, 복부증상, 관절 증상, 신염 발생. 그러나 모든 환자에
서 네가지 증상이 모두 발생하는 것은 아니다.

① 피부자반

Ⓐ 주로 상, 하지에 분포, 간혹 둔부 등에 분포하기도(얼굴, 몸통에는 없음)

Ⓑ 붉은 색의 두드러기성 구진성 반점 발진이 특징

→ palpable purpura가 다리 후면, 팔다리의 전면

② 위장관 증상

ⒶⒶ 환자의 25~90%

Ⓑ 급성 복통, 오심, 구토 및 혈변, 때로는 단백 소실성 장병증

③ 관절 침범

주로 발목, 무릎에 관절통 또는 삼출액이 있는 관절염의 형태로

→ 관절의 기형 등 후유증은 남기지 않음.

④ 신침범

Ⓐ 요검사시 40~60%에서 이상 보임.

Ⓑ 현미경적 혈뇨, 단백뇨

Ⓒ 다른 전신 증상이 발생한 지 수일 내지 수주 후에 많이 발생

Ⓓ 다른 장기의 침범 정도와 신염의 정도는 일치 하지 않는다.

Ⓔ 신증후군 소견이 있을 시 신생검

(4) 병리소견

여러 가지로 IgA 신병증의 소견과 비슷함

가장 특징적인 소견은 사구체 mesangium과 피부 모세 혈관벽에 IgA의 침착

(5) 검사소견

① 발병 초기에 ANA와 RF는 음성

② 환자의 50% 정도에서 특히 급성기에 혈청 IgA가 상승

→ 임상 증상의 정도나 병의 경과와는 무관

③ 환아의 절반 정도에서 cryoglobulin이 혈청에서 검출(cryoglobulin에 IgA와 properdin
이 함유되어 있으므로, IgA 함유 cryoglobulin이 alternative pathway를 활성화시킴을
암시), 그러나 혈청 C3는 정상

④ 혈소판 수와 혈액응고 검사 : 모두 정상

(6) 예후 : 신 증상에 의하여 결정

① 소아 연령층에서 HSP는 신부전으로 이행이 2~5%까지 보고되고 있으나, 대부분의
환아에서 완전 회복됨

② 나쁜 예후 인자 : 신 침범이 예후에 m/i

Ⓐ 신증후군과 혈뇨가 동반될 때(특히 나쁨)

Ⓑ 고혈압이나 사구체여과율의 감소가 지속될 경우

Ⓒ IgA의 침착이 메산지움 부위뿐만 아니라 모세혈관 벽을 따라 있는 경우

Ⓓ 초기 생검시 50% 이상의 사구체에서 반월체가 관찰될 때

[7] 치료

고식적 방법, 또는 혈관염의 후유증을 막는 정도에서 벗어나지 못하고 있음.

① 신증후군, 신염, 고혈압이 있는 HSP 환아는 특히 수액 및 전해질 교정을 염두

② HSP 환아에서 신증후군이 있거나 신부전 증상이 있으면 신생검의 적응이 됨

③ Corticosteroid (prednisone) : 관절통이나 복부 증상을 완화시켜 주지만,

　 신질환의 예후에는 영향을 주지 못함

④ 신이식 : 말기 신부전에 이르면 적응이 되나, 15~50%에서는 재발보고

6] 단독 단백뇨(Isolated proteinuria)

[1] 정의

① 신장 질환에서 나타나는 증상 즉, 부종, 고혈압 등이 없고, 검사 소견에서도 혈뇨,

　 질소혈증이 없이 소변에서 단백만 비정상적으로 많이 나오는 경우

② 학령기 어린이의 0.2~0.4%

[2] 분류

단독 단백뇨의 분류 ┬ 사구체성 단백뇨 : 알부민 ┬ 기립 단백뇨 : 60% 이상
　　　　　　　　　│　　　　　　　　　　　　　└ 지속 단백뇨
　　　　　　　　　└ 세뇨관성 단백뇨 : lysozyme, 면역글로불린의 light chain,
　　　　　　　　　　　　　　　　　　　β_2-microglobulin 등 알부민보다 작은 분자량
　　　　　　　　　　　　　　　　　　　의 단백

① 정상 아동에서 단백뇨는 0~150 mg/m²/일 정도까지 있을 수 있음.

② 배설되는 단백의 종류로써 그 단백뇨의 생성 기전을 알 수 있음. 즉, 사구체성 단
　 백뇨에서는 알부민과 IgG가, 세뇨관성 단백뇨에서는 β_2-microglobulin과 아미노산
　 등이 배설된다.

③ 소아에서 단독 단백뇨는 보통 1g/일 이하로 배설되어 저알부민증을 초래하지 않으
　 므로 설명되지 않는 저알부민증이 있는 경우 반드시 조사를 해야 하며, 필요한 경
　 우 알부민을 보충한 후에 24시간 요단백 배설량을 재조사

④ 양성 무증상성 단백뇨

　 Ⓐ 일과성 단백뇨 : 더 이상의 검사를 필요로 하지 않음.

　 ☆Ⓑ 기립 단백뇨 : 서서 활동할 때 단백뇨(→10% sulfosalicylate로 소변 검사해서 흰색
　　　 침전)

　　　 ㉠ 사춘기 아동 2~5%에서 볼 수 있으며,

　　　　　 단독 단백뇨의 원인 중 60% 이상 차지, 거의 모든 경우 일생 동안 정상생활 영위

ⓒ 학령기 신체검사에서 우연히 발견된 단독 단백뇨의 경우 우선 감별

★ⓒ 이것을 진단하기 위해서는 누운 상태(아침 첫 소변)에서는 단백뇨가 없음 ($<50mg/8h$)을 확인

ⓒ 지속 단백뇨

ⓐ 고정된 질환 상태로 평가되는데,

누운 상태와 기립 상태에서 모두 단백뇨가 증명되며, 3개월 이상 지속, 대개 1~2g/일 정도의 단백이 배설

ⓑ 보통 원발성 사구체질환이 내재될 가능성이 높다.

ⓒ 소변 단백이 하루 1g 이상, 단백뇨가 6개월 이상 지속, 추적 관찰 중 혈뇨, 고혈압, 진소혈증 등 신질환이 의심되는 소견 나타날 시 → 사구체질환 가능성 → 신생검

[3] 감별진단

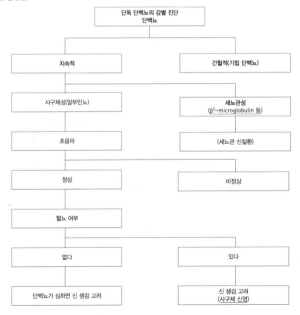

7) B형 간염 바이러스 관련 신병증(HBV–associated nephropathy)

(1) 증상

① 소아에서는 남아에 월등히 호발(4 : 1)

② 단백뇨나 신증후군의 소견, 현미경적 혈뇨 동반 가능, 드물게 육안 혈뇨, 고혈압
(25%에서), 신기능저하는 드물다.

(2) 검사 소견

① 모두 HBsAg, HBcAg(+), 90% 이상 HBeAg(+)

(확실하지는 않지만, 소아에서는 e항원이 가장 문제가 된다고 추정)

② C3, C4 초기 감소 → 이후 정상화

③ 간기능 정상 혹은 경도의 transaminase 상승(100~200IU/L)

④ 간생검 소견상 만성 간염 소견인 경우 많음(정상이거나 간경화증 소견 보이기도)

(3) 신생검 소견 : 소아에서는 막성 신병증(MGN)의 소견이 m/c

┌ 성인 : MPGN (type 1)–m/c

└ 소아 : MGN이 m/c

(4) 치료

① 신증후군이 동반된 경우 초기에 스테로이드 요법을 시도하기도 하지만, 확실치 않
고, 간손상, 혈청 전환의 지연 등의 부작용이 있을 수 있음.

② interferon alpha

(5) 예후

① 소아에서 막성 신병증의 경우 자연 완해의 경향을 보임.

(B형 간염 바이러스 항원 혈증이 사라지고 혈청 내 항체가 생기는
혈청전환(seroconversion) 후에 잘 나타난다)

② 전반적인 예후는 양호하며, 신부전에 이르는 경우는 드묾
(MGN의 경우 예후가 양호하나 MPGN의 경우 예후 불량)

8) 유전 가족성 질환

(1) Alport 증후군(Alport syndrome)

• 유전성 신염 중 가장 빈도가 높은 대표적 질환

• 진행 사구체신염의 임상 경과 및 가족력, 난청과 눈의 이상 등 신장 외의 증상 동반

① 유전 및 병인

Ⓐ 성염색체 우성 유전 : 대부분을 차지(85~90%).

- X염색체에 위치하는 제 IV형 콜라겐 α5 사슬 유전자의 돌연변이가 원인임.
  - 남아에서 심함.
- ⓑ 상염색체 유전 : 2번 염색체에 위치하는 제 IV형 콜라겐 α3 또는 α4 사슬 유전자 내의 여러 종류의 돌연변이가 원인임.
- ⓒ 가족력이 없는 경우도 있음.
  - → 결과적으로 전신 여러 장기의 기저막(basement membrane) 이상 초래로 발병
② 증상
  - ⓐ 신장의 이상 : 모든 환자에서 무증상적 혈뇨로 시작 → 단백뇨 동반 심함 → 만성 신부전
  - ⓑ 귀의 이상 : 진행성 감각 신경 난청(nerve deafness)(약 50%)
  - ⓒ 눈의 이상 : 전방 원추 수정체(ant. lenticonus) (15~30%)
③ 신생검 소견 : 전자현미경 검사 상 여러 가닥을 이루면서 불규칙하게 두꺼워진(basket weave pattern)

  사구체 기저막이 특징적으로 관찰 → 확진
④ 예후
  - ⓐ 성염색체 우성 유전
    - ㉠ 남아 : 대부분 진행성 신기능 장애의 임상 경과 끝에 말기 신부전에 이름
    - ㉡ 여아 : 신부전까지의 진행은 남아보다 드묾.
  - ⓑ 상염색체 유전 : 남녀 모두 예후 불량, 빠르게 말기 신부전으로 진행
  - ⓒ 신이식 후 간혹 이식 신장에 존재하는 정상적인 제IV형 콜라겐 α5 또는 α3 사슬이 신염 유발성(nephritogenic) 항원으로 작용하여 항사구체 기저막(anti-GBM) 신염을 유발하기도 함.

[2] 양성 가족성 혈뇨(Benign familial hematuria, Thin glomerular basement membrane disease)
① 개요 : 알포트 증후군과 같이 사구체 기저막을 침범하는 유전 질환이나 비진행성 경과의 양호한 예후
② 유전 및 병인 : 상염색체 우성 유전
③ 임상 증상
  - ⓐ 대부분 소아기에 지속적 현미경 혈뇨(일부 환자는 간헐적 현미경 혈뇨만 → 성인 되어서야 진단)
  - ⓑ 질병 경과 중 상기도 감염에 의해 유발되는 반복적 육안 혈뇨도 드물지 않음.
  - ⓒ 혈뇨는 평생 지속, 심한 단백뇨(-), 고혈압(-), 신기능부전(-)
④ 신생검 소견 : 전자현미경 검사상 GBM이 전반적으로 얇아지는 것(thinning)이 특징적

⑤ 치료 및 예후 : 환자를 안심시키고 특별한 치료 없이 1~2년 마다 소변 검사, 혈압 측정 등 시행하며 추적 관찰

[3] Finnish형 선천 신증후군(Finnish type Congenital Nephrotic Syndrome)

① 선천 신증후군 : 생후 3개월 이내에 발병하는 신증후군

대표적인 것은 Finnish형 선천 신증후군으로 상염색체 열성 유전

영아형 신증후군 : 생후 4개월에서 1년 사이에 발병한 신증후군

그 후에 발병하는 일반적 소아 신증후군과는 임상적 양상 매우 다르고 예후 매우 불량

② 임상 증상

ⓐ 단백뇨 : 태아기에 시작

ⓑ 조산 또는 저체중아, 거대태반을 동반

ⓒ 50% 이상에서 생후 첫 주 이내에 전신 부종 발생

ⓓ 심한 단백뇨, 저알부민혈증 등 전형적 신증후군 임상 소견 + 영양장애, 성장발육지연, 감염, 혈전 등의 합병증

ⓔ 2세 경부터 진행적 신기능 감소

③ 치료 및 예후 : 예후 매우 불량 → 적극적 내과적 보존 요법, 조기 신이식

④ 출생 전 진단법 : 재태 20주 이전에 양수액 내 α-fetoprotein 증가를 확인하거나 유전자 검사(Nephrin)

[4] 상염색체 열성 스테로이드 저항 신증후군

(Autosomal recessive steroid-resistant nephrotic syndrome)

*여러 다양한 종류의 신질환이 포함된 이질적 질환군

① 유전 및 병인

ⓐ 상염색체 열성

ⓑ podocin 단백유전자(NPHS2 유전자)의 돌연변이 : podocin 단백은 사구체 상피세포 족돌기의 세포 질 내에 선택적으로 존재하는 막 구성 단백으로 nephrin과의 상호 작용을 통하여 사구체 모세 혈관벽 여과 장벽 기능의 핵심적 역할을 할 것으로 추정

② 증상

ⓐ 이른 연령에 발병(생후 3개월~5세)

ⓑ 스테로이드나 세포 독성 약제에 반응하지 않고 빠르게 진행 → 발병 후 3년 이내 말기 신부전

ⓒ 원발 국소 분절 사구체 경화증과 달리 이식 신장에 재발은 없다.

③ 신생검 소견 : 대부분 국소 분절 사구체 경화증의 소견

④ 치료 및 예후 : 효과적 치료법 없음.

9) 용혈 요독 증후군(Hemolytic Uremic Syndrome; HUS)

☆* 급성 신부전, 미세혈관병증 용혈 빈혈(microangiopathic hemolytic anemia), 혈소판감소

　　증이 특징적인 질환

[1] 빈도 : 4세 이하 영, 유아 급성신부전의 m/c 원인임.

[2] 분류 및 원인

　　① 전형적 또는 설사 연관형(diarrhea-associated, D⁺ 또는 shiga toxin 연관형) HUS

　　　Ⓐ 설사, 특히 혈변 등의 위장관 전구 증상을 동반함.

　　　Ⓑ 여름철 영, 유아(4세 미만)에서 흔히 발생하고 있으며, 예후가 좋음.

　　　Ⓒ 혈관성 PGI₂(prostacyclin) 생성은 정상임.

　　　☆Ⓓ STEC (Shiga toxin-Producing *E. coli*, O157:H7)이 m/c 원인,

　　　　　또는 *Shigella dysenteriae* type 1 → 대장염 발생하며 시작

　　② 비전형적 또는 설사와 무관한(atypical 또는 D-) HUS

　　　Ⓐ 설사 연관형 이외의 모든 유형

　　　Ⓑ 전구 증상 없이 서서히 진행함.

　　　Ⓒ 성인이나 연장아에 흔함.

　　　Ⓓ 예후는 좋지 않다.

　　　Ⓔ 재발 빈도 높고, 가족력이 있는 경우가 많음.

　　　Ⓕ 혈관성 PGI2생성 장애가 증명되고 있음.

　　　Ⓖ Neuraminidase를 생성하는 *Streptococcus pneumoniae*같은 세균, coxsackie, ECHO,

　　　　influenza, varicella, HIV 등의 바이러스에 의한 감염에 의해 초래, 가족성인 경우,

　　　　약제, 임신, 종양, 전신 질환 등

[3] 발생기전

　　① 설사 연관형 :

　　　Ⓐ Shiga toxin에 의한 신혈관 내피 세포의 손상

　　　　(→ 표면 음전하 소실, 큰 vWF multimer를 생성) ┐ → 적혈구 상처 → 용혈 초래, 사구체 여과율 감소

　　　Ⓑ Shiga toxin 1 → 혈소판 활성화 → 혈전 생성 촉진 ┘

　　② 폐렴알균 연관형, 선천 또는 후천 ADAMTS13 결핍, Factor H 결핍

[4] 병리소견

　　① 신혈관의 혈전 미세혈관병증(thrombotic microangiopathy)

　　　• 흔한 침범 부위

　　　　설사 연관형 : 사구체 모세 혈관

　　　　비전형적인 경우 : 소동맥

② 신피질 괴사

③ mesangium의 확장과 과립상 침착

④ 사구체 모세혈관벽의 비후

⑤ 사구체 경화

[5] 증상

① 설사 연관형 – 전구 증상으로 설사(혈변), 발열, 구토, 복통 등 급성 장염의 증상
→ 3일~3주 전

② 폐렴알균 연관형 – 폐렴이나 농흉

유전 질환 – 전구증상은 없으나 다양한 비득이 장염 또는 호흡기 감염 동반

③ 핍뇨 동반, 다양한 정도의 급성 신부전

④ 허혈 장염, 장 천공, 장 중첩, 췌장염이 합병

⑤ 20% 미만에서 혈전으로 인한 뇌 국소 허혈로 경련과 신경증상 나타남.

[6] 검사소견

★① 미세혈관병증 용혈 빈혈(microangiopathic hemolytic anemia; MAHA)

Ⓐ 혈색소 감소(보통 5~9g/dL 범위), 망상 적혈구 증가, 혈청 haptoglobin 감소, 혈
장 hemoglobin 증가

Ⓑ Coombs test(−)

Ⓒ 말초 혈액 도말 검사에서 파괴 또는 깨어지거나 변형된 적혈구(fragmented RBC,
helmet cell, burr cell)가 보임.

② 혈소판감소(20,000~100,000/mm²), 혈액 응고 검사는 정상

③ 신장손상 : 혈청 BUN, creatinine 증가, 단백뇨나 혈뇨 나타날 수 있음.

④ 백혈구 수 증가

⑤ C3 저하(Factor H 결핍의 경우)

[7] 진단(triad)

① 추정 진단 : 미세혈관병 변화와 신장 손상이 있으나 3주내 설사의 병력이 없는 경
우 혹은 3주내 설사의 병력이 있고 신장손상은 있으나 미세혈관병 변화가 확인되
지 않은 경우

② 확진 : 3주내 급성 또는 혈성 설사의 병력이 있고 미세혈관병 변화와 신장손상이
모두 있는 경우

*감별진단 : 전신홍반루푸스, 악성 고혈압, 양측 신정맥혈전증 등

[8] 치료

① 일반요법 : 수분, 전해질, 산–염기 이상을 교정, 혈압 조절, 적혈구 수혈은 할 수

있으나 <u>혈소판 수혈은 경과 악화시킬 수 있다.</u>

② 수혈 : 적혈구 수혈이 흔히 필요함

③ 투석 : 핍뇨가 심하거나 다른 적응증이 있을 때 조금 일찍 시행

④ 설사 연관형 : 항응고제, 항혈소판제, 섬유소 용해제는 출혈의 위험성을 증가시키므로 금기. 독소 생산 병원균을 없애기 위한 항생제 사용은 오히려 독소방출 증가시키므로 권장되지 않음

⑤ 폐렴알균 연관형 : 폐렴알균 감염 치료

⑥ 혈장 투여 또는 혈장교환 : ADAMTS13이나 factor H 결핍, 다른 유전성, 가족성, 또는 재발성 HUS에서 사용됨

[9] 예후

① 전형적인 형(설사 연관형) : 재발 드물고 비교적 예후가 좋다.

만성 신부전으로의 이행률은 약 9% 정도

고혈압과 신부전에 대한 장기 추적 관찰을 요함.

② 비전형적인 경우 : 재발할 수 있고 예후가 더 나쁘다. 만성 신부전으로 신이식하는 경우에도 재발 가능

2. 급성 신부전(Acute renal failure)

** 갑작스런 신기능의 저하로 체액의 항상성을 유지 할 수 없는 상태

** 핍뇨(일일 요량 500mL/1.73m^2 미만, 영아에서는 1.0mL/kg/hr 미만)를 주증상으로 함.

<u>cf.</u> 비핍뇨성 신부전 : 신독성약물(aminoglycoside, 방사선 조영제), 신생아 가사, 호흡곤란

1) 병인

[1] 신장전 원인(prerenal) – 유효 순환 혈액량 감소에 따른 renal perfusion 장애로 인함

① 혈액량 감소, 저혈압, 저산소증 유발하는 질환들이 원인(탈수, 패혈증, 출혈, 심한 저알부민혈증, 심부전 등)

② 대부분 신손상의 증거는 없으며, 신관류가 회복되면 신기능도 정상화

③ 관류 장애가 오래 지속 → 신실질 손상 → 콩팥성 신부전증으로 이행

[2] 신장 원인성(renal) – 부위별 병변에 따라 증상 다름

① 혈관 : 신겉질 괴사, 용혈 요독증후군, 신정맥 혈전증

② 사구체 : 사슬알균 감염 후의 사구체신염, 루푸스 신염, 급속 진행 사구체신염

③ 세뇨관 : 신독성 약물이나 허혈에 의한 급성 신세뇨관 괴사, 요산 신병증

④ 간질 : 약물에 대한 과민성이나 감염에 의한 급성 간질 신염

⑤ 선천 및 유전 질환 : 유전 다낭 신장, 다낭 콩팥병

(3) 신장후 원인(postrenal) : 요관신우 이행부 폐쇄, 요관류(ureterocele), 소변결석, 종양,
후요도 판막, 혈전(clot) 등

2] 병태생리

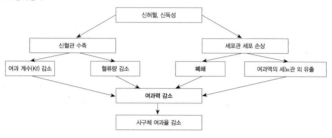

급성 세뇨관 괴사의 병태 생리

3] 감별진단

혈액량 감소에 의한 콩팥전 핍뇨와 급성 세뇨관 괴사에 의한 감뇨증과의 감별이 중요

[1] 소변 검사

콩팥전 감뇨증과 콩팥 감뇨증의 비교		
구분	신전성	신성
소변 osmolality (mOsm/kg)	>500	<350
소변 Na농도(mEq/L)	<20	>40
혈액 BUN/Cr	>20	<20
FENa(%)	<1	>2
소변 비중	>1,020	<1,010

[2] 탈수 증상을 보일 경우 생리식염수 20mL/kg을 30분에 걸쳐 정맥주사
  ① 혈액량 감소에 의한 콩팥전 감뇨의 경우 : 2시간 이내 소변 나옴
  ② 반응이 없으면 : 2차, 드물게 3차까지 시도해 봄.

[3] 생리식염수 투여에 반응을 보이지 않고 콩팥 감뇨증이 의심되는 경우
  ① furosemide 2mg/kg을 1분에 4mg 속도로 IV
    → 반응이 없으면 10mg/kg까지 주사 가능

② Mannitol 0.5~1.0g/kg을 furosemide와 더불어 또는 단독으로 30분에 걸쳐 IV

→ 이는 신부전의 예방 목적 또는 진행된 신부전에서 증상 호전을 위하여 사용

(4) 방사선학적 검사

① KUB : 소변결석 유무

② 초음파 검사 : 만성 신부전, 폐쇄성 신병증 감별

③ Duplex 초음파 검사 : 신혈전 색전증 감별

④ 동위원소 검사(^{99m}Tc-DTPA, ^{99m}Tc-MAG3) : 신기능 검사 및 폐쇄여부 감별

⑤ 동맥조영술 : 신혈관질환 감별

⑥ CT, MRI 등을 선택적으로 검사

(5) 신 조직 검사

적응증

① 원인 불명의 급성 신부전

② 2~3주 이상 지속되는 심한 감뇨증 또는 무뇨증

③ 신장과 관련없는 증상이 동반되는 경우

④ 약물성 간질성 신염을 감별하고자 할 때

4) 치료

4가지 원칙

Ⓐ 수분제한과 전해질장애 교정

Ⓑ 산염기 장애 교정

Ⓒ 충분한 칼로리 공급

Ⓓ 감염 예방 및 치료

(1) 수분제한

① 이뇨제 치료에 반응이 없으면 수분 제한 시도

② 수분량은 400mL/m²/24시간(불감 손실)에 당일 배설된 소변량을 더해 추정

(2) 저 Na혈증

① 수분 배설 장애로 희석되어 생기는 수가 많으며 수분제한만으로 교정가능

(단, 혈장 Na가 120mEq/L 미만일 경우에는 뇌부종과 뇌출혈의 위험이 있기 때문에 3% NaCl로 교정하되 125mEq/L까지만 올림)

② 필요한 Na량(mEq) = 0.6×체중(kg)×(125-혈청 Na치)

(3) 고 K혈증 - EKG상의 특징으로 확인

① 신기능이 정상화될 때까지는 칼륨(K)이 포함된 수액은 사용하지 않음.

② 치료

Ⓐ 혈청 K치가 6.0mEq/L 이상이면 치료 시작

㉠ kalimate를 sorbitol 용액에 섞어 경구 투여 또는 관장

Ⓑ 혈청 K치가 7.0mEq/L 이상 증가 시

㉠ Calcium gluconate(10%), 1.0mL/kg 3~5분 정맥주사

㉡ $NaHCO_3$, 1~2mEq/kg 정맥주사

㉢ 50% glucose (1mL/kg)와 인슐린 0.1U/kg, 1시간 동안, 정맥주사

㉣ 복막 또는 혈액 투석

[4] 저 Ca혈증

① 고인산혈증을 교정하면 된다.

Ⓐ 저인산 식이

Ⓑ calcium carbonate 등 인결합 약물 식사와 함께 투여

→ 인산의 장내 흡수 막고 배설 촉진

Ⓒ 테타니 증상이 없는 한 칼슘제제는 정맥주사하지 않고 경구용으로 투여

[5] 대사 산증 – 암모니아와 수소이온 배설장애 때문에 발생

① 염기는 주의해서 사용 : 체내 수분량을 늘려 혈압상승과 심부전 초래 가능

② 필요한 $NaHCO_3$ (mEq)=0.3×체중(kg)×(12-혈청 HCO_3치)

[6] 고혈압

① 수분과 염분 제한 필수적

② 위급 시 : diazoxide IV 또는 nifedipine 경구투여

[7] 경련

① 원인 : 저 Na혈증, 저 Ca혈증, 고혈압, 요독증

② Diazepam (0.25mg/kg, IV)로 조정한 후 원인교정

[8] 빈혈

① 원인 : 체내 수분증가로 희석

② Hb가 7g/dL 이하로 떨어지면 농축적혈구 수혈 : 고혈압 발생 주의

[9] 장 출혈 : Calcium carbonate 투여 혹은 cimetidine 정주

[10] 영양 : 단백 제한, 당과 지방으로 공급(적어도 400cal/m²/일 이상)

[11] 감염 : 항생제 사용은 잔여 신기능을 고려하여 사용(특히 aminoglycoside 계통)

[12] 투석

① 혈액 투석과 복막 투석(소아에서는 복막투석 권장)

② 심폐기능이 지극히 불안정할시 지속적인 hemofiltration을 하기도 함.

③ 조기에 하는 것이 예후에 좋다.

적응증*

- ECF 증가로 고혈압, 폐부종의 증상 발생시
- BUN > 100~150 mg/dL
- 저칼슘혈증 테타니
- 요독증상(vomiting, lethargy, coma)
- Pericarditis
- 심한 산증, 고칼륨혈증
- 의식 소실, 경련 등의 중추신경 장애

5) 예후

① 요독증의 심한 합병증 : BUN치와 밀접한 관계

- 출혈, 심막염, 중추신경장애 등이 있다.

② 신기능의 회복은 선행요인에 따라 결정됨

3. 만성 신부전(Chronic renal failure)

* 신장에 손상이 있어 지속적으로(일반적으로 >3개월) 신기능이 저하되는 증후군

* 주된 소견 : 사구체 여과율(GFR)의 감소(정상의 20~30% 이하)

1) 원인

(1) 우리나라 소아 만성 신부전의 원인 질환

사구체신염(36%) > 만성 신우신염(21%) > 신형성이상 및 신형성 저하(9%) > 유전 신질환(7%)

(2) 5세 미만

- 선천성 신기형(신형성 저하, 신형성 이상, 요로폐쇄)
- 5세 이후 : 후천 사구체신염(사구체신염, 용혈 요독 증후군), 유전성 신질환(알포트 증후군, 다낭신장)

2) 증상

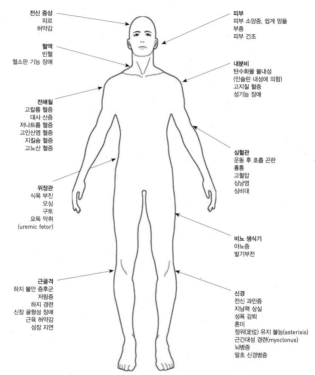

전신 증상
피로
허약감

혈액
빈혈
혈소판 기능 장애

전해질
고칼륨 혈증
대사 산증
저나트륨 혈증
고인산염 혈증
지칼슘 혈증
고뇨산 혈증

위장관
식욕 부진
오심
구토
요독 악취
(uremic fetor)

근골격
하지 불안 증후군
저림증
하지 경련
신장 골형성 장애
근육 허약감
성장 지연

피부
피부 소양증, 쉽게 멍듦
부종
피부 건조

내분비
탄수화물 불내성
(인슐린 내성에 의함)
고지질 혈증
성기능 장애

심혈관
운동 후 호흡 곤란
흉통
고혈압
심낭염
심비대

비뇨 생식기
야뇨증
발기부전

신경
전신 과민증
지남력 상실
성욕 감퇴
혼미
정위(定位) 유지 불능(asterixis)
근간대성 경련(myoclonus)
뇌병증
말초 신경병증

만성 신부전의 주요 증상 및 소견 : 소아-성장지연 나타남

(1) 후천 사구체질환 및 유전 신질환이 원인인 경우 : 원인 질환의 증상이 신부전의 증상
보다 먼저 나타남.

(2) 선천 신기형이 원인인 경우 : 신부전이 서서히 진행되어 영양 상태, 발육 성장에 악영향

(3) 진찰적 소견
   ① 안면 창백, 허약감, 고혈압 등

② 선천 신기형이 원인인 경우 : 성장 지연, 구루병

③ 만성 신부전이 진행되면 원인에 관계없이 결국 거의 모든 장기의 증상이 초래됨.

3) 치료

　(1) 가역적 악화요인의 교정 : 저단백 고칼로리는 아님.

　　① 고혈압(연령, 성별, 키로 보정한 정상 혈압의 90 percentile 이상) : 레닌–안지오텐신 계 억제제로 치료

　　② 단백뇨 : $300 \, mg/m^2$/일 미만을 목표로 치료

　　③ 고지질혈증 : 고지방 식이는 사구체 경화증과 사구체 내피세포의 손상, 인슐린저항 성, 대사증후군, 신기능 손상 일으켜 statin 치료

　　④ 빈혈 : 조직 허혈을 일으키므로 사람 재조합 적혈구 조혈 인자를 조기 투여

　　⑤ Oxidative stress의 증가 : 신기능 손상, 빈혈, 고콜레스테롤 혈증, 만성 염증을 일으킴

　　⑥ 영양 : 고단백 식이는 신 손상 일으킴

　　⑦ 무기질 대사 장애 : 고인산혈증, 부갑상샘항진증, 활동성 비타민 D의 감소

　　⑧ 저체중아, 미숙아

　(2) 치료목적

　　① 여러 대사 산물의 체내 축적 감소시킴 → 요독 증상 감소

　　② 영양 상태의 평형을 유지시킴 → 계속 성장을 유지

　　③ 고혈압의 조절, 혈청 인의 조절, 칼슘과 인의 곱이 55 미만으로 유지, 감염 및 탈수 의 즉시 치료, erythropoietin 주사, 고지질혈증의 조절 → 신기능 소실 속도 지연 → 잔여 신기능 유지

　(3) 식이요법

　　① 당질과 지방은 제한하지 않고 적절한 칼로리를 탄수화물 60~75%, 지방 20~30%, 단백질 10%로 섭취

　　② 영아(2세 미만)의 경우 심한 식욕부진이 있을 때 경관영양

　　③ 단백질은 BUN이 80 mg/dL 이상일 때만 제한(단백 섭취 제한은 성인에서는 효과가 입증되었으나 소아에서는 성장 지연에 미치는 악영향 때문에 추천되지 않음)

　　④ 수용성 비타민 공급, 비타민 D 외의 지용성 비타민은 투여하지 않음.

　(4) 수분과 전해질 관리

　　① 수분관리 : 진행된 신부전의 경우 불감손실과 소변량을 합한 양 정도로 수분 제한

　　② 염류관리

　　　Ⓐ 쉽게 탈수, 부종에 빠지므로 적당히 염류 섭취하는 것이 중요

ⓑ 체위성 저혈압 – 세포외액 심한 결손 나타냄 → 염류 섭취시킴.

ⓒ 고혈압, 부종, 심부전 – 염분 제한, 이뇨제 사용

③ 칼륨 관리

Ⓐ 신부전 심해지면 고칼륨혈증(특히 베타차단제 또는 ACE inhibitor 사용 시 주의)

ⓑ 치료 : 저칼륨 식이, $NaHCO_3$, kalimate 투여

[5] 산염기 관리

① 신장에서의 중탄산염의 손실로 산증 초래

② 혈청 HCO_3^-가 20 mEq/L 이하로 저하시 : $NaHCO_3$ 투여 → 혈청 HCO_3가 22 mEq/L 이상 되도록

[6] 만성 신부전 무기질 골장애(CKD-MBD metabolic bone disease)

① 고인산혈증, 저칼슘혈증, 부갑상샘호르몬 및 혈청 알칼리 인산분해 효소의 증가와 동반되어 섬유골염(osteitis fibrosa cystica) 소견

② 성장 지연, 근무력, 골격 기형

③ 골연화, 무동적 골병소의 소견(low-turnover bone lesion) : 고칼슘혈증 잦고 부갑상샘호르몬은 비교적 낮으며 알루미늄 제제, 당뇨병, 스테로이드 치료와 연관

④ GFR가 정상의 25% 이하 : 혈청 인 상승 → 저인식이, 저인우유 및 인산염 결합체($CaCO_3$, calcium acetate, sevelamer) 투여 → 혈청 인(목표 5~7 mg/dL)로 유지 → 2차 부갑상샘항진증 예방

⑤ 혈청 인 정상이 되어도 혈청 칼슘이 목표(9.5~11.4 mg/dL)가 되지 않으면 : 칼슘 제제를 식간 투여

⑥ 혈청 인이 교정된 후(<6 mg/dL)에도 저칼슘혈증이 지속되거나 신장 골형성 장애 있는 경우 : 비타민 D 투여

[7] 빈혈의 관리

① Erythropoietin 감소, 부적당한 철분 및 엽산 섭취, 적혈구 수명 감소 → 빈혈 초래 (Hb 6~9 g/dL)

② 철분 및 엽산 결핍증, 출혈, 감염 등의 위험인자 제거, 농축 적혈구, 인간 재조합 적혈구 조혈인자 투여 → Hb 11~12 g/dL로 유지

[8] 고혈압의 관리

① Hypertensive crisis : nifedipine, labetalol, nicardipine 투여

② 체액 과부하가 동반된 중증 고혈압 : furosemide 같이 투여

③ 지속되는 고혈압 : 염분제한, furosemide, propranolol, hydralazine, nifedipine 또는 amlodipine으로 조절

[9] 성장 지연의 관리

① 혈중 성장호르몬 증가, IGF-I 감소, 단백 영양 결핍, 만성 산증, 재발 감염증, 부갑
상샘항진증, 활성 IGF 저하 → 성장 장애 초래

② 사람 재조합 성장호르몬 : 적당한 영양섭취 및 신장 골형성 장애, 전해질의 이상,
산증, 빈혈 등이 교정되어도 키가 −2 표준편차 미만인 경우 투여하여 성장 촉진

[10] 사춘기의 지연

① 성선 발달의 부진 및 생식 능력의 장애 → 사춘기 지연

② 요독증에 의한 영구 생식기관 손상 예방 : 조기 신이식

[11] 예방 접종 및 약물의 사용

① 정상 소아에서 추천되는 모든 예방 접종 투여

② 기저 신질환으로 인해 면역 억제제를 투여 받는 경우는 생백신 투여하지 않으나 신
이식 전에 MMR, varicella 등의 백신 투여

③ 많은 약이 신장 배설 → 약의 효과 및 위험도를 고려하여 투여

[12] 투석 및 신이식

① 말기 신부전(GFR<5mL/분) : 투석(복막 투석, 혈액 투석), 신이식 등의 신장 대체 요법

4. 신세뇨관 산증(Renal tubular acidosis)

• 신세뇨관에서 HCO_3^- 재흡수장애와 수소 이온의 분비 장애로 인해 전신 대사 산증을
보이는 질환

• 신세뇨관에서 Na^+가 재흡수될 때 HCO_3^- 부족량 만큼 Cl^-가 대신 흡수 : hyperchloremia, 정상 anion gap (= $Na^+ - HCO_3^- - Cl^-$). 참고치 8~12mEq/L

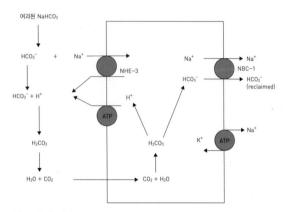

CA = carbonic anhydrase
NHE-3 : Na⁺-H⁺exchanger,   CA II : cytoplasmic carbonic anhydrase II
NBC-1 : Na⁺-3HCO₃⁻contransporter,   CA IV : membrane-bound carbonic anhydrase IV

근위 세뇨관 세포에서 HCO_3^-의 재흡수 과정

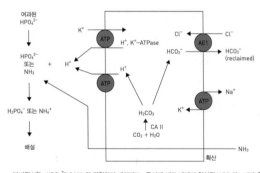

분비된 H^+는 HPO_4^{2-}나 NH_3와 결합하여 배설되고, 동시에 세포 내에서 형성된 HCO_3^-는 기저 측막의
anion exchanger (AE1)를 통하여 혈액으로 흡수된다.

원위 세뇨관 세포(A형 intercalated cell)에서 비휘발 산의 배설 및 HCO_3^-의 재생(regeneration) 과정

1) 분류

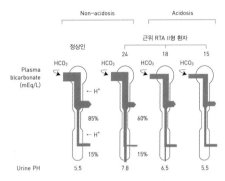

근위 세뇨관 산증의 병태 기전

(1) 근위 신세뇨관 산증(proximal RTA, II형)

① 근위 세뇨관의 carbonic anhydrase 결핍 → bicarbonate 재흡수의 장애

② 정상에서는 여과된 bicarbonate의 85%가 근위세뇨관에서 재흡수됨.

→ type II RTA : 60%만 근위세뇨관 재흡수되어 소변 배설량↑

③ 원위 세뇨관의 과도한 NaHCO$_3$가 집합관으로 → Na$^+$가 재흡수, K$^+$ 배설 → hypokalemia

④ 단독질환으로 발생할 수도 있고 Fanconi 증후군의 일환으로 발생하기도 함.

(2) 원위 신세뇨관 산증(distal RTA, I형)

① 원위세뇨관의 수소이온 분비의 장애 → 결과적으로 HCO$_3$ 재흡수장애도 동반

② 소변으로 배설되는 HCO$_3$$^-$ 소실이 2형보다 적음.

③ 저칼륨혈증, 고칼슘뇨증, 신석회화, 신결석 동반

(3) 고칼륨혈증 신세뇨관 산증(hyperkalemic RTA, IV형)

① 알도스테론결핍 → 염분 소실, 고칼륨혈증 초래 → 세뇨관 세포의 암모니아 생성억제 → 암모니아에 의한 소변의 완충작용이 감소함에 따라 수소이온의 분비가 감소 → HCO$_3$ 재흡수의 장애 초래

② 원인

Ⓐ 알도스테론 형성 장애 – Addison병, 선천 부신 과다형성, 원발 저알도스테론증 등
알도스테론 형성 장애 : 레닌 증가, 신기능 정상

Ⓑ 저레닌 저알도스테론증 – 간질 및 juxtaglomerular apparatus의 손상이 있는 신질환

ⓒ 거짓저알도스테론증 - 일시적 또는 만성적 원위 세뇨관의 알도스테론에 대한 반응성 감소(m/c) : 레닌, 알도스테론 증가

2) 진단

(1) 전신적 산증 상태(혈장 HCO_3^- <15mEq/L)일 때 소변pH와 anion gap 측정

① 이때 소변의 pH가 6.0 이상이면 원위세뇨관의 H^+분비에 장애가 있는 원위형으로 진단

② 혈장 HCO_3^- 가 17~20mEq/L인 경우는 NH_4Cl을 먹여 혈장 HCO_3^-를 15mEq/L이 하로 떨어뜨린 후 검사

③ 소변 anion gap : 음성치인 경우 근위세뇨관 산증이나 정상인, 양성치인 경우 원위 세뇨관성 산증이나 IV형

(2) 혈장 HCO_3^- 농도를 정상화 시킨 후 FE_{HCO3^-}

(fractional excretion of HCO_3^-)와 (Urine-Blood) $PaCO_2$ 측정

① FE_{HCO3^-} : 15% 이상이면 근위형

② (Urine-Blood) $PaCO_2$: 20mmHg이상이면 정상인이나 근위형, 20mmHg 이하이면 원위형이나 IV형

(3) IV형 : 염분 소실과 고칼륨 혈증이 특징, 전신적 산증 상태에서 소변의 pH 5.5 이하 가능, FE_{HCO3^-} 15% 이하, 레닌과 알도스테론 측정으로 아형 분류 가능

3) 증상

(1) 영아기 : 성장장애, 위장장애

(2) 이차적으로 발생한 신세뇨관 산증 : 원발질환 증상 동반

(3) 원위형 : 고칼슘뇨증 → nephrocalcinosis나 nephrolithiasis, 신실질의 파괴

4) 치료

(1) 목적 : 산증 교정, HCO_3^-와 K^+의 정상 혈장 농도 유지

(2) 알칼리 투여

① 알칼리 하루 요구량 : 근위형>원위형, IV형

② Citrate 등의 중탄산 대용제 사용 가능

③ 근위형, 원위형 : K^+보충 IV형 : 고칼륨혈증 발생하지 않도록 유의

5) 예후

① 원발 근위형 신세뇨관 산증 : 처음 증상은 심하지만 10세 이진에 회복이 많음.

② 원발 원위형 신세뇨관 산증 : 평생지속, 신부전으로 진행 가능, nephrocalcinosis가 오기 전에 조기 발견하여 알칼리 치료 계속 시행 시 예후 좋음.

③ IV형은 폐쇄 신질환에 의한 경우가 많으며, 폐쇄를 교정하면 1년 이내 대부분 회복

④ 2차적으로 발생한 신세뇨관 산증은 원발질환의 정도에 따라 예후가 다르다.

5. 대사 골질환(Metabolic bone diseases)

1) 가족성 저인산혈증(Familial hypophosphatemia)

m/c 유전 구루병, 반성우성, 남아에 증상 심함.

[1] 발병기전

① 근위세뇨관 인산 재흡수기전의 결함

② 25(OH)D₃의 1-hydroxylation기전에 결함이 있는 것으로 생각(정상인과 달리 심한 저인산혈증에도 혈청 $1,25(OH)_2D_3$가 상승되지 않고 낮은 정상치를 보임)

③ 최근 X염색체에 있는 PHEX (phosphate regulating gene with homologies to endopeptidase, on the X chromosome) 유전자의 결함이 원인임이 밝혀짐.

④ 드물게 상염색체 우성으로 유전되는 경우도 있음.

⑤ Phosphatonin (FGF-23) ↑ → 인산 소모

[2] 증상

① 저신장(치료하지 않은 경우 성인이 되었을 때의 키가 130~165cm 정도)

② 앞이마가 뛰어나옴(frontal bossing).

③ 사각형머리

④ 걷기 시작하면서 체중부하가 심해지면 내반슬이 현저(생후 2년 이후)

⑤ tetany는 없다.

⑥ 치아수질 변형과 interglobular dentin 같은 특징적 치아의 이상 초래 → 통상의 치료로 호전되지 않음.

⑦ 비타민 D 의존성 구루병에서 특징적인 구루병 염주나 Harrison groove, 심한 근 무력증 등은 뚜렷하지 않다.

⑧ 골격 X선 사진에 구루병 소견(골격의 변화는 상지에 비해 사지의 침범이 심함 → 대퇴골 하단의 변형이 특징적)

(3) 검사소견

① 혈청 칼슘치 : 정상(9~9.4mg/dL)

② 혈청 인산치 : 매우 낮다(1.5~3mg/dL)

• 혈청 인산이 낮음에도 소변으로의 인산 배출은 현저히 증가

③ 혈청 알칼리성 인산 분해 효소 : 현저하게 상승

④ 부갑상샘호르몬 : 정상이거나 약간 상승

구루병의 감별진단(혈청 생화학적 소견)							요중	
구루병	Ca	PO₄	PTH	25(OH)D₃	1,25(OH)₂D₃	AP	칼슘	인
비타민 D 결핍	정상,↓	↓	↑	↓	↓, 정상, ↓	↑	↓	↑
I형 비타민 D 의존	↓	↓	↑	정상	↓	↑	↓	↑
II형 비타민 D 의존	↓	↓	↑	정상,↑	↑	↑	↓	↑
성염색체 우성 유전 저인산혈증	정상	↓	정상	정상	RD	↑	↑	↑
상염색체 우성 유전 저인산혈증	정상	↓	정상	정상	RD	↑	↑	↑
고칼슘뇨를 동반한 유전 저인산혈증(HHRH)	정상	↓	정상	정상	정상	↑	↑	↑
상염색체 열성 유전 저인산혈증	정상	↓	정상	정상	RD	↑	↓	↑
종양원성 골연화증(TIO)	정상	↓	정상	정상	RD	↑		↑
Fanconi 증후군	정상	↓	정상	정상	RD or ↑	↑	↓ or ↑	↑

※ AP : alkaline phosphatase
　RD : (저인산혈증을 감안하여) 비교적 감소

(4) 치료

① 인산 : 대개 4시간 마다 하루 최소한 5회 투여

② Calcitriol(1,25(OH)₂D₃)

③ 이뇨제 : 비타민 D의 사용으로 과칼슘뇨증 발생 시 hydrochlorothiazide와 amiloride를 함께 투여하기도 함.

④ 정형외과적 교정

⑤ 치료 중의 모니터링

Ⓐ 약물치료 후 부갑상샘항진증 및 신석회화의 합병증 발생할 수 있으므로 시행

Ⓑ 혈청칼슘, 부갑상샘호르몬 및 소변 칼슘, 크레아티닌 배설량 등 측정

Ⓒ 손목, 무릎 등 방사선 검사

Ⓓ 신초음파 → 신석회화 여부 및 진행 정도 평가

Ⓔ 신장 측정

2) 종양성 골연화증(Tumor-induced osteomalacia; TIO)

　① 골섬유종, 섬유혈관종, 중간엽종양 등에서 FGF23 등의 phosphatonin 분비 → 소변을
　　통한 인의 배출 증가 → 저인산혈증, 골연화증을 일으키는 질환

　② 대부분 양성 종양

　③ 피로, 뼈의 통증, 골절, 근력 감소 등의 증상 발현

　④ 검사 소견 : 가족성 저인산혈증과 같음

　⑤ 종양 제거 → FGF23의 혈중 농도 감소, 구루병 치유됨

6. 신세뇨관 간질 신병증(Tubulointerstitial Nephropathy)

1) 급성 요산 신병증(Acute uric acid nephropathy)

　(1) 기전

　　① Purine 대사의 증가에 기인한 고요산혈증 → 급성 및 만성 신병증(소아 : 만성 신병
　　　증은 아주 드물다)

　　② 고요산혈증, 고요산 산증 → 집합관이나 미세혈관에 요산 결정의 침전 → 요류나
　　　신장 혈류의 폐쇄 → 신손상

　(2) 원인

　　① 백혈병이나 림프종 : 특히 항암제 치료 시(tumor lysis syndrome)에 흔함.

　　② 유전 대사 질환인 Lesch-Nyhan 증후군, 1형 당원병(Von Gierke병), 출생 전 후기 질식

　(3) 증상 및 진단

　　① 주증상 : 급성 신부전

　　② 진단 : 고위험군에서 핍뇨, 고칼륨혈증, 고인산혈증, 저칼슘혈증, 고요산혈증과 고
　　　요산뇨증이 있을 때

　(4) 예방 및 치료

　　① 수분 공급

　　② 소변의 알칼리화 : 충분한 $NaHCO_3$ 투여 → 소변 pH 7.0 이상으로 유지 → 요산 배설
　　　용이

　　③ Allopurinol 투여 : xanthine oxidase 억제제 → 새로운 요산 생성 억제

　　④ Urate oxidase 투여 : rasburicase 사용

　　⑤ 투석

2) 신세뇨관 간질 신염(Tubulointerstitial nephritis)

[1] 정의

① 신세뇨관과 간질의 염증과 손상이 있으면서 사구체나 혈관의 변화는 거의 동반되지 않는 질환군, 일명 간질 신염

② 급성과 만성 형태

③ 특발성 또는 사구체질환이나 요로계의 구조적 이상에 이차적으로 발생

[2] 분류

① 급성 : 가역적 병변으로 간질의 부종, 염증세포 침윤 및 신세뇨관 변성

② 만성 : 비가역적 병변으로 간질의 섬유화 및 신세뇨관의 위축

[3] 역학

① 소아 연령 신부전의 중요한 원인 중의 하나

② 급성 간질 신장염 : 급성 신부전 환아의 7% 이상

③ 만성 간질 신염 : 폐쇄요로병증, 방광요관역류 및 유전병의 경우 발생, 말기 신부전 환아의 20% 정도는 폐쇄요로병증에 기인

[4] 원인

① 급성 : 약물(m/c), 감염, 면역 질환 및 특발성

(약물중에는 항생제와 비스테로이드계 소염제가 중요 원인)

② 만성 : 비뇨기계 질환(m/c, 폐쇄성요로병증이나 방광요관역류), 감염, 약물, 대사 질환 등

[5] 증상

① 급성

Ⓐ 혈청 크레아티닌 상승 + 과민반응의 전신증상인 triad(발열, 피부발진, 관절통)

Ⓑ 비특이 증상 : 피로, 식욕부진, 체중감소, 구토, 요통, 인후통

ⓒ 감뇨 보일 수 있으나 30~40%는 비감뇨 급성 신부전

② 만성

Ⓐ 천천히 진행 → 신부전 현저하게 진행될 때까지 특별한 증상 없음.

Ⓑ 체중감소, 성장 지연, 피로, 식욕 부진, 구토, 다음, 다뇨 등의 만성 신부전 증상, 빈혈

[6] 검사소견

① 혈액소견

Ⓐ BUN 및 혈청 크레아티닌치의 상승 : 가장 특징적

Ⓑ 신세뇨관 장애로 고나트륨혈증, 저칼륨혈증, 저인산혈증, 저요산혈증, 대사산혈증

ⓒ 약물 의한 경우 : 호산구 증가증(60% 이상에서)

ⓓ 빈혈, ESR 증가, 혈청 IgE 증가, 간기능 장애 등

② 소변 소견

Ⓐ 경한 단백뇨(<1g/일)와 현미경적 혈뇨가 m/c 소견

Ⓑ 과립원주, 백혈구 원주 관찰, 적혈구 원주는 거의 없다.

ⓒ 약물에 의한 경우 소변에 호산구 증가(50~90%에서)

[7] 치료

① 일반적인 보조 치료와 신부전의 합병증에 대한 치료

② 의심 약물 즉시 중단, 경우 따라 투석, 감염 치료

Ⅲ 요로질환

1. 요로 감염(Urinary tract infection) – 요로 이상의 유무를 같이 판정

- 소아에서의 흔한 세균성 질환
- 영·유아에서는 비전형적 증상(고열)만 보이는 경우가 흔함.
  → 설명되지 않는 고열을 보이는 영·유아에서 항상 요로 감염 가능성을 생각 → 소
  변 검사 시행 → 조기 진단, 신속한 항생제 치료

1) 역학

(1) 신생아·영아기 : <u>선천성 기형이 많은 남아에서 여아보다 발생 빈도가 높다.</u>
  (남 : 여=3~5 : 1).

(2) 영아기 이후 : 해부학적으로 여아에서 빈도가 훨씬 높다(남 : 여=1 : 10).

(3) 설명되지 않는 고열(>38.5℃)을 보이는 영·유아의 4~20% 정도가 요로감염으로 진
  단된다.

2) 분류 및 정의

(1) 방광염(하부 요로 감염) : 방광까지만 국한된 감염

(2) 급성 신우신염(상부요로감염) : 신우 및 신실질까지 파급된 감염

(3) 무증상 세균뇨 : 증상 없이 소변에 세균이 존재하는 상태, 여아에 흔함.
  - 대개는 치료 필요 없음.

3) 발생기전

숙주 요로계의 국소 방어 기전이 깨지거나 세균의 감염성이 강하면 발생

(1) 감염 경로 : 상행성 감염이 대부분(신생아기에는 혈행성)

(2) 세균의 병원성
  ① *E. coli*의 P (Ⅱ형) fimbriae는 요로 상피세포의 특수 수용체와 결합
  ② K 또는 피막 항원은 포식 작용에 저항

(3) 숙주의 국소 방어기전 : 요도의 길이, 방광의 배뇨 및 살균 작용이 해당된다.

(4) 소아 요로 감염의 위험 요소
  ① 여아(짧은 요도)
  ② 비포경 수술 남아(포경 남아)
  ③ 방광요관역류, 음순 유착, 폐쇄 요로 기형, 신경성 방광

④ 소변가리기 훈련, 배뇨 장애(불안정 방광, 가뭄배뇨), 변비

⑤ 비위생적 포피 관리 및 회음부 관리

⑥ 분유 수유, 정상 세균총 결핍, 요충 감염, 요로 카테터 삽입

⑦ 요로 상피세포의 특수 수용체(Gal 1~4 Gal oligosaccharide)

⑧ 요로 병원균의 P (II형) fimbriae

4) 원인균

(1) *E. coli* : m/c (75~90%)

(2) *Klebsiella, Enterobacter, Proteus, Enterococcus, Pseudomonas, Staphylococcus* 등

5) 증상 – 연령과 감염 부위에 따라 다르다.

(1) 신생아, 영 · 유아 – 설명되지 않는 고열, 보챔, 구토, 설사, 저체온 등의 비특이적 증상

(2) 연장아

- 대부분 전형적인 증상 : Bladder symptom
- 방광염 : 빈뇨, 배뇨곤란, 하복부 통증, 요실금
- 급성 신우신염 : 고열(>38.5℃), 옆구리 통증, 통증 및 구토

6) 진단

(1) 요배양검사 : 진단에 필수적, 확진(소변 분석 검사로 대치할 수 없음)

① 의미 있는 세균뇨

Ⓐ 청결 채취 중간뇨

㉠ 소변 가리기가 가능한 소아에서 정확한 채뇨법.

㉡ 채뇨방법 : 남아에서는 포피를 벗기고, 여아에서는 회음부를 벌리고 물로 닦은 후에 중간 소변을 받음.

☆㉢ 단일세균이 10^5 CFU/mL 이상이면 90% 이상에서 진단, 증상이 있는 경우는 10^4 CFU/mL 이상

Ⓑ 무균 채뇨백 뇨

㉠ 소변 가리기가 안된 영 · 유아에서 손쉬운 채뇨법.

㉡ 증상이 있고 요 분석검사가 양성이며 단일세균이 10^5 CFU/mL 이상이면 진단

Ⓒ 도뇨관 채뇨

㉠ 침습적인 채뇨법이나 무균 조직하에 카테터를 삽입하여 채뇨하면 요로 손상과 오염 가능성 줄일 수 있음.

㉡ 단일세균이 10^5 CFU/mL 이상이면 진단

ⓓ 방광천자뇨(Suprapubic aspiration) : 가장 정확 :

㉠ 소변 가리기가 안된 신생아나 영·유아에서 비교적 안전하고 정확한 채뇨법

ⓛ ┌ 그람양성균 : 10^3 CFU/mL 이상이면 진단
　　└ 그람음성균 : 배양 균락 수에 관계없이 1개라도 나오면 진단

(2) 요분석검사 : 신속한 선별을 위한 보조적 검사

7) 감별 부위 진단 : 소아에서 급성 신우신염과 방광염의 감별은 매우 어려움.

(1) ** 급성 신우신염을 시사하는 소견 **

① 발열, 옆구리 통증 및 통증

② 검사 소견 : 소변 백혈구 원주, 소변 농축능 감소, 소변 β_2-microglobulin 증가, 소변 항체 – 피막화 세균, 총백혈구증가, 호중구증가, ESR 증가, CRP 증가 등

★☆ ^{99m}Tc–DMSA신스캔상 부분 또는 미만성 결손(가장 정확)

(2) 감별진단 : 급성 바이러스 출혈 방광염(Adenovirus II, 21형), 호산구 방광염, 사이질 방광염

8) 치료

(1) 예방 및 일반치료 : 충분한 수분섭취와 규칙적인 배뇨, 회음부 위생 관리, 요충제거, 변비치료

(2) 항생제 : 고열 등 증상이 심하면 배양검사 후 즉시 치료(경험적 항생제 투여)를 시작하고 증상이 가벼우면 배양검사 결과를 기다림.

① 발열성 요로감염, 급성 신우신염 : 10~14일간 치료, 초기에는 정맥 투여 → 열↓, 요배영 검사가 음성이면 경구로 투여

② 치료 48시간 후에도 반응이 없으면 → 요로기형 동반이나 저항성 세균감염일 가능성 높음 → 신초음파 검사 시행, 세균 감수성에 따라 항생제 바꿈.

③ 방광염이 확실한 연장아에서는 처음부터 경구로 3~10일간 투여

④ 초기 정맥주사 – ceftriaxone, cefotaxime, ampicillin+gentamicin

경구 투여 : TMP–SMX, nitrofurantoin, amoxicillin, cefixime, cephalexin (ciprofloxacin 은 성장판에 대한 부작용 때문에 소아에서 사용 제한)

⑤ 예방적 항생제 적응증 및 방법

• 방관 요관 역류(1~4등급), 요로감염 잦은 재발(6개월에 2회 이상, 1년에 3회 이상), 요로계 폐쇄로 인한 소변 정체 등

• 저용량(1/3~1/4) TMP–SMX or nitrofurantoin을 자기 전에 한번 복용(방광요관

역류의 경우 역류가 사라질 때까지, 재발성 감염의 경우 6개월~1년간 or 재발할 때마다).

    Ⓐ 급성요로감염

- 신생아 : 패혈증을 동반하는 경우가 있으므로 10~14일간 주사치료
- 신생아 이후
  - 상부요로감염 : 10~14일간 치료하되 처음은 IV → oral(요배양검사 음성)
  - 하부요로감염 : 10~14일간 경구 투여

    Ⓑ 요로의 구조적 이상이 동반된 감염

- 급성기에는 위와 같이 치료
- 수술로 이상을 교정해서 요저류를 없애야 함.
- 그렇지 않은 경우 예방적 항생제 장기간 투여(TMP-SMX, nitrofurantoin)

    Ⓒ 요로의 구조적 이상 없이 자주 재발하는 경우

- 1~6개월 장기간 치료 혹은 감염시마다 치료

⑶ 세균배양검사 : 치료가 끝난 지 1~3주에 배양하여 확인, 월1회의 배양검사가 장기간 추적에 필요

⑷ 요로 영상 검사

① 발열기에는 초음파로 수신증이나 농양 유무확인

② 처음 발병이라도 단순복부촬영, 초음파 촬영을 시행하고 배뇨방광요도조영술(Voiding cystourethrography; VCUG)는 감염치료후 2~6주에 시행(방광요관역류 VUR 확인) → VUR이 있으면 예방적 항생제로 TMP-SMX나 nitrofurantoin을 자기 전에 한 번 복용

③ ^{99m}Tc-DMSA 스캔 : 신반흔 감별에 가장 효과(치료 3~6개월 후), 요로감염의 급성기에는 급성 신우신염 진단 가능

④ 영상검사의 적응증

- 요로감염이 있는 모든 남아
- 상부요로 감염의 임상증상이 있는 모든 환아
- 5세 미만의 여아
- 비뇨기계 이상 소견이 있는 모든 소아
- 증상 및 세균뇨가 재발되는 소녀

9) 합병증 및 예후

[1] 신반흔(Renal scar) : 급성 신우신염의 중요한 합병증으로 장기 후유증으로는 무증상
단백뇨, 소아기 고혈압, 말기 신부전

* 신반흔의 3대 위험 요소 : 신장내 높은 압력, 어린 연령, 독성 감염

[2] 요성패혈증

[3] 신농양

[4] Xanthogranulomatous 신우신염

2. 방광요관역류(Vesicoureteral reflux; VUR)

방광의 소변이 요관과 신장으로 역류하는 현상

1) 유병률

① 건강한 소아 : 약 1%

② 요로 감염증이 있는 소아의 1/3

③ 유전적, 가족적 소인이 있음 : 무증상의 환아 형제에서 약 35%, 어머니에게 역류 있
는 경우 출산아의 50%

2) 역류방어기전

정상 요관은 방광벽으로 비스듬히 들어가 배뇨근과 방광점막 사이를 지나므로 판막
(flap−valve)기전에 의하여 역류가 일어나지 않음.

3) 원인

① 일차(원발) 역류 : m/c 원인

② 요관 방광 이행부 기형을 동반한 1차 역류

③ 방광 내 압력 상승에 의한 2차 역류

④ 염증 변화에 의한 2차 역류

⑤ 요관 방광 이행부 수술 후 동반된 이차 역류

4) 역류의 정도

방광 요관 역류의 정도(grade)

N : 정상
I : 요관까지만 역류
II : 신우까지 역류, 요관확장(-)
III : II+경도~중능도의 요관 확장, +fornix의 약간의 둔화
IV : III+심한 요관의 확장, fornix의 현저한 둔화

5) 합병증

(1) 신우신염

(2) 역류 신병증

(3) 고혈압

6) 진단

(1) 일반적으로 역류는 요로 감염 검사중 발견되는데, 이런 경우 80%는 여아이며, 진단 당시 평균 연령은 2~3세

★(2) 배뇨 요도 방광 조영술(VCUG) : 진단, 역류 정도 분류 → 역류가 확인되면 DMSA scan 등으로 renal scarring 확인

(3) 초음파 조영술, 경정맥 신우조영술, DMSA 신스캔 등 시행 : 신장의 흉터 유무, 신손 상의 정도, 요로계 기형 등 알아 봄.
신반흔의 발견 : 초음파(발견율 : 30~60%), 정맥내 신우조영술(발견율 : 90%), 신 단 층 조영술, DMSA(발견율 : 100%, But 수신증 및 기형의 발견율은 가장 낮다.)

(4) 주기적으로 키, 체중, 혈압, BUN, 혈청 creatinine, 소변 검사 및 소변배양검사

7) 자연 경과

방광의 성장 및 성숙에 따라 역류는 소실 또는 호전되는 경향, 역류의 정도, 진단시 연 령, 일측성 여부에 따라 다르고 소실 평균 연령은 6세이다.

(1) Grade I, II : 진단 당시의 연령이나 일측성 또는 양측성에 관계 없이 자연 소실률 비슷

(2) Grade III : 나이가 어릴수록, 일측성인 경우 자연 소실률이 더 높다.

(3) Grade IV : 양측성이 일측성보다 훨씬 낮은 소실율

(4) Grade V : 자연 소실 거의 없음.

8) 치료

(1) 치료의 목적 : 신우염, 신손상, 신장의 흉터, 고혈압의 예방, 신장의 성장을 유지하여 사구체 여과율 및 소변 농축능을 유지

(2) 내과적 치료 : 역류의 자연 소실과 합병증 예방 가능성에 근거

(3) 외과적 치료 : 역류의 신손상 및 합병증의 가능성에 근거

☆① 개복 수술 치료 : 반복적 요로 감염, 호전되지 않은 역류, Grade IV, V

　　　→ 요관 재이식술

　　② 내시경 치료

3. 신경탓 방광(Neurogenic bladder)

하부 요로의 신경 해부		
해부	지배 신경	기능
배뇨근 주신경 분포 부신경 분포	부교감(천수 2~4) 골반 신경 운동—콜린 수용기 감각—장력 및 팽창 수용기 교감(흉수 11~요수 2) 하복신경 β—아드레날린 수용기	자극시 배뇨근 수축 방광 팽만에 의하여 자극됨 자극시 배뇨근 이완
삼각부	교감(흉수 11~요수 2) 하복 신경 감각 운동(α—아드레날린 수용기)	촉각, 통각, 온각 자극시 수축(역류 방지)
내괄약근 : 방광 경부 및 　　후부요도의 평활근	교감(흉수 11~요수 2) 하복 신경 운동(α—아드레날린 수용기)	자극시 수의적 외괄약근 수축
전부 요도	체성(천수 2~4) 음부 신경 감각	전부 요도의 감각

** 정의 : 위의 표와 같은 신경계의 손상으로 정상적인 방광기능을 유지하지 못하여 배뇨장애, 요실금 및 신손상이 초래되는 질환을 말한다.

※ 선천성 신장 및 요로 기형

1. 신장 기형
   1) 신장 발육 부전(Renal agenesis)
   2) 신장 형성 저하(Renal hypoplasia)
   3) 신장 형성 이상(Renal dysplasia)
   4) 다낭 신장 질환(Polycystic kidney disease)
   5) 신장 수질 낭종(Renal medullary cyst)
   6) 융합 신장(Fused kidney)
   7) 과다 신장(Supernumerary kidney)
   8) 신장 회전 이상(Malrotated kidney)
   9) 신장 딴곳증(Renal ectopia)

2. 신우 깔때기(Renal pelvis)요관의 기형
   1) 요관 깔때기 막힘(Ureteropelvic junction obstruction)
   2) 요관 방광 접합부 막힘(Ureterovesical junction obstruction)
   3) 요관 낭종(Ureterocele)
   4) 딴곳 요관 개구(Ectopic opening ureter)
   5) 거대 요관(Primary megaureter)

3. 방광의 기형
   1) 방광요관역류(Vesicoureteral reflux)
   2) 선천 방광 게실(Congenital bladder diverticulum)
   3) 방광 외반증(Bladder exstrophy)
   4) 신경성 방광(Neurogenic bladder)

4. 요도의 기형
   1) 뒤요도 판막(Posterior urethral valve)
   2) 앞요도 판막 및 게실
      (Anterior urethral valve & diverticulum)
   3) 요도고리 협착(Urethral ring stenosis)
   4) 말린 대추 증후군(Prune-belly syndrome)

I 시상하부와 뇌하수체 장애

1)

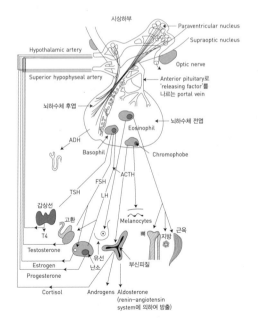

내분비선의 상호 관계 및 작용

2) Pituitary Hormone secretion의 조절인자

	releasing factor	Inhibiting factor
GH	GHRH	Somatostatin, IGF-1
Prolactin	TRH, VIP, estradiol	Dopamine
ACTH	CRH, vasopressin	Cortisol
TSH	TRH	T_4, T_3, somatostatin, dopamine
LH	GnRH	estradiol, testosterone
FSH	GnRH, activin	Inhibin, estardiol, testosterone

3) 뇌하수체 질환

(1) 뇌하수체 기능저하증

(2) 중추성 요붕증

(3) 항이뇨호르몬 과다분비

(4) 뇌하수체과다증

1. 뇌하수체 저하증(Hypopituitarism)

1) 원인

(1) 선천이상 : 뇌하수체 무형성 또는 형성 저하증, 시각신경 형성 저하증

(2) 후천이상 : 두개인두종(craniopharyngioma)

★(3) 특발 뇌하수체 기능저하증(m/c)

: 둔위분만, 겸자분만, 분만시 모체출혈, 출생시의 손상, 저산소증

(4) 성장호르몬에 대한 수용체 결핍(Laron 증후군)

※ 소실순서 : GH → FSH → LH → TSH → ACTH

✦ 뇌하수체성 저신장의 분류

1. 1차성 뇌하수체 질환
   유전적 증후군 : 무형성증, 저형성증, 가족 범뇌하수체 기능저하증, 가족성 단일 성장호르몬 결핍증, 성장호르몬 결핍증,
   　　　　　　　 성장호르몬의 유전자 이상
   터키 안 내 종양 : 선종, 두개인두종(craniopharyngioma)
   비종양성 파괴 : 외상, 감염, 중추신경계 방사선 조사

2. 시상하부 기능 이상으로 인한 2차적인 뇌하수체 결손
   1차성(대부분이 출생 전후기에 문제가 있음) : 범뇌하수체기능저하증
   감염 후
   조직구증(histiocytosis)
   시상하부 종양 : 두개인두관종, 과오종, 신경 섬유종, 배아세포종(germinoma)
   정신 사회적 저신장

3. 성장호르몬에 대한 말초 조직의 저항
   라론(Laron) 저신장, 피그미(Pygmy) 족
   생물학적으로 불활성인 성장호르몬 분비
   단백질 · 칼로리 영양 결핍증

2) 증상

　(1) H-P axis에 기질적 병변이 없는 경우

　　① 출생 체중, 신장은 정상 → 1세 이후 성장 지연

　　② 선천성 이상 : 응급 요하는 증상인 저혈당, 청색증, 무호흡 나타날 수 있다. 지능은
　　　　비교적 정상

　　③ 넓은 얼굴, 이마 돌출, 낮은 코, 소하악증, 복부 비만, 나이에 비하여 음경발달과
　　　　성적발달이 미약

　　④ 상절과 하절의 비는 비교적 정상

　(2) H-P axis에 기질적 병변이 있는 경우

　　① 처음에는 정상이나 시간이 경과할수록 성장속도가 감소

　　② 병변 진행시 부신 피질, 갑상샘 등의 표적 장기의 위축 : 체중감소, 성격이상, 추위
　　　　에 대한 불내성, 저혈당, 혼수

　　③ 병변이 종양일 경우 : 두통, 구토, 시력 저하

✚ 성장호르몬 결핍증을 의심하게 하는 소견

- 정상적인 신체 균형을 가지면서 병적으로 저신장증을 가질 때(일반적으로 신장이 평균의 2.0 표준편차 이하일 때)
- 역연령에 비하여 비정상적인 성장 속도를 가질 때(3세에서 사춘기 동안 4cm/년 이하의 성장 속도를 가질 때)
- 골격계의 성숙 지연(역연령에 비하여 평균보다 2 표준편차 이상 지연시)
- 소하악증(micrognathia), 저혈당의 병력, 두개강 내 출혈, 뇌손상, 뇌종양 및 저산소증의 병력이 존재할 때
- 후천성 뇌하수체 기능저하증이 의심되는 환자에서 신장이 정상이라 하더라도 실제 성장 속도가 감소 또는 멈출 때

3] 진단 및 검사소견

  [1] 성장호르몬 결핍의 임상적 소견

    ① 역연령에 비한 저신장증(3% 미만)

    ② 성장 속도의 감소(3세 이상에서 <4cm/yr)

    ③ 임상적 특징 : 전두부 돌출, 둥근 얼굴, 복부 비만, 정상적인 상절과 하절의 비율

    ④ 골 연령이 역연령에 비해 낮음.

  [2] IGF-I 혈중농도 감소 : 진단에 별로 기여하지 못한다.

  [3] 성장호르몬 유발 검사 : 최고 반응치 7~10ng/mL 미만

    ① L-dopa 검사

    ② Arginine 유발 검사

    ③ Insulin-induced hypoglycemia

    ④ Glucagon 검사

    ⑤ Clonidine 검사

    ⑥ GHRH 검사

  [4] 생리적 성장호르몬 분비에 대한 관찰 : 24시간 동안 20~30분 간격으로 측정

  [5] GH이외의 뇌하수체 호르몬 결핍 : TSH↓, ACTH↓, LH/FSH↓, prolactin↓

  [6] 방사선 검사 : 골연령이 정상인의 역연령보다 현저히 감소

4] 감별진단

  [1] 체질성 성장 지연(constitutional growth delay)

    신장 작고, 골연령 감소, 성장속도는 비교적 정상(>4cm/yr)

    성장호르몬의 분비 상태는 정상

    사춘기 발현은 늦음.

    체질성 성장지연의 가족력

    최종 성인 신장은 정상

(2) 유전성 저신장증(genetic short stature) - 유전적이므로 다 정상

신장 작고, 골연령 정상, 성장속도는 정상

양친의 신장이 작음.

사춘기의 발현은 정상이거나 약간 빠름.

★

	골연령	성장 속도
체질적 성장 지연	감소	정상(>4cm/yr)
유전성 저신장	정상	정상
뇌하수체성 성장지연(GH결핍)	감소	감소

☆※ 뇌하수체 기능저하승

골연령, 성장속도 모두 저하

5) 치료

(1) 성장호르몬 투여

(2) TSH 결핍 시 갑상샘호르몬 투여

(3) ACTH 결핍 시 stress 상황일 때 부신피질호르몬 투여

(4) LH/FSH 결핍 시 성호르몬 투여

2. 중추성 요붕증(central diabetes insipidus)

1) 원인 : 항이뇨호르몬의 합성 결핍

(1) 종양 : sella 상부 주위의 종양(두개인두종, 신경교종, 배아 세포종)

(2) 조직구증(histiocytosis) : 랑게르한스세포

(3) 뇌염, 결핵, sarcoidosis, 백혈병

(4) Wolfram syndrome (DIAMOAD synd) : 인슐린 의존형 당뇨병(제1형), 시신경위축, 청력 감소, neurogenic bladder, 요붕증

(5) 특발성(idiopathic) : 대부분 증상 발현의 초기에는 원인 못 찾음, 이후 원인이 나타나서 약 20% 정도만이 최종적으로 특발성 요붕증

2) 증상

(1) 다음(polydipsia) : 주로 찬물, 다뇨(polyuria) : 야간뇨

(2) 영아기 : 매우 보채며, 일반적으로 우유를 먹이면 만족하지 않고 물을 주면 조용, 체온이 증가, 체중감소가 현저, 탈수 현상으로 저혈압

(3) 만성 탈수증으로 인한 성장장애

(4) 영아기 탈수로 뇌손상 → 발달 및 지능 장애

(5) 소아기 : 야뇨증(nocturia)이 첫 증상, 심한 갈증, 땀이 안 나고, 피부는 건조 창백

(6) 1차적인 병소에 따른 증상 : 종양의 경우 뇌압 증가로 초래되는 증상

3) 진단 및 검사소견

(1) 요검사 : 양이 많고, 무색, 비중은 1.001~1.005사이, 소변 osmolarity는 50~
200mOsm/L, 신장 기능은 정상

(2) Serum osmolality는 수분 섭취가 충분하면 정상

☆(3) 수분 제한 검사 : serum osmolality는 증가, urine osmolality는 증가하지 않음.
ADH를 투여 → 소변의 osmolality 증가, serum osmolarity 정상으로 감소

(4) 혈청 vasopressin의 농도 : 혈청 osmolality 농도에 비하여 낮다. 부분적 ADH 결핍과 1차
성 다음증과 감별

(5) 방사선적 검사 : 종양 존재 시 두부 X선, CT, MRI시행

4) 감별진단

(1) 1차성 다음증(primary polydipsia, psychogenic polydipsia)

① 정신적 원인으로 인해 강박적으로 물을 마시는 경우

② 수분의 섭취를 제한하면 소변이 농축

③ 수분 섭취 제한으로 감별이 안 되면 혈중 vasopressin 농도 측정으로 감별

(2) 신성 요붕증(nephrogenic diabetes insipidus)

① 신장의 세뇨관에서 ADH에 대하여 반응을 하지 않는 것. 성염색체 열성으로 유전

② 수분 섭취 제한, vasopressin 투여 모두 소변 농축 안 됨 → 중추성 요붕증과 감별 가능

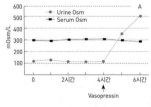 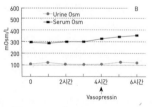

중추 요붕증(A)과 신성 요붕증(B) 환자에서 수분 제한 검사 소견

※ 요붕증

1) 임상적 특징

　　(1) 다뇨 + 다음 + 과도한 목마름

　　(2) 소변 비중 1.010 미만

　　(3) 소변 삼투압 < 혈장 삼투압

　　　　① 24시간 소변 부피 50 mL/kg 초과

　　　　② 소변 삼투압 < 300 mmoL/kg 미만

2) 진단

　　(1) 혈장 및 소변 삼투압 농도 : 진단의 결정적 조건

중추성/신장성	원발성 polydipsia
① 혈장 : 정상보다 높음 ② 소변 : 희석 ③ ADH의 작용으로 물을 재흡수하지 　못하고 묽은 소변을 내보냄	① 혈장 : 희석 ② 소변 : 희석 ③ 물을 많이 마셔 모두 묽어진 상태

　　(2) water deprivation test (dehydration test)

　　　　① 정상 or 원발성 다음 :

　　　　　　• 소변 삼투압 300 mmoL/kg 초과

　　　　　　• 소변 비중 1.010 초과

　　　　② DI : 소변 삼투압 증가

　　(3) hypertonic saline test

　　　　plasma나 urine의 AVP 측정

　　(4) pitressin test (Vasopressin challenge test)

　　　　① 검사의 의의 : 중추성/신장성 DI를 구분

　　　　② pitressin 투여 후 소변 삼투압 측정

　　　　　　• 부분 중추성 : Uosm 9~50% 증가

　　　　　　• 완전 중추성 : Uosm 50% 초과 증가

　　　　③ 신장성 DI : 변화 ×

　　(5) 뇌하수체/시상하부 MRI

☆3) DDX

subject	최대 Uosm & 혈청 osm (vasopressin 투여 전)	증가된 Uosm (vasopressin 투여 후)
정상	소변 >> 혈청	A<5% 이하
완전 중추성 DI	소변 << 혈청	50% 초과 상승<A
부분 중추성 DI	소변 << 혈청	9~50% 상승<A
신장성 DI	소변 << 혈청	×

4) 치료

☆(1) 완전형 중추성 DI

　☆① DDAVP (ADH 제제)

　　② 사용법 : intra-nasal/SC/IV/IM

　　③ 과도한 수분으로 인한 water intoxication 발생 가능→ 체중, Na 측정

(2) 부분형 중추성 DI

　① 비호르몬성 경구 제제 : Chlorpropamide

　② 신장 세뇨관 : ADH 작용 항진

　③ ADH 분비 증가

　④ thirst center : 정상화

　⑤ V₂ 수용체 : 직접 활성

　⑥ 저혈당 발생의 위험→ 특별한 경우에만 사용

(3) 신장성 DI

　① hydrochlorothiazide + Na 제한

　② chlorthalidone

　③ NSAIDs : indomethacin

(4) 원발성 polydipsia

　① 기저 질환 제거(정신 분열병 : Clozapine)

　② DDAVP : 금기

3. 항이뇨 호르몬 과다 분비(inappropriate secretion of ADH; SIADH)

1) 원인

　(1) 대뇌질환 : 수막염, 뇌염, 뇌종양, 지주막하 출혈, Guillain-Barre 증후군, 두부 외상, 뇌하수체 종양에 대한 transsphenoidal 수술 후

　(2) 폐렴, 결핵, 급성 간혈성 porphyria, cystic fibrosis, 영아 botulism, 주산기 가사

　(3) Positive-pressure respirators(양압인공 호흡기)로 보조 환기요법

　(4) 약물 : vincristine, vinblastine

2) 증상

　(1) hypotonicity (Na$^+$↓), 수분 중독 증상

　　• 120 mEg/L 이상 : 증상 ×

　　• 120 mEg/L 이하 : 식욕감퇴, 오심, 구도

　　• 110 mEg/L 이하 : 신경이상(의식혼탁, 경련), 탈수증거 (-)

　(2) 혈청 Na치 낮은데도 Na 계속 배설

3) 치료

　(1) 원인 치료로 사라짐.

　(2) 수분 섭취의 제한, Na 보충

　(3) 심한 경우 중추신경계 증상(경련, 혼수 상태) 등이 초래되므로 고장성 식염수(3%) 투여

4) 뇌하수체 과다증 : 소아기에 드물다.

　(1) 뇌하수체거인증과 말단비대증

　(2) 프로락틴선종

II 성장 장애(Growth Disturbance)

1. 성장에 영향을 끼치는 호르몬

성장 및 발달에 대한 각종 호르몬의 효과			
구 분	실질성장	골 성숙	성인 신장에 대한 효과
성장호르몬			
과다 분비	증가	정상	증가
결핍	감소	지연	감소
갑상샘호르몬			
과다 분비	약간 증가	약간 촉진	거의 없다
결핍	감소	지연	감소
부신 피질 호르몬			
과다 분비	감소	지연	감소
남성 호르몬			
과다 분비	증가	촉진	감소
결핍	사지 길이의 증가	지연	환관증
에스트로겐			
과다 분비	증가	촉진	감소

* insulin은 주로 태생전에 성장에 관여하는 호르몬(모체가 당뇨병인 경우 거대아 출산)
태생후에도 혈액내 고농도로 존재할 때는 성장인자로 작용(hypoglycemia → GH↑)

※ 단순 비만과 감별 필요

2. 키가 작은 아이(저신장, Short stature)

1) 정의

같은 연령, 같은 성의 어린이의 평균 신장보다
2SD 미만인 경우 또는 3백분위수 미만인 경우

2) 평가

(1) 환아 키의 백분위수, 표준편차 점수(SDS : Standard deviation score) 계산, 6개월 또는 1년
Growth rate확인(3yr~사춘기 이전 > 4cm/yr)

(2) 중간 부모 키(midparental height : MPH) 구하여 비교

$$남아 = \frac{아버지\ 신장(cm) + 어머니\ 신장(cm) + 13cm}{2}$$

$$여아 = \frac{아버지\ 신장(cm) + 어머니\ 신장(cm) - 13cm}{2}$$

[3] 임상소견

1차성 성장 장애	2차성 성장 장애

1. 골격계의 내인적 결함
2. 골연령 : 역연령비해 지연 ×
3. 성장 지연 :
  ① 태생 전에도 존재
  ② 태생 후에도 지속
	1. 외부의 환경적 인자에 의함
	2. 성장 장애가 후천적으로 발생
	3. 원인 교정시 : 성장 장애 회복
	4. 골연령 < 역연령
	  : 골연령의 지연 존재

1. 골격 형성의 장애
2. 염색체 이상 : 터너 증후군
3. 선천성 대사 이상
4. 자궁내 성장 지연
  ① 태아 감염
  ② 독성 물질에 대한 태아 노출
  ③ 모체의 심한 질환
  ④ 원인 불명
5. 저신장을 동반하는 기타 증후군
  ① Russell−Silver 증후군
  ② Seckel 증후군
  ③ Prader−Willi 증후군
  ④ De Lange 증후군
  ⑤ Noonan 증후군
6. 유전성 저신장 : m/c
	1. 영양 결핍 : m/c
	  ① 소모증 (marasmus)
	  ② 단백 열량 부족증(Kwashiorkor)
	  ③ 비타민 결핍 : 아연+철
	  ④ 무기질 결핍(아연, 철)
	2. 만성 전신성 질환
	  ① 장질환
	  ② 호흡기 질환
	  ③ 신장 질환
	3. 정신 사회적 저신장
	  (정서 박탈+deprivation)
	4. 내분비 질환
	  ① 성장호르몬 결핍증
	  ② 갑상샘 저하증
	  ③ 생식선 발생 장애
	  ④ 당류 코르티코이드 과다
	  ⑤ 가성 부갑상샘 저하증
	5. 체질성(특발성) 성장 지연
	6. 탄수화물지질 및 단백질 대사 이상

3] 원인 및 특징

저신장의 원인 : 체질 성장 지연, 가족 유전성 저신장

[1] 1차성 성장장애 : 골격계의 내인적인 결함

☆ m/c : 유전적 저신장

☆ 특징 : 골연령 정상

　　성장 지연(태생 전, 태생 후 모두)

　　최종 성인키는 작은 편

[2] 2차성 성장장애 : 외부의 환경적 인자에 의함

☆ 가장 많은 원인 : 영양 결핍

☆ 특징 : 골연령 감소

　　성장장애가 후천적 → 원인 교정시 회복(따라잡기 성장)

※ 체질 성장 지연(특발 성장 지연)

　　신체적으로 건강, 역연령에 비해 신장 작고, 골연령 감소, 성장 속도는 역연령에 비해 비교적 정상, 성장호르몬 분비 정상, 사춘기 발현 늦음. 체질 성장 지연의 가족력 가짐.

[3] 특발 저신장

키가 3백분위수 또는 자기 또래의 키에 비하여 −2.0표준편차 미만이며, 성장속도는 정상 또는 감소되고, 특별한 저신장의 원인을 찾을 수 없으며, 성장호르몬 분비는 정상일 경우를 말한다.

4) 검사

[1] CBC, ESR

[2] 갑상샘 기능 검사 : 혈청 T_4, T_3, TSH

[3] BUN, Cr

[4] 염색체 검사 : 여자나 또는 기형이 있는 경우(Turner)

[5] 소변 검사

[6] 방사선 검사 : 골연령, 중추신경계 장애 의심되면 두개골 X선 검사, CT, MRI

[7] 필요하면 GH 유발 검사

5) 치료

[1] 2차적으로 온 경우에는 원인질환 치료

[2] 성장호르몬(성장호르몬 결핍, 터너 증후군, 만성 신부전에도 사용)

III 갑상샘 질환

1. 선천성 갑상샘 기능저하증(Congenital hypothyroidism, Cretinism)

1) 원인(빈도는 1/3,000~4,000)

(1) 갑상샘 형성 부전(90%)(thyroid dysgenesis) : 1/3이 무형성증(aplasia), 2/3는(이소성) : 설하, 설골 하가 흔함

(2) 갑상샘호르몬 합성 장애(10%)

2) 증상

(1) 대부분 출생 시 체중 및 신장은 정상, 출생 시 진단에 도움이 되는 진찰 소견으로는 잎숫구멍과 뒤숫구멍이 크게 만져지는 것

(2) 생후 2~3개월까지도 임상 증상이 잘 나타나지 않을 수 있다(∵모체에서 공급).

(3) 여아 호발(남아의 2배)

★(4) 영아기 : 열린 입, 멍청한 표정, 장기간의 황달, 변비, 수유장애, 많이 자고 잘 울지 않는 기면, 두꺼운 혀에 따른 호흡곤란(choking spell), 복부팽만, 제대탈장, 눈꺼풀 · 손등 · 생식기 및 사지 부종, 근긴장 저하, 찬 피부, 부서지기 쉽고 거친 머리카락 성장 장애, 정신 박약, 운동발달의 지연

(5) Pendred 증후군 : 과산화효소 결핍증(갑상샘 기능저하 증상 +갑상샘 종대)과 선천성 귀머거리를 나타내는 경우

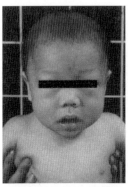

선천성 갑상샘 저하증의 얼굴 모습

3) 임상 소견

[1] 영아기

★① 황달 지속(indirect bilirubin)

★② 특징적 얼굴 : 열린 입(두꺼운 혀에 따른 호흡곤란(choking spell), 멍청한 표정, 넓고 낮은 코, 양안 격리, 갑상샘호르몬 합성 장애 시 갑상샘 종대

★③ 얼룩덜룩하고 건조하며 두껍고 찬 피부, 눈꺼풀, 손등, 생식기 및 사지의 부종

④ 부서지기 쉽고, 거친 머리카락

⑤ 복부 팽만, 제대 탈장

⑥ 체온이 낮고 추위를 잘 탄다.

⑦ 근긴장 저하(hypotonia), 이완된 반사

⑧ 서맥, 심잡음, 심비대

⑨ 갑상샘호르몬 합성장애에서는 갑상샘 종대가 흔함.

[2] 후기

① 영아기 이후에는 성장 발달 지연 증상이 뚜렷

신장이 작고, 상하절의 비가 영아형에 머무른다(상하절비가 정상보다 크다).골발육이 늦고, 대천문은 크게 열려 있고, 치아 발육이 늦다.

② 나이가 들면 신경학적 증상이 나타남.

지능 저하(irreversible), 행동 및 언어 장애, 진전, 미소 운동 장애 등

4) 진단 : 임상증상 + 갑상샘기능검사

[1] 실시 이유 : 조기 발견 및 치료 → 비가역적 신경학적 후유증 예방

[2] 검사 시기 : 생후 5~7일에 시행(현실적으로 48시간 이후 시행)

[3] 방법 : TSH 또는 T₄ 단독 검사

[4] TSH> 20IU/mL, T₄ <6.5μg/dL 때 → 생후 2~6주에 정밀 검사로 확진 후 치료

[5] 일란성 쌍둥이의 경우 한쪽이 비정상일 경우도 태아사이 수혈로 인해 정상으로 보일 수 있으므로 결과 해석에 주의

5) 검사 소견

[1] 혈중 T₄, T₃ 정상 or ↓, 유리 T₄↓, TSH↑(50mU/mL 이상)

[2] 갑상샘 스캔(^{99m}Tc) : 무형성증, 이소증, 요오드 섭취장애, TRBAb(+)의 경우 갑상샘이 음영되지 않음.

[3] Perchlorate 방출 검사 : 과산화 효소 결핍이 의심될 때

(4) 방사선 소견

① 화골핵의 출현이 늦고(60%), 대퇴하단부 골단 형성 부전증

② 골단핵이나 입방골(cuboid bone)에 좀 먹은 모양(moth eaten appearance)

③ T_{12}, L_1, L_2에 새부리 같은 모양

④ 두개 X선상 큰 대천문, sella turcica의 비대

(5) 방사선 요오드 섭취율(^{131}I uptake) : 무갑상샘 또는 저형성에서 없거나 낮다.

(정상에서는 24시간에 투여량의 10~40%섭취)

(6) 혈중 cholesterol ↑

(7) TSH 및 TRH 자극 검사

(8) TBG ↓ (갑상샘 결합 단백 결핍증)

① 주로 T_4를 측정하는 신생아 선별 검사에서 발견

② X-연관 반성 우성유전(남아에 많다).

③ 낮은 T_4 농도를 보이나 정상 free T_4, TSH 농도를 보일 때

→ 낮은 TBG 농도로 확진. T_3 resin uptake 상승

④ 증상은 없으며, 치료도 필요 없다.

(9) 기타소견

기초대사율 ↓ (체중증가), 혈청 ALP ↓, FBS ↓

plasma carotene ↑

6) 치료 : L-thyroxine 투여

7) 예후

① 치료를 일찍(6주 이내) 시작하면 대부분 신체적 성장에 대한 예후는 좋음

② 아주 낮은 T_4 농도, 아주 심한 골격성숙지연 → (조기에 치료해도) 지능지수 5~10점,

언어장애, 주의력 부족, 근긴장도 이상, 조절장애, 신경감각 청력장애(20%)

③ 2세 이후 발병 시 신경학적 후유증에 대한 예후 좋다.

2. 만성 림프구성 갑상샘염

(chronic lymphocytic thyroiditis, Hashimoto thyroiditis, Autoimmune thyroiditis)

• 소아와 청소년에서 m/c 갑상샘 질환

• 후천성 갑상샘 기능저하증의 m/c 원인

• 정상 기능을 보이는 갑상샘종의 65%

1) 원인

    [1] autoimmune dz.로 추정

    [2] 조직학적 : 갑상샘 내 림프구 침윤이 특징(60%는 T cell)

    [3] TPO 항체(microsome Ab) : T_4 T_3 기능 억제

    [4] Tg 항체, TRBAb(기능저하증과 관련↑)

    [5] 가족성 발생이 흔함

2) 증상

    [1] 6세 이후에 발생하나 호발 연령은 청소년기

    [2] 성장지연, 갑상샘비대(m/c Sx)

    [3] 여아 호발(남아의 4~7배)

    [4] 초기에 대개 압통 없이 단단하게 미만성으로 커져 있음.

    [5] 대부분은 정상 갑상샘 기능(10~20%에서 갑상샘 기능저하증)

    [6] 자주 다른 자가 면역성 질환 동반하기도 함 : 제1형 당뇨병, Addison 병, 부갑상샘 기능

       저하증 → 갑상샘 항체 양성률↑

3) 검사소견

    [1] 대부분 갑상샘 기능 정상

    [2] 갑상샘 스캔 : 방사선 요오드 섭취 불균일(50%)

    [3] 과염소산방출검사(+)(60%)

    [4] Tg 항체(+)(50%) TPO 항체(+)(대부분) 둘 중 하나(+)(95%)

    [5] 초음파 저음영

4) 진단

    [1] 다음 중 3가지 이상이면 진단

       ① 미만성 갑상샘 종대(80~90%)

       ② 갑상샘 스캔의 이상 소견 : irregular uptake

       ③ 갑상샘 항체 양성(90~95%)

       ④ 상승된 TSH 농도 및 정상 T_4, 유리 T_4 농도

       ⑤ 과염소산(perchlorate) 방출 검사 양성

    [2] 확진은 Bx(보통은 필요×)

    [3] 갑상샘 저하증 증상 + 높은 갑상샘 항체 역가

5) 치료

갑상샘 기능저하증의 증거가 있을 때에는 L-thyroxine 투여

3. Graves 병(미만성 중독성 갑상샘종, Diffuse toxic goiter)

- 소아의 0.02% 발생(1 : 5,000)
- 11~15세 호발

1) 원인

갑상샘 세포막 내 TSH 수용체에 대한 자가항체인 TRSAb (TSH receptor stimulating Ab)가 생겨서 이 자극 항체가 TSH 대신 TSH 수용체에 결합하여 계속적으로 갑상샘호르몬의 생성 및 분비를 자극

2) 임상 증상 : 교감신경계의 기능 항진 증상

(1) 행동 과다, 정서적 불안정 → m/c 초기 증상

(2) 맥압 상승, 두근거림, 진전, 열불내성

(3) 갑상샘 비대(미만성, 단단)

(4) 갑상샘 부위 잡음(bruit)

(5) 안구 돌출(소아에서는 심하지 않다.)

(6) 성장촉진, 식욕은 좋으나 체중은 감소

(7) 갑상샘 발증(crisis) : 성인보다 매우 드묾

3) 검사 소견

(1) 혈중 T_4, T_3, 유리 T_4, T_3는 ↑, TSH는 ↓

(2) TPO 항체, Tg 항체, "TRSAb(+)" (→ 소실시 관해를 의미)

(3) 방사선 요오드 섭취율 : 50% 이상

(4) 갑상샘 스캔 : 미만성 갑상샘 종대

(5) 연령이 어린 소아에서 골연령의 상승, 두개경화증이 나타남.

4) 치료

(1) 항갑상샘제 요법 : 소아의 경우 약물치료가 원칙

propylthiouracil (PTU), methimazole이 대표적

(2) 외과적 절제(약물요법에 실패 or 완전관해가 되지 않을 때)

(3) 방사선 요오드 치료

(4) 대증 요법 : propranolol(진전, 빈맥, 부정맥의 호전을 위해)

IV 부갑상샘 질환

1. 부갑상샘 저하증(hypoparathyroidism, HP)

① 저칼슘혈증(→ irritability가 특징적)과 고인산혈증

② 소아에서는 비교적 드묾

cf. 가성 부갑상샘 기능저하증(PHP)

① PTH에 대한 저항성 → 저칼슘혈증, 고인혈증

② 저칼슘혈증 → PTH 분비 증가

> PTH의 분비가 감소 : 부갑상샘 저하증
> PTH의 작용이 감소 : 가성 부갑상샘 저하증

1) 증상

(1) HP와 PHP의 공통된 증상

① 테타니, 경련

Chvostek's sign(안면신경을 두드릴 때 안면근육 연축을 초래)

Trousseau's sign(혈압측정 cuff로 수축기혈압 이상으로 3분 동안 있으면 손발 경축)

② 피부건조, 반점 구진 발진, 손발톱 얇고 잘 부서지고 횡적인 구가 생김

(2) HP와 PHP가 구별되는 증상

① PHP : 작은 키, 둥근얼굴, 짧은 목과 손발가락,

shortened metacarpal bone (4th, 5th), 피하 연조직의 석회화

② HP : 유두 부종

2) 진단

(1) 임상증상, 저칼슘혈증, 고인산혈증으로 의심

(2) HP가 PHP보다 혈청 칼슘과 인의 변화가 큼

HP : 혈청 칼슘↓, 인↑, ALP 정상 or ↓, 1.25(OH)2 D₂↓, PTH↓

PHP : 혈청칼슘↓, 인↑

(PHP Ia : ALP↑, PTH↑)

(3) Synthetic PTH 투여 후 1~2시간 소변검사

HP : 인 4~6배 증가, cAMP 10배 증가

PHP I : 인, cAMP 2배 이내로 증가

PHP II : 인 배설 둔화, cAMP 10배 증가

3) 치료

(1) 테타니 : 10% calcium gluconate 2mL/kg IV

(2) HP : 1,25(OH)$_2$D$_3$ 투여, Sc$_a$ 8.5~9.0mg/dL 유지, 충분한 Ca 섭취, ·P 제한

2. 2차성 부갑상샘 기능 항진증

1) 부갑상샘저하증 산모의 저칼슘혈증

- 태아에서 부갑상샘 기능이 항진, 출생 후에도 지속
- Ca는 정상 또는 증가, P 농도도 거의 정상
- 대개 일시적

2) 장 및 간 질환

비타민 D 결핍성 구루병 또는 가성 구루병(간경화)에서 저칼슘혈증으로 인한 2차성 기능 항진증

3) 신질환

요독증에서 비타민 D 대사 이상으로 골형성 장애 → 2차성 부갑상샘항진증

V 부신 질환

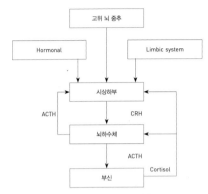

시상하부 – 뇌하수체 – 부신 피질 축

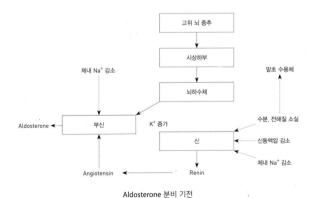

Aldosterone 분비 기전

1. 1차성 부신 기능저하증(Addison disease)

소아에서는 비교적 드물다.

1) 원인

[1] 대부분 idiopathic(80%) : 자가면역성 부신염

[2] Tbc, fungal infection, meningococcal infection 등(20%)

2) 임상 증상 : 급성(adrenal crisis) 또는 점차적

[1] 식욕 부진, 체중감소, 무력증, 전신쇠약

[2] 심한 설사, 복통, 구토

[3] 피부, 점막, 압력이 가해지는 부위에 색소 침착

[4] 저혈압, 심장 크기 감소, vitiligo

⑤ 짠 음식을 좋아함

⑥ 저혈당 → convulsion, 혼수

3) 검사소견

[1] Na↓ Cl↓ K↑ (Renin↑, aldosterone↓) - 진단에 중요

[2] 저혈당

[3] 중성 백혈구 감소 및 림프구와 호산구 증가

[4] 탈수와 혈액 농축으로 BUN과 Cr 증가

[5] 호르몬 검사

- 혈중 cortisol 농도 : 아침에 3 μg/dL 이하
- 혈중 ACTH 농도 : 200 pg/mL 이상 증가
- Rapid ACTH 농도 : 혈중 cortisol 상승이 없다.

→ 1차성에서는 PRA가 증가, aldosterone 분비가 감소(2차성은 정상)

[6] 부신 항체 검출

4) 치료

[1] hydrocortisone

[2] mineralocorticoid (Florinef) : aldosterone 결핍시

[3] fever나 감기증상 있으면 glucocorticoid를 유지용량의 2~3배 이상 증량해서 투여

[4] Adrenal Crisis시 : 수액공급 + glucocorticoid

2. 부신피질기능 항진증

- 종류

  ① 부신 성기 증후군

  ② 쿠싱 증후군

  ③ mineralocorticoid 과잉 분비

  ④ feminizing adrenal tumor

  ⑤ pheochromocytoma

1) 부신 성기 증후군

congenital adrenal hyperplasia : 비교적 흔하게 발생하는 선천성 질환, 상염색체 열성

cortisol 및 aldosterone이 형성되는 과성에서 관여하는 효소들이 결핍되어 cortisol 및

aldosterone 합성이 결핍 → ACTH 분비↑ → 태아 성기 발달 장애, 염분 소실, 색소침착

[1] CAH 종류

CAH 종류				
결핍효소		고혈압	Na loss	남성화	반음양
		aldosterone ↑	aldosterone ↓	testosterone ↑	testosterone ↓
21-hydroxylase	경중			+	
	중증		+	+	
11β-hydroxylase		+		+	
17α-hydroxylase		+			+ in ♂

✦ *21-hydroxylase결핍

: CAH 의 95%를 차지하는 m/c 효소 결핍

음모가 조기에 남, 성장촉진, 골연령↑, 여드름↑, 초경이 정상 또는 지연

1) type

  ① salt losing type(염분 소실형)

  – aldosterone 생성장애

  ☆ – Na↓, K↑, PRA↑, aldosterone↓, 소변내 Na↑

  – 나이 들어가면서 좋아짐(∵염분 섭취량↑)

  ② non salt losing type(단순 남성형)

  ☆ – ambiguous genitalia가 특징

  – 여아에서는 출생시 외부성기 남성화

  – 남아에서는 외부성기의 형태 이상은 없고, 성기에 착색화되는 경우가 있다.

  – 경한 음핵 비대부터 음순 음낭 주름이 융합되며, penile urethra가 형성되는 범위까지 정도의 차이가 있다.

2) 검사 소견 : progesterone↑, 17-hydroxyprogesterone(17-OHP)↑, testosterone↑

---

[2] 임상적 특징

☆① 태어날 때 ambiguous genitalia

☆② salt−losing crisis → severe dehydration

③ virilization

④ hypertension (11β−hydroxylase 결핍)

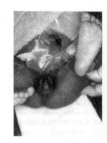

[3] 검사소견

① 요중 17−ketosteroid↑, progesterone↑, 17−OH progesterone↑

② ACTH 자극 시험 : 17−hydroxicorticosteroid의 반응이 없다.(21−
hydroxylase deficiency)

③ 요중 pregnanetriol의 배설이 증가(21−OH 결핍). 부신종양에서는
dehydroepiandrosterone이 증가

④ X선 상에서 골연령이 빨라져 있다.

⑤ DHEA↑, DHEAS↑

[4] 진단

① dexamethasone을 1주일간 주어서 ACTH 분비를 억제

• CAH에서는 urine 17−ketosteroid가 현저히 저하

• 부신종양에서는 반응 없다.

② 초음파, MRI

[5] 치료

① cortisol 투여(hydrocortisone)

② 성기의 성형

③ 염분소실형 → mineralocorticoid 추가

2) 쿠싱 증후군(Cushing syndrome)

[1] 원인

① Cushing disease (ACTH에 의한 adrenal hyperplasia) : 7세 이상에서
많다.

② adrenal neoplasia : 7세 이하에서 많다.

[2] 임상증상

① 비만(m/c), 둥근얼굴, buffalo hump, 안면홍조(facial plethora),
purple striae(복부, 허벅지)

② 골연령 지연 osteoporosis, 성장지연

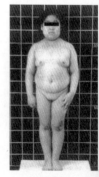

쿠싱 증후군

③ 사지 근육의 소모 현상

④ 고혈압(80%)

⑤ DM은 드물지만 당불내성은 흔하다.

⑥ 과도한 모발 성장도 소아에서는 빈번

[3] 검사소견

① 혈색소, 적혈구 용적과 수 증가, 림프구 감소증, 호산구 감소증

② 혈중 Na는 보통 정상이나 K는 항상 감소

③ 인슐린과 lipoprotein 농도 증가

[4] 호르몬 검사

① 혈중 cortisol 측정 : 일내변동이 없어짐

② 소변 cortisol : 정상지(25~90μg/일)보다 증가

[5] Cushing syndrome의 원인적 감별

Cushing syndrome의 원인적 감별				
Test	pituitary macroadenoma	P-H dysfunction or microadenoma	ectopic ACTH production	adrenal tumor
Measurement of plasma ACTH	↑ to ↑ ↑	N to ↑	↑ to ↑ ↑	↓
Response to high dose dexamethasone(%)	< 10	> 80	< 10	< 10
Response to metyrapone(%)	> 80	> 90	< 10	< 10
Response to CRH(%)	> 90	> 90	< 10	< 10

[6] 치료

① 부신피질종양 : 양측 부신 절제술

② 뇌하수체 종양 : cryosurgery, heavy particle irradiation

③ medication

- o,p'-DDD : cortisol 합성 억제(수술이 불가능한 경우)
- cyproheptadine : serotonin antagonist를 3~6개월 사용함으로써 remission이 오는 경우도 있다.

VI 성선질환

1. 성선저하증(Hypogonadism)

1) 분류

(1) 1차성 : 원인이 성선

(2) 2차성 : 원인이 시상하부−뇌하수체

2) Klinefelter 증후군

(1) 남성 1차성 고환기능부전 m/c type, 남아 500~1,000명 출생당 1명

(2) 핵형 : 47,XXY(80%)

(3) 치료 : testosterone

Klinefelter 증후군의 임상 증상	
주요 증상	동반 기형
작은 고환 고성선 자극 호르몬(사춘기 때) 무정자증 감소된 치모 큰 신장과 환관증 정신 박약 사춘기 이후 여성형 유방	외반주, 요측골 유합증, 외반고, 함몰흉 만지증, 짧은 4번째 중수골 양안 격리증, 고딕식 구개증, 구개열, 소하악증 잠복 고환, 요도 하열, 이열 음낭 선천성 심질환 : Fallot 4징, Ebstein 기형, 심실중격결손

3) Turner 증후군

(1) 여아 1차성 성선저하증(m/c), 1,500~2,500명 출생당 1명

(2) 핵형 : 45,X (m/c)

Turner 증후군의 주요 임상 증상	
신체적 소견	생리적 소견
저신장 단 경 비정상 상하 분절비 외반주(cubitus valgus) 짧은 중수골 측만증 외반슬 특징적 안면 및 소악증 높은 구개궁 목 뒷부분의 낮은 두발선 양각 귀(rotated ear) 특징적 피문 모반주	발육 부전 중이염 생식선 부전 불임증 심혈관 기형 신 및 신혈관 기형 하시모토 갑상샘종 갑상샘 기능저하증 탄수화물 불내성

4) Kallmann 증후군

(1) 2차성 성선 저하증 중 m/c

(2) isolated gonadotropin (LH, FSH) deficiency → androgen↓ → 성 발육, 2차 성징(−)

(3) 증상

① 고환 크기 감소

② 작은 음경증, 음낭 주름과 pigmentation이 없음.

③ 수염, 액모, 음모 소실

④ infertility

⑤ 후각 감퇴, 소실(olfactory lobe의 형성 부전)

(4) 검사소견

① serum testosterone↓, LH, FSH↓

(5) 치료

① testosterone 근주

② GnRH pulsatile therapy, hMG, hCG

2. 성조숙증(Sexual precocity)

1) 정의

★ 여아에서 8세 이전에, 남아에서 9세 이전에 2차 성징이 출현

(여아에서 훨씬 흔함)

2) 진성 및 가성 성조숙증의 차이점

구분	진성 성조숙증	가성 성조숙증
1. 시상하부−뇌하수체 축기능의 의존도	의존적	비의존적
2. Iso−또는 heterosexual(동성 또는 이성)	항상 isosexual	Isosexual 혹은 heterosexual
3. 성장 형태(골연령, 성장 속도 등)	전형적으로 사춘기 때와 같다.	비전형적
4. 제2차 성징 발달	완전	불완전
5. 혈중 성선 자극 호르몬 농도	높다(사춘기 형태)	낮다(사춘기 전 형태)
6. GnRH 검사	사춘기 형태	사춘기 전 형태
7. 배란, 정자 형성	+	−
8. 성선 발육	완전	불완전

3) 원인적 분류

• 진성 성조숙증 : 성선 자극 호르몬 의존성

• 가성 성조숙증 : 성선 자극 호르몬 비의존성

✦ 성조숙증의 원인적 분류

A. 진성 성조숙증
  ① 특발성
  ② 뇌의 기질적 병변 : 시상하부 과오종, 뇌종양, 뇌수종, 감염, 뇌상 등
  ③ 기타 : 뇌 방사선 조사, 오랫동안 치료하지 않은 갑상샘기능저하증 등

B. 가성 성조숙증
  (1)여아
  ① 여성화(동성) 가성 성조숙증
    McCune–Albright 증후군
    자율성 난소 낭종(Follicular cyst)
    난소 종양, 생식 세포종, 성선자극호르몬 분비 종양 등
    여성화 부신 종양
    외인성 에스트로겐
    불완전 성조숙증(사춘기 발달의 변이형) :
      유방 조기 발육증, 음모 조기 발생증, 초경 조기 발생증
  ② 남성화(이성) 가성 성조숙증
    선천성 부신 과형성증
    부신 종양, 난소 종양
    외인성 에스트로겐

(2) 남아
  ① 남성화(동성) 가성 성조숙증
    선천성 부신 과형성증
    부신 피질 종양, Leydig 세포증
    hCG 분비 종양 : 뇌종양, 간모세포종, 종격동 종양
    외인성 안드로겐
  ② 여성화(이성) 가성 성조숙증
    여성화 부신 피질 종양
    외인성 에스트로겐
  ③ 여성화 유방(Gynecomastia)

---

4) 진단방법

성조숙증의 진단 방법

---

1. 일반적
  ① 병력 – 가족력, 과거력
  ② 진찰 – 안과적, 계측학적 진찰
  ③ 골 성숙 측정
  ④ 두개 방사선 검사 – 특히 sella turcica
  ⑤ 뇌파 검사
  ⑥ 혈중 FSH, LH, E2, T 농도 측정
  ⑦ 소변 중 FSH, LH, 17–KS 농도 측정
  ⑧ 질 점막의 성숙도 측정(여아)

2. 특발성
  첫 진찰에서
  ① 별다른 소견이 없는 경우
    • 3~6개월 후 추적 관찰
    • 진행하면 LHRH 자극 검사 시행
  ② 두개 내 종양 의심
    • 두개 내 전산화 단층 검사
    • Pneumo– 또는 angioencephalography
    • 신경 외과적 수술
  ③ 성선 종양 의심
    • 혈중 또는 소변 중 hCG 농도 측정
  ④ 복강 내 종양 의심
    • 초음파 검사
    • 전산화 단층 검사
    • 혈중 hCG와 α–fetoprotein 측정
    • IVP, arteriography

5] 특발성 성조숙증

(1) 증상

　① 진단 당시 신장과 체중은 증가, 골성숙 촉진-최종신장은 저신장

　② 여아 : 유방비대, 음모 출현, 질출혈

　③ 남아 : 고환크기 증가, 음경 비대, 음모 출현

　④ 배란 및 정자 형성이 가능하여 임신할 수도 있음.

　⑤ 정신 발육은 실제 연령

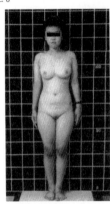

진성 성조숙증(8세 여아)

(2) 검사소견

　① FSH, LH, 성호르몬 증가(GnRH 반응은 사춘기와 같은 양상)

　② 골연령 < 역연령

★(3) 치료 : GnRH agonist인 leuprolide acetate (GnRH receptor에 작용-탈감작)

3. 성분화 이상

1) 성분화 과정

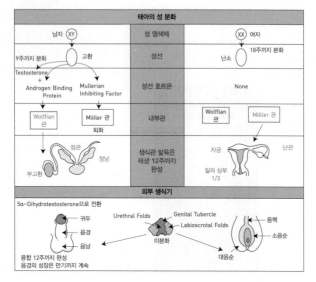

성분화

2) 분류

✚ 반음양의 분류

---

1. 여성 가성 반음양(Female pseudohermaphroditism)
   ① 남성 호르몬 과잉 노출
      가. 태아 자체의 원인 : 부신 성기 증후군
         (21-hydroxylase 결핍, 11-hydroxylase 결핍,
         3β-hydroxysteroid dehydrogenase 결핍), 부신
         피질 종양
      나. 모체의 원인 : 임신 초기 남성 호르몬 제제 섭취,
         virilizing tumors
   ② 원인 불명(undetermined origin)
2. 남성 가성 반음양(Male pseudohermaphroditism)
   ① 고환 분화의 이상 : Denys-Drash 증후군, WAGR
      증후군, Campomelic 증후군, XY pure gonadal
      dysgenesis (Swyer 증후군), XY gonadal agenesis
      증후군
   ② 고환에서 형성되는 호르몬 이상
      가. Leydig cell aplasia

   나. 남성 호르몬 합성 장애 : lipoid adrenal
      hyperplasia(20, 22-desmolase 결핍), 3β
      -hydroxysteroid dehydrogenase 결핍, 7α
      -hydroxylase 결핍, 17, 20-lyase 결핍, 17KS
      reductase 결핍
   다. Anti-Mulerian 호르몬 장애(Persistant
      Mullerian duct syndrome)
   ③ 남성 호르몬 작용에 이상
      가. 5α-reductase 결핍
      나. 고환 여성화 증후군(testicular feminization
         syndrome)
      다. Reifenstein 증후군
3. 진성 반음양(True hermaphroditism)
   70% : XX
   10% : XY
   20% : mosaic

3) 진단방법

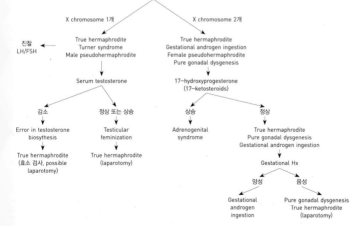

반음양의 평가

① 고혈당으로 소변에 당이 검출되는 대사 질환 → 인슐린의 분비가 적거나 인슐린 수용
체 이상으로 초래되고, 당 단백질 및 지질대사 장애가 나타남.

② 소아 연령에서 내분비-대사질환 중 m/c, 소아의 흔한 만성질환

① 췌장내 Langerhans의 β세포에서 분비되는 폴리펩티드 호르몬

② 혈당조절에 중요한 작용(간에서 glycogenolysis작용과 간과 신장에서 gluconeogenesis 억
제 작용)

소아 및 사춘기 연령에서 당뇨병에 관한 분류	
분류	기준
1. 당뇨병(Diabetes mellitus) ① 제1형 당뇨병 또는 　(IDDM, 인슐린 의존형 당뇨병) 　1A 자가면역성 　1B 특발성 ② 제2형 당뇨병 　(NIDDM, 인슐린 비의존형 당뇨병)	당뇨병의 전형적인 증상(다음, 다뇨, 다식, 체중감소)이 있으면서 혈당>200mg/dL(11.1mmol/L) : 진단 공복시 혈당>126mg/dL(7.0mol/L) 또는 2시간 당 부하검사상>200mg/dL : 의심
③ 2차성 당뇨병(Secondary diabetes) 　㉮ B세포 기능장애 초래하는 유전성 질환 　㉯ 인슐린 작용 장애 초래하는 유전성 질환 　㉰ 췌장 질환 　㉱ 약물 혹은 중독 　㉲ 다른 내분비 질환 ④ 임신성 당뇨병	유전적 증후군이나 다른 질환 또는 약물로 초래된 당뇨병
2. 당 내성의 장애(Impaired glucose homeostasis) ① 공복 혈당 내성(Impaired fasting glucose) ② 당 내성 장애(Impaired glucose tolerance)	① 공복시 혈당이 100mg/dL 이상이면서 126mg/dL 미만인 경우 ② 공복시 혈당 <126mg/dL이면서, 2시간 당 부하 검사상 140~199mg/dL인 경우

1. 제1형 당뇨병

1) 제1형 당뇨병의 원인 및 발병기전

　(1) 유전성 : HLA와 제1형 당뇨병과 밀접한 연관성(HLA-DR3, DR4)

　(2) 환경적 요인

　　① 바이러스 감염 : Coxsackie B virus, mumps 등

　　② Chemical toxins

　(3) 면역기전

　　① 세포성 면역기전 : 자기항체로 서서히 췌장파괴(Th1 관여)

　　② 항체성 면역기전 : 여러요인에 발병, 췌장도세포 80~90% 파괴시 증상 나옴.

제1형 당뇨병은 한 가지 요인보다는 복합적 요인에 의해 발병되어 췌장 도세포 중 80~90% 가 파괴되었을 경우 당뇨병 증상이 나타난다 → 세포항체(ICA, IA-2), GAD 항체, 인슐린 항체(IAA)가 양성

제1형 당뇨병의 발병기전	
Event	**Agent or response**
1 Genetic susceptibility ↓	HLA D region gene
2 Environmental event ↓	Virus (mumps, rubella, coxackie)
3 insulitis ↓	infiltration of activated T lymphocyte
4 Activation of autoimmunity ↓	Self → nonself transition
5 immune attack on β cell ↓	islet cell Ab, cell mediated immunity
6 DM	> 90% β cell 파괴

2) 임상양상

　(1) 다음, 다뇨, 다식과 체중감소(수일 내지 수주, 1개월 안에 증상이 뚜렷)

　(2) 야뇨증, 피곤함, 공복감, 체중감소

　(3) 피부감염, 신우신염, 호흡기 감염, 10대 여아는 monilial vaginitis

　(4) 케톤산증

　(5) insulin ↓ → 혈중 지방, 콜레스테롤, 중성지방, 유리 지방산 증가

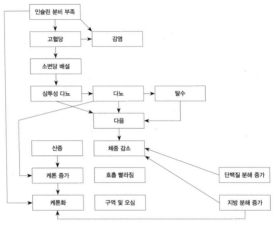

혈당 조절이 잘 되지 않을 경우 나타나는 증상들

3) 진단

(1) 당뇨병 증상(다음, 다식, 다뇨) 있으면서 임의의 혈당이 200mg/dL 이상

(2) 공복시 혈당 126mg/dL 이상이면서 당부하검사(75g 당 섭취) 후 2시간 혈당 200mg/dL 이상

- 내당능장애 : 공복 시 혈당 126mg/dL 이하이면서 2시간 혈당이 140~200mg/dL인 경우
- 공복혈당장애 : 공복 시 혈당 110mg/dL 이상이고 126mg/dL 이하인 경우

4) 감별진단

제1형과 제2형 당뇨병의 감별		
구분	1형	2형
HLA B8/D3 또는 B_{15}/D_4	일반인에 비해 2.5배 많다	일반인과 비슷하다
췌장 인슐린 분비량	0~소량	> 50%
도세포 항체 검출률	85%	< 5%
인슐린 내성	거의 없다	많다
일란성 쌍생아의 일치율	25~50%	100%

5) 치료

(1) 케톤산증 치료

(2) 안정기 치료

① 인슐린 치료

• 방법 : RI와 NPH를 하루에 2번(하루 용량 중 아침에 2/3, 저녁에 1/3로 투여)

NPH : RI= 2 : 1

② 식이요법

③ 운동요법

6) 당뇨병 경과

(1) 급성 발병기 : 발병 초기

(2) 관해기 또는 밀월기 : insulin 주사량이 감소하게 됨.

(3) 악화기 : 췌도세포에서 인슐린 분비 감소

(4) 완전 당뇨병기 : 췌도세포에서 인슐린 분비 거의 없음.

(5) 복합완전당뇨병기 : 식사 및 인슐린 주사에 따라 고혈당과 저혈당이 반복해서 일어남.

7) 당뇨병의 합병증

당뇨병 합병증의 분류	
1. 급성 합병증	2. 만성 합병증
케톤산증 저혈당증	눈(망막 병변) 신(신병변) 신경(신경 병변) 대혈관 합병증(동맥경화증) 감염 관절 병변

2. 케톤산증(Diabetic Ketoacidosis)

1) 임상증상

(1) 초기에는 고혈당으로 소변의 양이 더욱 증가, 이에 따라 물을 더 마시게 되나 탈수로 인하여 소변의 양이 오히려 감소

(2) 처음에는 자꾸 자려고 하며, 시간이 경과할수록 의식 혼탁, 치료를 하지 않을 경우 혼수상태에 빠지게 된다.

(3) 심한 탈수증으로 구토 및 심한 복통을 호소하여, 응급으로 수술을 요하는 다른 질환과 감별이 어려울 때가 있다.

　　(4) 피부는 탈수로 인하여 창백하고 말라있으며, **맥박은 빠르다.** 체중감소

　　(5) 저혈압, 저체온

★(6) 산혈증으로 인한 Kussmaul 호흡, 호흡에서 acetone 냄새

　　(7) DKA로 처음 당뇨병으로 진단되는 경우가 25% 정도 됨.

　　(8) 진단에 도움이 되는 것은 혈당이 200mg/dL 이상되는 고혈당

★2) 진단 criteria 필요한 검사 → 혈당, ABGA, 혈청 케톤

　　(1) 임상증상

　　(2) 혈당 ≥ 300 mg/dL, 케톤혈증(케톤이 1 : 2 희석에서 양성)

　　(3) 산증(pH < 7.30, HCO₃ < 15mEq/L)

　　(4) 요당, 케톤뇨 → 뇨비중↑

3) 치료

★(1) 수액요법 : 산혈증과 탈수 상태를 교정(성인보다 주의깊게)

　　① 소실량 : 중등도 케톤산증은 5~7%, 중증 케톤산증은 10% 탈수를 기준으로 계산

　　② 유지량은 체표면적 m² 당(30kg에 해당) 1,500mL

　　　→ 탈수정도 + 유지량의 50~60%를 12시간에 걸쳐 투여, 나머지는 다음 24시간 동
　　　　안 IV(너무 빠르게 교정하면 뇌부종이 발생할 수 있음)

　　③ K 보충은 항상 필요(potassium chloride 보다는 potassium phosphate로 주는 것이 좋다)

당뇨병 케톤산증에서 탈수 및 전해질 결핍 치료를 위한 수액요법(체중 30kg, 10% 탈수 기준)					
시간	수액	Na	Cl	K	Phosphate
처음 1시간	300mL 0.9% NaCl	46	46	–	–
다음 3시간	375mL 0.9% NaCl + 20mEq K-acetate/L + 20mEq K-phosphate/L	58	58	15	5
다음 44시간	5,500mL 0.45% NaCl(+dextrose) + 20mEq K-acetate/L+ 20mEq K-phosphate/L	424	424	220	75
합계	6,175mL	528	528	235	80

　　Bicarbonate

　　pH가 > 6.9 : 치료가 필요 없음.

★(2) insulin 주사

　　① 지속 소량 정맥 주입법, 1~2일간 치료

② 속효성인슐린(RI)을 먼저 0.1 U/kg, IV (bolus), 그 후 지속 주입 0.1 U/kg/hr

③ 케톤산증이 교정되기 전에 혈당이 300 mg/dL 이하가 되면 → 5% 포도당 수액 첨가
   하여 저혈당 예방, RI 0.1 U/kg/시간 유지

④ 혈당 낮추는 것이 목적 아님, acidosis 교정 위해!

[3] Bicarbonate : 임상적인 이득이 없음, 오히려 저칼륨혈증, 뇌부종, 뇌산증의 위험을 증
가시킴

- 심한 산증 시(< pH 6.9) 에만 투여
  : 60분에 걸쳐 1~2 mmol/kg

3. 제2형 당뇨병

- 대다수는 40대 이후
- 60~90%는 비만증 동반
- 인슐린 작용의 저항성과 분비감소
- 청소년기 발병된 DM의 10~45%

1) 증상

다음, 다뇨, 다식 증상이 제1형 당뇨병에 비해 서서히 오랫동안 있고 체중감소, 고혈당
만 있어 우연히 발견되기도 함.

2) 치료

- 인슐린
- 경구혈당강하제(선호되나 안전성 입증은 아직 안됨)

VIII 저혈당증

1) 저혈당증의 정의

소아에서 일반적으로 혈당이 50mg/dL일 때

2) 저혈당의 원인

(1) 신생아 시기의 일시적 저혈당

① 부적절한 전구 물질 및 효소

② 고인슐린혈증

(2) 지속적인 영, 유아 및 소아의 저혈당

① 고인슐린혈증

② 내분비 저혈당(길항 호르몬 결핍)

③ 글리코겐 분해 이상

④ 당 신생의 이상

⑤ 케톤 저혈당증(ketotic hypoglycemia)

- 신생아기 이후에 소아에 m/c 저혈당의 원인, 18개월~5세 사이에 m/c
- 원인 : 당신생에 필요한 전구 물질의 결핍
- 금식 시 혈장 alanine의 감소, 어머니의 임신 중 당뇨병과는 무관
- 증상 : 비교적 마른 아이에서 오랜 시간(12~18시간) 금식 후에 저혈당 증상, 케톤증, 케톤뇨증, 혈장 insulin 저하, 길항 호르몬 상승
- 치료 : 장기간의 금식을 피하게 하고 자주 고단백, 고탄수화물식이를 권장. 감염으로 식욕 떨어져 식이섭취 불량할 때는 소변 케톤치 자주 검사
   → 케톤 나오면 고탄수화물 식이 섭취
- 예후 : 8~9세까지는 자연적으로 회복

3) 증상

(1) 자율신경계 증상 : 발한, 떨림, 기운 없음, 창백, 허기, 빈맥, 오심, 구토

(2) 중추신경계 증상 : 의식혼탁, 경련, 두통, 시각 장애, 발음 이상, 감각 이상, 저체온

(3) 신생아 저혈당증 증상 : 패혈증 증상, 호흡곤란, 무호흡, 청색증, 경련, 혼수상태, 빈맥

(4) 생후 첫 1년간의 반복적 저혈당은 지능 저하, 경련, 성격 변화, 발달 장애 초래 가능

4) 진단

(1) 급성 저혈당 증상 시

① 저혈당 확인 시 : 전구물질(혈당, 케톤, 유리지방산, 젖산, 암모니아, 요산)과 호르몬(인슐린, 성장호르몬, 코르티솔, T4, TSH) 검사

② 고인슐린혈증 진단기준

- 혈장 인슐린 2 μU/mL 이상일 때
- 혈장 유리지방산 1.5mmol/L 미만일 때
- 혈장 β-hydroxybutyrate 2mmol/L미만일 때
- 글루카곤 투여 후 혈당이 40mg/dL 이상 상승 시

③ 소변 케톤뇨 측정

- 케톤(+) : 케톤성 당원병, 당 신생 또는 길항 호르몬 장애
- 케톤(-) : 고인슐린혈증, 카르니틴 결핍, 지방산 대사 장애, 약물에 의한 저혈당증

④ 혈중 인슐린 농도

- 5 μU/mL 이상 : 내인성 고인슐린혈증 의심
- 100 μU/mL 이상 : 외인성 인슐린 투여 의심

⑤ 혈중 코르티솔 10 μg/dL미만, 성장호르몬 5 μg/dL미만

- 부신기능결핍증, 뇌하수체 질환 의심

(2) 급성 증상 없을 시

① 자세한 병력 청취

② 진찰소견 : 간비대, 저신장, 피부 색소 침착

③ 입원하여 유발 검사 : 24시간 공복 검사하여 저혈당 발생 시 검사

④ 간생검 및 효소 측정

5) 치료

(1) 원인치료

(2) 신생아 및 영아의 급성 저혈당증(응급상황)

10% 포도당 용액 2mL/kg IV 후 6~8mL/kg/분 속도로 혈당 유지

(3) 고인슐린혈증에 의한 저혈당 : diazoxide, 섬세포 이상일 때 octreotide

20 중추 신경계 질환

Power Pediatrics

I 신경학적 평가와 진단

1. 병력 청취

1) 병력 청취를 통한 신경계 질환의 진단적 접근

    (1) 우선, 환아는 신경계 질환을 갖고 있는가?

    (2) 병변의 부위는 어디인가?

    ① 한정된 부위의 병변인 국소 질환 : 혈관질환(두개강 내 출혈, 뇌경색), 종괴 병변
    (종양, 농양)

    ② 전신 질환 : 감염, 대사 질환, 중독, 퇴행 변성 질환 등

    (3) 이 질환의 병리학적 병변은 어떠한 범주에 속할 것인가?

    → 질환의 범주(선천 중추신경계 발달 장애 및 기형, 감염 또는 염증 질환, 외상 및 그
    와 관련된 질환, 출혈이나 경색 등의 혈관질환, 신생물 질환, 대사 질환, 퇴행 변성
    질환, 간헐적 발작 질환 등) 감별에 있어 병의 발생이 급성, 아급성, 만성인지, 진
    행경과가 정체성인지, 진행성인지 밝히는 것이 요체

    ① 질환 발생이 수분~몇 시간 : 뇌출혈, 뇌경색 등 혈관질환 의심

    수일에 걸쳐 : 감염 질환, 중독, 전해질 장애 등 대사 질환

    수주~수개월 : 신생물, 퇴행 변성, 대사 질환

    ② 정체성 : 선천 중추신경계의 발달 이상, 출산 전 후기 저산소증, 외상, 감염 등의
    후유증, 중독 질환

    ③ 진행성 : 퇴행 변성 질환, 대사 질환

2. 일반 진찰

(1) 신체 계측 시 신장, 체중 외에도 두위 항상 측정

(2) 얼굴 및 전신 모습의 이형태(dysmorphism) 유무 파악

3. 신경학적 진찰

1) 소아의 신경학적 검사

(1) 정신 상태 및 정신 운동 발달 검사

(2) 뇌신경 검사

소아의 뇌신경 검사		
뇌신경	기능	검사
1. 후각 신경(Olfactory nerve and tract)	후각	냄새에 대한 행동 반응
2. 시신경 및 망막(Optic nerve and retina)	시각 및 시야	색 있는 종이나 블록을 좇아 본다.
3. 눈돌림 신경(Oculomotor nerve)		
4. 도르래 신경(Trochlear nerve) ┐ 6. 가돌림 신경(Abducens nerve) ┘	┌ 눈 운동 └ 동공 반응 및 눈꺼풀 상승	눈 운동 관찰 전정 반사
5. 3차 신경(Trigeminal nerve) ┘	┌ 씹기 └ 얼굴 감각	씹기 운동 각막 반사
7. 얼굴 신경(Facial nerve)	┌ 얼굴 표정 └ 맛	얼굴 대칭
8. 속귀 신경(Vestibulocochlear nerve) 청각 신경 전정 신경	청력 공간 지각	소리굽쇠, 소리나는 장난감 칼로리 검사
9. 혀인두 신경(Glossopharyngeal nerve) ┐ 10. 미주 신경(Vagus nerve) ┘	삼키기, 음성	수유, 울음소리, 구역 반사
11. 척수 더부신경(Spinal accessory nerve)	머리 운동	기립시와 복와위의 머리
12. 혀밑 신경(Hypoglossal nerve)	혀 운동	대칭, 위축, 세동

(3) 운동계 검사 – 각 근육의 근력과 근긴장도를 검사

① spasticity : pyramidal system의 손상

Ⓐ 수동적 운동에 저항이 있다가 갑자기 저항이 없어져 주머니칼이 접히거나 펴지는 모양과 흡사한 상태

Ⓑ 상지의 굴근, 하지의 신근에서 뚜렷

Ⓒ 대개 DTR 항진, 병적 반사, clonus, 자발적 운동 저하, 불사용 위축 등 동반

② rigidity : 기저핵의 병변

Ⓐ 굴근과 신근 모두에서 지속적인 저항을 느끼는 상태

③ 근력 : 각 근육마다 0에서 5까지 구분하여 정확히 기술

┌ 0 : 근육 수축도 없다

├ 1 : 근육 수축만 있다

├ 2 : 중력에 거슬리지 않으면 운동 가능

├ 3 : 중력에 거슬려서도 운동 가능

├ 4 : 어느 정도의 저항을 주어도 운동 가능

└ 5 : 정상 운동 가능

(4) 감각계 검사

① 촉각, 위치 감각, 진동 감각 검사 → 마지막으로 통각 검사

② 발한(sweating)의 경계 부위 : 척수 장애의 수준을 아는 데 도움.

(5) 반사 검사

심부 건반사의 중추	
아래턱 반사(jaw jerk)	뇌교(pons)
두갈래근 반사(biceps jerk)	$C_5 \sim C_6$
손뒤침근 반사(supinator jerk)	$C_5 \sim C_6$
세갈래근 건반사(triceps jerk)	$C_6 \sim C_8$
무릎 반사(knee jerk)	$L_3 \sim L_4$
발목 반사(ankle jerk)	$S_1 \sim S_2$

(6) 소뇌기능, 보행 및 운동 조화 검사

① 소뇌 기능 : tandem gait 관찰, Romberg 검사, finger to nose 검사

② 연성 신경 증상 : 어린이의 연령 발달에 따라 소실되어야 할 증상이 남아 있는 것

③ pyramidal tract의 병변 :

Ⓐ spastic paralysis, DTR 항진

Ⓑ 반대측 사지에 Sx 나타남.

④ Basal ganglia의 병변

Ⓐ 반대측 사지에 Sx.

Ⓑ 신선조체 손상 시 : chorea, athetosis, torsion spasm

Ⓒ 고선조체 손상 시 : rigidity

⑤ 소뇌의 병변

Ⓐ 손상 입은 동측에 Sx.

Ⓑ archicerebellar syndrome(평행장애), paleocerebellar syndrome(전엽의 손상에 의해 decerebration rigidity), neocerebellar syndrome (asynergia, dysmetria, dysdiadochokinesis, nystagmus, rebound phenomenon 등)

2) 영아의 신경학적 검사

[1] 정신 운동 발달 : DDST (Denver developmental screening test), KIDS (Kansas infant development screening) 등 이용

[2] 뇌신경 검사 : 검사표 이용

[3] 운동계 검사 : 낙하산 반사(parachute reflex; 9개월에 나타나 지속됨)가 대칭적인지, 세웠을 때 다리로 체중을 버티는 정도로 검사

[4] 감각계 : 촉각, 통증 자극에 대한 반응

[5] 반사 : 심부 건반사중 세갈래근 건반사는 첫 2~3개월에는 잘 나타나지 않는 수가 많다. Babinski sign은 생후 첫 1~2개월에 나타나는 수가 많다.

[6] 소뇌 기능 : 앉아 있는 자세, 손을 뻗어 장난감을 잡는 행동으로 판단

✦ 영아의 신경학적 검사 시 관찰 요령

① 이상 국소 증상
② 정상적으로 있어야 할 반응이 결여된 경우
③ 정상 반응의 좌우 비대칭
④ 성장하면서 소실해야 할 생리적인 반응이 어느 범위를 지나서 오랫동안 지속하는 경우
⑤ 발달 지연

---

3) 신생아의 신경학적 검사

신생아 반사의 소실 시기	
반사	소실 시기
Rooting reflex	3개월
Sucking reflex	3개월
Moro reflex	3개월
Trunk incurvation reflex	1~2개월
Crossed extension reflex	1~2개월
Grasp reflex	3개월
Placing reflex	3~4개월
Stepping reflex	1개월
Tonic neck reflex	3~4개월
Landau reflex	1~2년

4. 진단적 특수 검사

1) 요추 천자와 뇌척수액 검사

 (1) 뇌척수액 검사 : 수막염, 뇌염, 지주막하 출혈의 진단에 필수적, 탈수초 질환, 대사 질
 환의 진단, 종양 세포의 유무 확인에 도움

 (2) 요추 천자의 금기 사항

  ① 두개 내압의 상승

   두개강 내의 종괴 병변에 의한 두개 내압의 상승이 있을 때 요추 천자를 시행하면
   경천막뇌 탈출이나 소뇌 편도 탈출을 유발할 위험이 있으므로 시행 전에 안저 검사
   를 하여 유두 부종이 있지 않은지 확인

  ② 경천막뇌 탈출(transtentorial cerebral herniation)의 임박 증상

  ③ 요추 천자를 시행할 부위의 피부의 세균 감염

  ④ 심한 혈소판감소증시

2) 경막하 천자 : 경막하 삼출액이나 경막하 혈종의 진단 위해 시행

3) 뇌실 천자 : 수두증 급격 진행하여 뇌압 상승으로 환자 위급한데도 보존적 요법으로 효
 과가 없을 경우

4) 신경 방사선학적 검사

5) 뇌파 검사(EEG)

6) 유발전위 검사(Evoked potentials) : 시각, 청각 또는 체성 감각 계통으로 중추신경계를 자
 극하여 그 반응으로 나타나는 전기적 활동을 기록

II 혼수(Coma)

어떠한 종류의 강한 유해 자극을 지속적으로 주어도 각성 반응을 보이지 않으며, 때로 겉질
제거 경직자세(decorticate posture) 및 대뇌제거 경직자세(decerebrate posture)를 보이는 상태
- 원인 : 두부 외상(m/c)
  비외상성 – 중추신경계 감염(m/c), 중독 및 사고, 뇌전증 발작, 선천 기형의 합병증, 대
  사 질환

1. 혼수 환자의 신경학적 검사

- 신경학적 검사 – 신경 생리 검사(지속적인 뇌압 감시, 뇌파 검사, 유발 전위 검사 등
  장비 이용 검사) + 신경학 검사
- 신경학 검사의 평가 내용 – ① 의식 상태　　　　② 호흡 양상
  　　　　　　　　　　　　　③ 동공의 크기 및 반응　④ 안구 운동
  　　　　　　　　　　　　　⑤ 안저 검사　　　　　⑥ 운동 기능

1) 의식 상태

의식(consciousness)–각성 상태가 유지되면서 외부 자극에 대하여 자신과 주변 환경을 적
절히 인지할 수 있는 능력이 원활히 지속되는 상태

- 의식저하의 정도에 따라

  혼돈(confusion) → 섬망(delirium) → 기면(drowsy) → 둔마(obtundation) → 혼미(stupor) → 혼수(coma)

Glasgow Coma Scale (GCS)	
Eye opening(점수 4)	
Spontaneous : 4, To voice : 3, To pain : 2, None : 1	
Verbal Response(점수 5)	
소아 　Oriented : 5 　Confused : 4 　Inappropriate : 3 　Incomprehensible : 2 　None : 1	영·유아 　Age appropriate verbalization : 5 　Consolable crying : 4 　Persistently irritable : 3 　Restless, agitated : 2 　None : 1
Motor Response(점수 6)	
Obeys : 6, Localizes pain : 5, Withdraws : 4, Flexion : 3, Extension : 2, None : 1	

* 총점 : 15점
　– 7점 이하일 때 혼수라고 정의한다.
　– 8점일 때는 50% 정도가 혼수이다
　– 9점 이상인 경우에는 혼수는 아니다(non-comatose).

2) 호흡 양상

(1) Cheyne-Stokes 호흡 : 과다 호흡과 무호흡이 교대로 주기적으로 나타나는 호흡 모양
– 양측 대뇌 반구나 중간 뇌의 기능 장애

(2) 중추신경 과다호흡(Central neurogenic hyperventilation) : 깊고 빠른 호흡이 지속적 – 중
뇌나 상부 뇌교 기능 장애, 대사 뇌증 환자

(3) 지속적 흡입 호흡(Apneustic breathing) : 긴 흡기가 있은 후 호기성 정지가 있는 상태 –
뇌교의 기능 장애

(4) 군발 호흡(Cluster breathing) : 과다 호흡과 무호흡이 불규칙적으로 교대로 나타나는 호흡
– 상부 연수 기능 장애

(5) 조화운동불능호흡(Ataxic breathing) : 호흡의 속도와 진폭이 매우 불규칙 – 하부 연수
장애, 무호흡 임박했음을 예고

3) 동공의 크기 및 대광 반사

(1) 동공 반사의 의의 : 양측에서 나타나면 중간뇌 기능 정상임을 의미

(2) 각 질환별 동공의 특징

① 간뇌 기능 장애 : 양측 동공 축동, 동공 반사(+)

② 중간뇌 손상 : 양측 동공 산대, 정중부 고정, 대광 반사(-)

③ 뇌교 손상, barbiturate 혼수 : 점상 동공(pinpoint pupil)

④ 혼수 말기 : 양측 동공 산대, 고정, 대광반사(-)

⑤ 대사 혼수 : 양측 동공 축동, 대광반사(+)

⑥ 일측성 대뇌 병변 : 제3 뇌신경 압박인해 편측 동공 산대, 고정, 대광반사
(-)→uncal herniation을 의미

4) 눈 운동(Ocular movement)

(1) 뇌간 기능 평가에 중요 역할

(2) 인형눈 검사(doll's eye test)– oculocephalic reflex 이용

(3) calory 검사 – oculovestibular reflex 이용

5) 안저 검사(Fundoscopic examination)

(1) 검안경으로 시신경 유두를 보고 두개 내압 항진 여부 관찰 가능

(2) 두개 내압 항진 시 : 망막 중심 정맥의 박동 소실

→ 시각 신경 유두의 가장 자리 흐려지고 유두 부종 관찰됨.

6) 운동 기능(Motor function)

(1) 대뇌 반구의 일측성 병변 : 반대쪽 지체의 편마비

(2) 대뇌 반구의 심한 미만성 병변 : 강한 통각 자극에 대한 목적 운동 반응 소실,
decorticate posture(주먹을 쥔 채 두 팔을 구부리고 두 다리는 쭉 뻗음)

(3) 상부 뇌교까지 뇌간 기능 장애 : decerebrate posture(양쪽 팔다리를 쭉 뻗음)

(4) 연수 장애 : 이완성 사지 마비

2. 혼수 환자의 치료

1) 초기 치료

(1) 일반적 치료 원칙은 혼수를 초래하는 원인을 파악하여 이에 대해 빠른 치료 시작

→ 이차 손상에 의한 이차 뇌병변 발생 방지

(2) 활력 징후 파악, 기도 확보, 산소 공급, 혈액 순환 및 심박동 기능 유지

→ 뇌혈류 공급 원활히, 두개 내압 감소

2) 후속적 치료

(1) 원인 불명의 혼수인 경우

① 혈액검사에 필요한 혈액을 채취한 후

② 50% 포도당액(1~2mL/kg) 즉시 IV

③ 뇌전증 발작 있으면 항경련제 투여 → 뇌대사 기능 악화 방지

(2) 뇌수막염, 뇌염 의심시 : 항생제나 항바이러스제 투여

(3) 뇌부종 또는 두개 내압 항진 시 - 대증요법(머리를 30° 들어 올리거나 뇌의 대사를 떨어뜨리기 위한 저체온 요법), hyperventilation, steroid, mannitol, 글리세롤, 고장 식염수와 같은 삼투 이뇨제로 ICP조절 → 조절되지 않으면 barbiturate 혼수 유도하기도

(4) 전해질 불균형, 고열 및 중독성 물질에 대한 평가, 치료

3) 이러한 응급 치료 후 혼수를 초래하는 원인 질환 진단, 원인에 대한 근본적인 치료

발작 질환(Seizure disorders)

** 발작(seizure) 또는 경련(convulsion) : 대뇌의 비정상적인 전기 활동에 의해 발생하는 돌발
 적이고, 일시적인 운동, 감각 또는 행동 변화 증상. 경련은 발작 중에 운동 증상 동반시

1. 원인

1) 연령에 따른 원인
   경련을 진단함에 있어, 각 연령에 따라 흔한 원인을 알
   아 두면 대단히 편리하다. 발생 빈도순으로 나열하면
   다음과 같다.

   (1) 출생 후~6개월까지
       ① 출생시 손상(외상 또는 "저산소증")
       ② 뇌의 발육 이상
       ③ 중추신경계의 급성 감염
       ④ 기타 여러 가지 원인
   (2) 6~24개월까지
       ① 급성 열성 경련
       ② 중추신경계의 급성 감염
       ③ 출생시 뇌 손상의 후유증 및 뇌의 발육 이상
       ④ 기타 여러 가지 원인
   (3) 2~6세까지
       ① 중추신경계의 급성 감염
       ② 출생시 뇌 손상의 후유증 및 뇌의 발육 이상
       ③ 뇌종양
       ④ 기타 여러 가지 원인

   (4) 6~16세까지
       ① 특발성 뇌전증
       ② 출생시 뇌 손상의 후유증 및 뇌의 발육 이상
       ③ 뇌종양
       ④ 중추신경계의 급성 감염
       ⑤ 기타 여러 가지 원인

2) 반복성 경련의 원인
   (1) 뇌종양
   (2) 뇌혈관 장애(혈전, 경색, 혈관 기형)
   (3) 두부 외상
   (4) 신경 피부 증후군(tuberous sclerosis,
       neurofibromatosis, Sturge-Weber 증후군)
   (5) 뇌의 발육 이상(염색체 이상, agenesis of corpus
       callosum, porencephaly, hydrocephalus)
   (6) 영양 장애(pyridoxine deficiency)
   (7) 외인성 중독(lead encephalopathy, 약물 중독)
   (8) 대사성 질환
   (9) 감염증(뇌염, 수막염, 뇌농양)
   (10) 뇌변성 질환

2. 신생아 발작

1) 원인 – 거의 증후적(특발성인 경우는 드물다)

   [1] 시기적

   ① 생후 첫 24시간 이내 : 산소 결핍증이 주된 원인

   ② 생후 24시간 이후 ~ 2주 : 저혈당증, 저칼슘혈증

   Ⓐ 저혈당증 : 혈당 측정 후 포도당 주입으로 증상 소실 여부를 보아 가장 먼저 R/O

   Ⓑ 저칼슘혈증 : QT 연장이 특징적!

   ③ 생후 2주 이후 : 감염, 유전성 대사 질환

⑵ 임신 기간별

① 만삭아 : 주산기 장애(특히 산소 결핍증), 저칼슘혈증, 감염, 뇌발달 이상, 저혈당 순

② 미숙아 : 주산기 장애, 저혈당증, 감염, 뇌발달 이상, 저칼슘혈증 순

2) 임상증상

일부에서 뇌전증성으로 발작이 나타나는 경우도 있지만, 대부분 급성 뇌병증(acute encephalopathy)의 증상으로 발생

⑴ 비정형 발작(subtle seizure) : m/c 형태

서맥을 동반하지 않은 무호흡, 청색증, 탈력, 기묘한 운동, 응시, 안구 회전이나 진탕, 침을 흘리거나 이상한 소리를 지르는 것

⑵ 전신 긴장 발작(generalized tonic seizure) : 대부분 미숙아, 뇌실 내 출혈이나 중증 뇌손상 시, 조기에 사망하거나 신경학적 후유증

⑶ 다국소 간대 발작(multifocal clonic seizure) : 대부분 만삭아, 신체의 여러 곳에 간대성 경련, 저칼슘혈증이나 저마그네슘혈증 때

⑷ 국소 간대 발작(focal clonic seizure) : 대사성 뇌증이나 국소성 뇌 손상, 만삭아

⑸ 근간대 발작(myoclonic seizure) : 드문 형태, 심한 뇌 손상 시나 약물 금단증

※ 신생아 경련과 떨림(jitteriness) 감별

jitteriness는 ① 정상 신생아에 흔히 볼 수 있다.

② 아래턱이나 손, 발에 오는 fast tremor

③ eyeball deviation(-)

④ 갑작스런 자극에 의하여 유발 가능

⑤ 사지를 굽히거나 잡음으로써 멈추게 할 수 있다.

3) 치료

⑴ 대사 장애 교정 위해 : 10% 포도당액 10% calcium gluconate, pyridoxine

⑵ 대사 이상 교정 후에도 경련 지속 시 : phenobarbital 20mg/kg, phenytoin 15~20mg/kg, lorazepam 등 항경련제 투여

4) 예후

⑴ 원인 질환과 관계있다.

⑵ 저산소증, 심한 뇌출혈, 뇌기형 등은 예후 불량

⑶ 25~35%는 신경학적 후유증 남고, 2~56%는 뇌전증으로 이행

3. 열성 경련(Febrile convulsion)

1) 임상 특징

(1) 소아에서 m/c 발작 질환(전체 소아의 3~4%)

(2) 생후 3개월~5세 사이

(3) 비열성 경련의 경험이 없는 영유아에서 중추신경계의 감염증이나 대사 질환 없이 다른 원인에 의한 열과 동반되어 발생하는 경련

2) 원인

(1) 약 70%가 바이러스성 상기도 감염에 의한 열성 질환(편도염, 인후염, 중이염 등)

(2) **기타 위장염, 돌발진**

(3) 유전성 경향 : 가족 중 60~70%가 열성 경련을 경험

3) 임상 증상

(1) 전형적 열성 경련은 열성 질환 초기에 열이 갑자기 오르는 시기에 잘 발생

(2) 경련 자체가 열성 질환의 첫 증상일 수 있다.

(3) 단순형(simple FC)과 복합형(complex FC)으로 나눔.

(4) 단순형 : 전신 긴장 간대 발작, 발작 기간 15분 이내,

발작 이후 마비 등 신경학적 증상 없음, 예후 좋다.

(5) 복합형(비정형적)

① 발작 기간 길고(15분 이상)

② 한 번의 열성 질환을 앓는 동안에 반복해서 발작이 발생(하루 2번 이상)

③ 부분 발작

④ 발작 후 Todd 마비나 후유증

4) 치료 및 예후

(1) 재발 : 첫 경련 후 약 1/3에서 발생, 대부분 3세 이전에서 재발

• 재발의 위험 인자

① 1세 이하에서 경련이 시작되었을 때

② 뇌전증의 가족력 있을 때

③ 복합 열성 경련인 경우(발작 기간 15분 이상, 한번의 열성 질환 앓는 동안 반복해서 발작 발생, 부분 발작, 발작 후 Todd 마비나 후유증 존재)

• 뇌전증으로 이행되는 위험 인자(=항경련제 투여의 적응증)

① 첫 열성 경련 이전에 발달 지연이나 신경학적 질병을 가지고 있는 경우

② 부분 발작 증상을 보이는 경우

③ 뇌전증의 가족력이 있는 경우

(2) 치료

① 우선 급성 경련시 부모를 안심시키고

② 경련이 그치면 해열시킨 후 원인에 따른 치료

③ 경련 지속시 diazepam, lorazepam등

☆④ 예방 – 38.5℃ 이상 열 지속시 diazepam 내복(예방적 항경련제 사용 ×)

열이 오르는 초기에 경구 diazepam을 해열제와 같이 투여하거나 8시간 간격으로 열
이나는 기간 동안 유지

(3) 재발 예방

① 열이 38.5℃ 이상 될 때 diazepam 내복

② phenobarbital, valproic acid 등 항경련제를 평소에 사용함으로써 재발 감소 가능하나
약제 부작용 등으로 항경련제의 계속적 사용은 추천되지 않음.

(4) 예후

① 급성기에 치료만 잘 하면 사망이나 신경학적 후유증을 초래하지 않는 양성 질환

② 정신지체나 학습 장애를 초래하지도 않음.

☆ 뇌전증의 감별		
구분	열성 경련	뇌전증
발생 연령	대개 6개월~3년	연령과 관계없음
발작 지속 시간	짧다(대개 15분 이내)	수초~수시간
발작 특징	대개 전신형	전신성 혹은 국소성
뇌파	정상(발작 후 7~10일)	뇌전증파(정상일 수도 있다.)
체온 상승과의 관계	체온 상승 직후	체온 상승 후 언제나 낮다.
유전성(가족 빈도)	높다	낮다

4. 영아 테타니(Infantile tetany)

혈청 칼슘 이온이 7mg/dL 이하일 때 잘 발생

1) 원인

(1) 미숙아, 당뇨병 모체의 신생아 – m/c

(2) 일과성 기능적 부갑상샘기능저하증

(3) 인산염 과잉 섭취

(4) 신장의 인산염 배설 능력 소실

(5) 모체의 부갑상샘기능저하증

(6) 비타민 D-결핍성 구루병

(7) 비타민 D 저항성 구루병

(8) Celiac ds.

(9) 저마그네슘혈증

2) 임상 증상

(1) 발현성 테타니(Manifested tetany)

① 수족 경련(Carpopedal spasm)

② 후두 경련(Laryngospasm)

③ 감각 이상(Paresthesia)

④ 경련

(2) 잠복 테타니(Latent tetany)

① Trousseau 증상 : 상박을 3분간 압박 시 손목 연축 발생

② Chvostek 증상 : 안면 신경 두드리면 안면 근육이 수축하여 그쪽의 입술과 이마 연축

③ 비골 증상(Peroneal sign) : 비골 신경 두드리면 무릎은 배굴, 발은 외전하는 연축

④ Erb 증상 : 5mA보다 낮은 음극 개방 전류 주면 근육의 수축 일어남

3) 치료

☆(1) 10% calcium gluconate IV

① 반드시 청진기나 심전도로 심박동 모니터링

② 근육 주사나 extravasation시 조직 괴사나 석회화 초래

(2) 저마그네슘증시 magnesium sulfate IM

5. 뇌전증(Epilepsy)

• 연령에 따른 뇌전증의 발생률 및 유병률

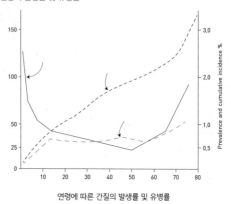

연령에 따른 간질의 발생률 및 유병률

• 여러 가지 발작형의 연령 분포

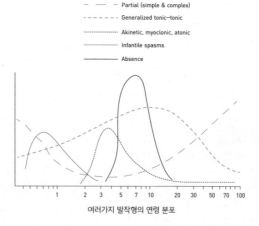

여러가지 발작형의 연령 분포

• 뇌전증 발작의 국제 분류

1. Partial (focal, local) seizures
   (1) Simple partial seizures (consciousness not impaired)
   (2) Complex partial seizures (consciousness impaired)
   (3) Partial seizures evolving to secondarily generalized seizure

2. Generalized seizures
   (1) Absence seizures
   (2) Myoclonic seizures
   (3) Clonic seizures
   (4) Tonic seizures
   (5) tonic–clonic seizures
   (6) Atonic seizure (astatic seizure)

3. Unclassified epileptic seizures

1) 부분 발작
   (1) 단순 부분 발작
   ① 의식 장애없는 국소 발작
   ② 발작시 나타나는 증상의 차이에 따라 운동 발작(m/c), 감각 발작, 자율신경 발작, 정신 발작 등으로 나눔
   ☆ *중심 측두부에 극파를 보이는 양성 부분 뇌전증(Benign Rolandic epilepsy, Benign partial epilepsy with centrotemporal spikes (BPEC))
      ④ 2~14세 사이의 발달 장애가 없는 소아에서 발생(9~10세에 가장 많음)
      ⑧ 신경학적 검사상 : 정상 소견
      ⓒ 흔히 뇌전증의 가족력
      ⓓ 사춘기가 되면 없어짐 → 예후 양호
      ⓔ 발작은 수면 중, 특히 아침에 일어나기 1~2시간 전과 잠이 든 직후↑
      ⓕ 일측의 입언저리, 목, 얼굴 등에 국한된 경련과 감각이상 → 과도한 침분비 소견
      ⓖ 뇌파소견 : 중심 측두엽 부위에 고진폭의 극파가 한쪽 또는 양쪽에 나타남.
      ⓗ 치료 : 항경련제(carbamazepine), 대개 15세 경 소실
   (2) 복합 부분 발작
   ① Aura(+)인 경우 많음 : 모호하고 불쾌한 느낌, 복부 불쾌감, 두려움 등 - 발작이 국소에서 시작하는 것 의미(측두엽에서 주로 시작)
   ② 의식 장애있는 국소 발작
      ④ absence 상태를 보인다. 소발작의 absence와 구별 어려움
      ⑧ 소발작과 달리 발작 지속 1분 이상, 뇌파에서 초점성 뇌전증파, 발작후 졸음(+)
   ③ 인식 장애 : 기시감(de ja vu), 미시 체험(jamais vu), 이인증(depersonalization)

④ 감정 장애 : 공포감, 분노, 즐거움, 불쾌감

⑤ 정신 감각 장애 : 착각, 환각

⑥ 정신 운동 장애

자동증 – 의식 소실 후 나타나 발작 후 기간까지 지속되는 행동으로 기억 못한다. 대개 30초~ 수분 지속. 유아에서는 입맛을 다시거나 삼키는 증상, 씹는 증상, 다량의 침 분비 등의 소화기 자동증이 특징적. 나이가 든 아이들에서는 옷을 만지작거리거나 물체를 만지거나 문지르는 증상, 방향 없이 걷는 등의 목적 없는 행동 양상

⑦ 뇌전증파 퍼지며 이차적으로 대발작 가능(secondary generalization)

⑧ EEG : 발작간기에 측두엽에 극파 또는 다초점 극파 소견(20%는 정상 소견)

(3) 2차성 전신화 발작 : 뇌의 일부에서 시작된 이상 방전이 뇌의 다른 부위로 전파의식장애(+), 양측성의 전신 발작

2) 전신 발작

(1) 결신 발작(실신 발작, 소발작, absence seizure, petit mal seizure)

① 정형 결신(Typical absence)

Ⓐ 주로 5~10세(5세 이전에는 흔하지 않음), 여아에 많음.

☆Ⓑ 전조 없이 의식이 잠깐 동안 소실, 갑자기 하던 행동을 멈추는 것이 특징

Ⓒ 넘어지지 않는다.

☆Ⓓ 30초 이상 지속되지 않음.

Ⓔ 발작후에는 졸음 없이 하던 행동을 계속함(후발작 증상(-))

Ⓕ 발작 횟수가 잦다(많은 경우 하루에 수백 회씩).

Ⓖ 복합 부분 발작과 감별해야

Ⓗ 자동증 흔히 동반

Ⓘ 약 3분 동안 과호흡 시키면 증상 쉽게 유발됨.

Ⓙ 전형적인 뇌파 소견–좌우 동기성의 3Hz spike–wave(극서파)

Ⓚ DOC–ethosuximide (Zarontin) : 항경련제에 반응 잘 함.

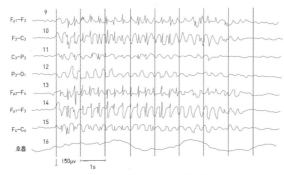

전형적인 결신 발작이 있는 5세 소아의 뇌파

　② 비정형 결신(Atypical absence)

　　Ⓐ 의식 소실과 함께 눈을 크게 뜨고 응시하거나, 눈꺼풀을 깜빡이거나, 입맛을 다
　　　시거나 씹는 모양, 손가락을 만지작거리는 운동을 보이는 경우

　　Ⓑ 간대 근경련 발작 동반하거나 근긴장도의 소실

　　Ⓒ 뇌파상 2~2.5Hz의 전신 극서파 소견 : 2.5~3Hz spike and wave pattern

　③ 예후 : 양호(benign)

　　사춘기시기에 자연 소실 가능성 ↑

(2) 근간대 발작(myoclonic seizure)

　① 사지나 몸통 근육의 갑작스런 불수의적 수축으로 흔히 상지 굴근에 이환

　② 1~3초 지속

　③ 발작 후 졸음(-)

※ DDx

　① 정상인에서 수면 직후의 근간대성 경련(myoclonic jerk)

　② 소발작 환자에서도 양측에서 대칭성으로 나타나는 근간대성 운동

　③ 미만성 뇌기능 장애의 비뇌전증형 근간대

(3) 강직, 간대, 강직-간대 발작(대발작; Grand mal seizure)

　① 가장 심한 발작형

　② 의식 소실(+)

③ tonic phase 후 clonic phase

④ tonic phase에는 호흡근의 지속적 수축으로 일시적 호흡 정지로 창백, 청색증

⑤ clonic phase에는 혀를 깨물거나 대소변의 실금, 침을 많이 흘리고, 심호흡으로 입에서 거품 냄

⑥ 3~5분 지속

⑦ 발작 후 수면

(4) 탈력 발작

① 전신의 근긴장이 갑자기 소실되어 발생

② 머리에 외상 초래할 수

③ 1~3초 지속

④ 발작 후 의식 소실(−)

(5) 영아 연축(Infantile spasm, West syndrome)

① 임상양상

Ⓐ 생후 4~8개월 사이에 발병

Ⓑ 남아 > 여아

★Ⓒ 갑작스런 근 수축으로 인하여 머리, 몸통 및 사지가 일시에 굴곡되는 발작(jack-knife 발작) : 짧은 간격 두고 발작이 반복되는 군집 발작이 수분에 걸쳐 지속

Ⓓ 발작과 발작 사이에는 자발 운동이나 주위에 대한 반응이 줄고 불쾌한 표정

Ⓔ 발작 전후에 소리를 지르거나 배가 아픈 듯이 울기도, 때론 웃기도

Ⓕ 발작의 강도와 빈도는 점차 증가(수십초 간격으로 반복하기도 하고, 하루에 수십회~100회 이상 나타나기도)

Ⓖ 대개 잠들 무렵이나 잠에서 깨어난 직후에 발생

Ⓗ 인지 기능 등의 발달 장애 동반

② 원인

Ⓐ 잠재성(cryptogenic) : 비증상성, 발작 발생전 정상 발달, 임신중이나 출생시 특별한 문제(−), 신경학적 검사 • CT • MRI 모두 정상, 예후 좋음.

Ⓑ 증상성(symptomatic) : 대뇌 겉질 발달 기형, 출생 전 후기 저산소 − 허혈 뇌병증과 같은 뇌손상 질환, 대사 질환, 선천 감염, 신경피부질환 등과 관련, 예후는 기저 중추신경계 질환에 의해 좌우

★③ 뇌파 – 고부정 뇌파(hypsarrhythmia, 점두 경련의 뇌파)

양측성으로 고주파의 불규칙한 서파와 다소성 극파가 혼재되어 나타남.

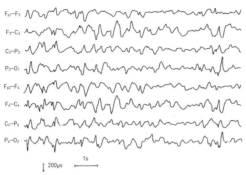

전형적인 결신 발작이 있는 5세 소아의 뇌파

★④ 치료 – ACTH나 스테로이드

결절성 경화증에 동반된 영아연축에는 Vigabatrin이 효과적

⑤ 예후

Ⓐ 특발성인 경우가 다소 양호

Ⓑ 지능 발달 지체 빈도 80~90%

Ⓒ 발작은 대개 2~3세가 지나면 없어지고 다른 형의 경련 나타남.

Ⓓ Lennox–Gastaut 증후군, 복잡 부분 발작 등으로 이행

[6] Lennox–Gastaut 증후군

① 대개 2~4세에 처음 발생(영아 연축보다 늦은 발병)

② 자주 넘어지므로 얼굴과 머리에 외상

③ 약물 난치성의 다양한 형태의 발작

④ 뇌파 – 발작간기에 1~2.5Hz의 느린 극서파 또는 예서파 복합 — 3징후(triad)

⑤ 지능 발달 지체 빈도 높다(정신지체).

⑥ 난치성인 경우가 많다(항경련제에 반응하지 않는 경우 : 케톤식이 고려).

⑦ 성인기까지 발작 지속되기도

3) 미분류형 발작

♦ 발작형에 따른 뇌전증파

① 단순 부분 발작 : 대측 국소 뇌전증파(contralat. local discharge)
② 복잡 부분 발작 : 일측 또는 양측 측두엽 부위 초점성 극파(focal spike)
③ 결신 발작 : 3Hz의 좌우 동기성 극서파
④ 근간대성 발작 : 다극 서파 복합(multiple spikes and wave complex)
⑤ 강직 – 간대 발작 : 다극파, 예서파 또는 극서파 복합
⑥ 탈력 발작 : 다극 서파 복합
⑦ 영아 연축 : 고부정 뇌파
⑧ Lennox–Gastaut 증후군 : 2Hz의 좌우 동기성 예서파 복합

4) 약물치료

발작형태와 항경련제 선택		
발작형태	항경련제	
	1차 약물	2차 약물
부분 발작(2차성 전신화 발작 포함)	CBZ, PHT, PB/PRM	VPA, CZP, VAT, LMT, ZSM, TPM
전신 발작		
결신 발작	ESM, VPA	CZP, MSM, ATZ
강직-간대 발작	CBZ, PHT, VPA, PB/PRM	CZP, MSM, VAT, ZSM, ATZ
근간대성 발작	VPA, CZP, ESM	MSM, NZP, PHT, ATZ, VAT, LMT
탈력 발작	VPA, CZP	CBZ, MSM, NZP, PHT, ATZ, PB/PRM, VAT, LMT
영아 연축	ACTH/steroid	VPA, NZP, CZP, VAT

CBZ : carbamazepine　　PHT : phenytoin　　PB : phenobarbital　　PRM : primidone
VPA : valproate　　CZP : clonazepam　　ESM : ethosuximide　　ATZ : acetazolamide
MSM : methosuximide　　NZP : nitrazepam　　VAT : vigabatrin　　LMT : lamotrigine
ZSM : lamotrigine　　ZSM : zonisamide　　TPM : topiramate

1. PB/PRM : 효과는 있으나 독성 때문에 대개 1차 약물로 사용하지 않음.
2. CBZ : PB, PHT 병용시 혈중 농도가 감소됨.
3. PHT : INH, dicumarol, sulfonamide 병용시 혈중 농도가 증가되고 CBZ, PB 병용시 혈중 농도가 감소됨.
4. PB : VPA, PHT 병용시 혈중 농도가 증가됨.
5. PB, PHT : 결신 발작을 악화시킬 수 있음.
6. PB, VPA : 반복되는 열성 경련의 치료에 유효함.
7. LMT : VPA 병용시 혈중 농도가 증가되므로 감량 투여가 필요함.
8. TPM : ATZ, ZSM 병용시 요결석의 발생 위험이 있음.

주요 항경련제의 용량 및 부작용				
약품명	1일 유지 용량 (mg/kg)	유효 혈중 농도 (μg/mL)	부작용	
			용량과 관련된 부작용	과민성 반응
Phenobarbital (Lumical®)	3~5	20~40	졸림, 과운동증, 흥분	피부발진, 발열, 박탈성 피부염
Primidone (Mysoline®)	10~25	5~12	졸림, 현훈, 행동 장애	피부발진, 발열
Phenytoin (Dilantin®)	5~10	10~20	안구 진탕, 운동 실조, 기면, 구역, 잇몸 비후, 다모증, folic acid결핍, 비타민 D 결핍	피 발진, 림프절비대, SLE, Stevens-Johnson 증후군
Ethosuximide (Zarontin®)	20~40	40~100	구역, 구토, 운동 실조, 기면, 두통, 식욕 부진	피부발진, 백혈구 감소증, 행동 장애
Carbamazepine (Tegretol®)	10~25	8~12	복시, 졸림, 현훈, 두통, 설사, SIADH, 백혈구 감소증	재생 불량성 빈혈, 피부발진, 간독성, 부정맥
Valproic acid (Depakene®)	10~30	50~100	졸림, 구역, 구토, 복통, 탈모, 체중증가, AST, ALT 상승,	백혈구 감소증, 혈소판감소증, 간염, 췌장염
Nitrazepam (Mogadon®)	0.5~1.0	–	기면, 기관지 분비물 과다	간독성
Clonazepam (Clonopin®)	0.1~0.2	0.01~0.06	기면, 운동 실조, 과운동증, 흥분, 주의 집중 결여	백혈구 감소증, 혈소판감소증, 피부발진
Vigabatrin (Sabril®)	50~100	–	졸림, 현훈, 두통, 복시, 체중증가	피부발진
Lamotrigine (Lamictal®)	5~15	1~5	졸림, 구역, 구토, 운동 실조, 복시	피부발진, Stevens-Johnson 증후군
Zonisamide (Excegran®)	4~8	20~30	졸림, 두통, 구토, 복통, 식욕 부진, AST, ALT 상승	피부발진, Stevens-Johnson 증후군, 백혈구 감소증, 혈소판감소증
Topiramate (Topamax®)	1~9	–	피로, 인식 저하, 체중감소	흥분, 수면 장애

[1] 약물치료의 일반 원칙

① 발작형에 따라 가장 효과 있고 부작용이 적은 약물 선택

② 한 가지 약물로 치료 시작, 용량은 발작이 조절될 때까지나 독성 증상이 나타날 때까지 점차 증량, 조절되지 않을 경우 서서히 감량하면서 두 번째 약으로 대치하여 차츰 증량(단일 요법은 약물의 독성 감소, 상호 작용 감소, 부작용의 원인을 명확히 알 수 있게 하는 장점)

③ 약용량의 변경은 서서히 하여야(한 번 변경하는데 대개 5~7일 이상 소요)

④ 1차약 실패시 : 두 번째 약으로 발작 조절될 확률↓, 부작용 나타날 확률↑

⑤ 발작 조절되어도 투약 지속 : 최소한 2년 이상 발작 없고 뇌파가 정상이 될 때까지

⑥ 약물의 혈중 농도 측정 : 유효 치료 농도 결정, 약물 효과 없는 경우 이유 밝히는데 도움, 독성 증상의 원인 설명

⑦ 항경련제 감량은 서서히 진행 : 특히 barbiturate 계열의 약은 갑자기 중단 시 뇌전증 중첩증 초래 가능 → 뇌파를 찍을 목적으로 항경련제를 중단할 필요는 없다.

5) 뇌전증 지속증(Status epilepticus)

  [1] 정의

   ① 발작이 30분 이상 지속되거나 또는 반복되는 발작사이에 의식의 회복이 완전하지 않는 경우

   ② 신경학적 응급 상황

   ③ 동반되는 뇌손상과 사망률 최소화 위해 즉각적, 효과적 치료 필요

  [2] 형태

   ① 전신성 : 긴장 간대 발작, 간대 근경련 발작 또는 결신 발작이 지속

   ② 부분성 : 단순 부분 발작이나 복잡 부분 발작이 지속

  [3] 원인

   ① 지속적인 열성 경련 : 중추신경계 이상(-), 소아(특히 3세 미만)에서 가장 흔한 원인

   ② 특발 뇌전증 지속증 : 중추신경계 이상(-), 항경련제를 불규칙하게 복용하거나 갑자기 중단할 경우 발생(m/c), 수면 박탈시

   ③ 급성 증상 뇌전증 지속증 : 중추신경계의 질병 또는 대사 이상 등이 선행, 이전에 뇌전증 병력 없던 영 · 유아 및 소아에 호발, 예후 나쁨(특히 선행 원인 질환따라 경과의 차이)

   ④ 뇌전증 지속증이 특발 뇌전증의 첫 증상으로 나타나기도

   ⑤ 시기별

    ┌ 신생아기 : 심한 저산소 허혈 뇌병증이나 대사 뇌병증에 의함
    ├ 영아기 : 심한 중추신경계 구조적 이상(무뇌회증, 뇌열)
    └ 소아기 : 중추신경계 감염 질환(뇌염 등)

  [4] 치료

   ※ 치료의 목표

    ① 빠른 시간 내에 발작을 중지 → 발작 자체에 의한 뇌손상 최소화

    ② 장시간 지속되는 발작으로 발생하는 저산소증, 산증, 저혈압 등으로 인한 2차적 뇌손상 최소화

   ※ 응급 치료의 처치 순서

    ① 심폐 기능 평가

    ② 경구 기도(oral airway) 삽입 및 산소 공급호흡 부전 있으면 기관 삽입(intubation)

③ indwelling IV catheter

④ 정맥혈 채취(항경련제의 약물 농도, CBC, Cr, 전해질, 혈당 측정)

⑤ ABGA (PaO_2, HCO_3)

⑥ 50% 포도당액 주사

⑦ 수액(유지 용량) 주사

★⑧ Diazepam 또는 Lorazepam IV : 발작이 멈추지 않으면 20분 이내에 반복 주사

⑨ 발작 멈추면 장시간 지속되는 항경련제 투여하여 재발 방지

⑩ 발작 지속시 phenytoin(주사하는 동안 혈압 및 심전도 모니터링)

⑪ 여전히 계속되면 phenobarbital

⑫ 발작이 멈추지 않으면 paraldehyde나 valproic acid

⑬ 발작 계속되면 전신 마취

[5] 예후

① 최신 소아 ICU의 이용, 적극적인 치료로 신경학적 이상은 현저히 호전

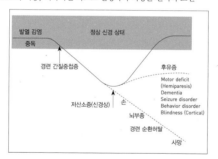

② 사망률은 약 5% – 열성 경련이나 특발성인 경우 낮으나 증후성인 경우 훨씬 높다.

③ 장기적 후유증 – 편마비, 추체외로계 증후군, 지능 발달 지체, 뇌전증 등

열성 경련, 간질 지속증, 급성 뇌병증의 임상 경과 및 합병증

6. 뇌전증과 감별해야 할 유사 질환

1] 호흡 중지 발작(Breath holding spells)

[1] 놀람, 아픔, 불만, 분노 등으로 인하여 갑자기 울기 시작한 아이가 호흡을 정지하게

되면, 그 결과 혈중 산소 농도가 떨어지고 급속하게 뇌의 무산소증이 초래되어 발생

(2) 청색증형(Cyanotic spells)과 창백형(Pallid spells)로 분류

① 청색증형

ⓐ 더 흔하며 일반적 의미의 호흡 중지 발작

ⓑ 야단맞거나 감정적 격양된 아이가 심하게 울다 호흡 멈춤 → 전신적인 청색증, 의식 소실, 느린 맥 발생, 경우 따라 사지의 간대 경련, 반궁 긴장 동반

ⓒ 2세 전후 호발(생후 6개월 이전에는 드물고, 5세 이후 소실)

ⓓ 뇌파 : 정상 소견

ⓔ 치료 : 환자의 부모 안심시키고 과도한 조치 취하지 않도록 교육시킴.

② 창백형

ⓐ 드문 형태

ⓑ 넘어지거나 다쳐서 심한 통증 느낄 때 또는 갑자기 심하게 놀랐을 때 → 호흡 멈추고 의식 잃고 창백, 축 늘어지거나 강직 발작, 느린 맥 동반

ⓒ 뇌파 : 정상 소견

2) 실신(Syncope)

(1) 단순 실신(Simple syncope) : 저혈압 → 대뇌혈류 감소 → 의식 소실

더운 날씨에 오랫동안 서 있거나 통증, 두려움, 흥분 등 → 미주 신경 자극 유발 → 발생

(2) 기침 실신(Cough syncope) : 주로 천식 소아에서, 심한 기침 → 흉강 내 압력 증가, 우심실로 정맥혈 유입 감소 → 심박출량 감소 → 대뇌의 혈류 감소 및 저산소증 → 의식 소실

의식은 수분내 회복되며 기관지 수축 예방이 중요

(3) QT연장 증후군(Prolonged QT syndrome) : 운동, 감정 격양, 스트레스 받을 때 의식 소실

삼실 세동 등 부정맥 동반, 심전도상 QT구간의 연장 관찰

3) 양성 발작 현기증(Benign paroxysmal vertigo)

(1) 유아기에 주로 나타남(만 3세 이후에는 드묾)

(2) 조화 운동 불능과 동반 → 잘 넘어지며 걸으려 하지 않음.

(3) 눈떨림, 구역 또는 구토 동반 가능, 의식은 정상

(4) 신경학적 검사 상 전정기관 기능 검사 제외하면 정상

(5) 치료 : 증상 심한 경우 diphenhydramine 5mg/kg/일 투여

4) 야경증(Night terrors)

　(1) 소아의 약 1~3%, 5~7세경 남아에 호발

　(2) 자정~새벽 2시 빈번(수면 3~4기 상태에서 갑자기 발생)

　(3) 갑자기 잠에서 깨어나 소리 지르고, 몹시 놀란 듯 보이며, 동공 확장, 빠른 맥, 과다
　　　호흡 등이 동반

　(4) 말은 거의 하지 않음, 거친 몸부림, 주위 사람 알아보지 못 함, 쉽게 진정 안 됨 → 수
　　　분 지나면 다시 잠듦 → 다음 날 기억 못함.

　(5) 1/3 정도에서 몽유병 동반

　(6) 치료 : 일시적 현상, 심할 경우 diazepam 또는 imipramine 단기 사용

5) 몸서리 발작(Shuddering attacks)

　(1) 4~6개월경 시작 → 6~7세까지 지속

　(2) 목과 동체 굴곡하고 갑자기 떠는 것 같은 발작, 하루에도 빈번

　(3) 치료 필요하지 않음.

6) 기면증/허탈 발작(Narcolepsy/cataplexy)

　(1) 기면증 : 낮시간에 발작적으로 억제할 수 없는 수면에 빠지는 현상

　　　청소년기 이전에는 드문 질환

　　　일시적인 근긴장도의 소실(허탈 발작) 동반되기도

　　　치료 - modafinil

7) 분노 발작(Rage attacks, Episodic dyscontrol syndrome)

　(1) 사소한 자극에도 행동 조절 못하고 미친 사람처럼 갑자기 발로 차거나 할퀴거나 물어
　　　뜯는 거친 행동을 반복적으로 보이는 질환

　(2) 복합 부분 발작과 감별 : 발작 당시 뇌파의 정상 소견

8) 정신성 비뇌전증 발작(Psychogenic nonepileptic seizures)

　(1) 주로 10~18세, 남자<여자, 뇌전증의 과거력이나 현재 뇌전증 있는 환자에게 호발

　(2) 자세 부자연스럽고 언어적 측면 강함, 특징적이지 않은 강직·간대성 움직임.

　(3) 청색증(−), 대광반사 정상, 팔약근 기능 정상, 혀 깨물거나 상해를 입는 일 없음.

9) 떨림(Jitteriness)

　　(1) 신생아 · 영아에서 관찰될 수 있는 사지의 빠른 떨림

　　(2) 각성시 자극에 의해 유발, 떨리는 팔 또는 다리를 잡아서 약간 굴곡시키거나 위치 변화시키면 정지

　　(3) 대부분 자연적 감소 · 소멸, 정상적 신경 발달

　　(4) 중추신경계 기능이상(저산소 허혈 뇌병증, 대사 뇌병증, 뇌출혈) 의한 신생아기 심한 떨림 → 이후의 발작 발생 빈도 높음.

10) 수면 근간대 경련(Sleep myoclonus)

　　(1) 영 · 유아의 수면 중 관찰되는 사지 및 동체의 빠르고 강한 간대성 움직임, 양측성, 비대칭적

　　(2) 수면 전 시기에 관찰, 여러 번 군집 이루어 발생 가능

　　(3) 뇌전증 발작과의 감별점 : 지속되지 않음.

　　(4) 뇌파 : 정상 소견

　　(5) 치료 : 필요하지 않음, 심할 경우 benzodiazepine 계열 약물

#뇌전증을 일으키는 대사성 질환

infant	청소년기	초기 성인기	고령기
저혈당 저 Ca 혈증 저 Mg 혈증 pyridoxine 결핍	알코올 금단	alcoholism	uremia 간 부전 전해질 불균형 저혈당성 alcoholism

	부분 발작 (Partial seizure)			전신 발작 (Generalized seizure)			부분 발작 (Partial seizure)			미분류형
	단순 부분 발작 Simple partial	복합 부분 발작 complex partial	2차성 전신화 발작	결신 발작 소발작 Absence	근긴대성 발작 MyoClonic	강직간대/긴대 강직(긴장)-간대 Tonic Clonic Tonic-Clonic (GTC)	발작 발작 무긴장 발작 Atonic	영아 연축 Infantile Spasm	Lennox-Gastaut 증후군	
발병 부위		④측두엽 ②MRI상 hippocampa sclerosis								
특징	①흫이 전면 : 앙쪽 부분발작시 + 중심앞고랑 spike ②연령:3~13세 ③수면-수면 중 ④소실 :15세경	○	○	①40%, 가족력 ②연령:5~10세 ③뇌의 기능적 병변은 없음 ④뇌기능 장애 없음	AR	①가장 심한 발작형 ②강직성 근수축 → 시지 간헐적 클로		①몸이 더앙 ②연령:생후 3~8Mo, 연령-낮은-지속 ③자동발달 지체 반드 ④3세가 지나면 다른 형태로 변함 → L~G 증후군	①난치성 ②연령:2~4세 ③예후 나쁨-지능 발달 지체	
의식 변화	x	○	○	멍한 상태			x			
진전	x	○	○			○		x		
증상	발작 부위에 따라 다름	①Aura ②Automatism ③의식 변화 ④Amnesia		①눈을 고정 뜨고 깜박 ②눈꺼풀(깜박) ③입맛 다심 ④반복 모양	①아침에 양쪽(비대) 간대스런 불수의적근 수축 ②주로 상지 굴근 수축	(강직기): 호흡근의 지속적 수축 / (간대기): ①혀 깨물 ②요실금 / (후발작): 대스런 실금 거음	갑작기 muscle tone의 상실로 넘어짐 / 머리 떨어뜨림	잠에서 깬 직후에 갑자스런 수축 (앞/뒤로 굽힘)	① multiple seizure type ②강직 발작 ③비전형적 결신(아침에 잦음)	
뇌전 증상	x				발작 후 졸음 없음		x			
지속 시간		1분 <		< 2~10초	1~3초		1~5초	1~3초		
EEG	중심피질부 부위에 고진폭의 서파 High pitch Slow wave			3Hz spike & wave	multiple spike & slow wave complex (다극서파)	Multiple spike complex (다극파) / spike & slow (극서파)		고부정빈파 Hypsarrhythmia / 불규칙적 다양한 형태의 고진폭 서파+multifocal asynchronous spike + short wave	①발작 잦기 : 1~2.5Hz의 느린 극서파 or 예서파 ②수면 : 고진폭의 빠른 파	
				3-6Hz spike & poly-spike & slow wave						
치료	①Carbamazepine ②Phenytoin ③Valproate ④phenobarbital ⑤primidone ⑥Gabapentin ⑦Lamotrigine			①Ethosuximide ②Clonazepam ③Ethosuximide	①Valproate ②Clonazepam ③Ethosuximide	①Valproate ②Clonazepam ③Phenytoin ④Phenobarbital ⑤Primidone	①Valproate ②Clonazepam	ACTH	난치성	

IV 정신지연(Mental retardation)

1. 정의

평균 이하의 지적 지능과 적응 기능 장애가 있으며, 이러한 장애들이 18세 이전에 나타나는 것, 또한 지능지수가 70 이하이며, 동시에 1)인지기술 2)신변처리방법 3)생활기술 중한 가지영역에서 평균보다 2 표준편차 이상 떨어지는 것

2. 진단

(1) 인지 기능의 평가 : Wechsler 개인 지능 검사, 비네 지능 검사, 그림 지능 검사, 인물화에 의한 간편 지능 검사(drawing 검사)

(2) 적응 행동의 평가 : 사회 성숙도 검사

(3) 정서, 행동 문제의 평가 : 아동 행동 조사표

3. 분류

정신지연의 분류		
정도	지수	교육 및 훈련 가능성(기대 수준)
경증(mild)	50–55~70	교육가능(초등 3학년~중 1학년 수준)
중등증(moderate)	35–40~50–55	훈련가능(유치원~초등 3학년 수준)
중증(severe)	20–25~35–40	훈련가능(유치원 수준)
최중증(profound)	<20–25	보호

4. 원인

✛ 정신지연의 원인 또는 동반 질환

출생 전

1) 유전 질환 :
  (1) 염색체 이상 : 다운증후군, Trisomy 13, 21, Cri-du-chat 증후군, Prader–Willi, Klinefelter, Turner, XYY, Fragile X, Williams 증후군, Rubinstein–Taybi 증후군
  (2) 결절 경화증, 대사 질환, Rett 증후군
2) 기형 : 전전뇌증, 무뇌회증
3) 약물 : 태아 알코올 증후군, 태아 hydantoin 증후군
4) 선천 감염 : 풍진, HIV, Cytomegalovirus, *Toxoplasma* 감염

출생 전 후기

1) 감염 : 수막염
2) 저산소 뇌병증
3) 분만 손상, 미숙아, 고빌리루빈혈증, 저혈당증

출생 후

1) 감염 : 뇌수막염, 뇌염
2) 납중독, 뇌혈관질환, 뇌종양, 외상
3) 불우한 환경 : 빈곤, 가정 파탄, 아동 학대

5. 치료 및 예방

(1) 정신지연 자체에 대한 특별한 치료법이 없다.

(2) 치료의 목표 : 가능하면 독립적인 일상생활을 할 수 있게 해 주는 것

(3) 교육과 훈련 : 특수 교육자, 치료사, 학교를 포함하여 부모, 의사 등에 의해서 협동적
으로 행해져야 함.

(4) 예방이 중요 : 예방접종, 산모의 약물남용방지 및 출생 전 진찰, 출생 후 갑상샘 저하
증이나 대사 질환을 조기 발견, 치료환경개선

V 소아 두통(Pediatric Headache)

1. 진단적 접근

1) 급성 두통

(1) 간단한 약물로 치료가 되는 경우 : 상기도감염, 부비동염, 인두염 등

(2) 위험한 경우 : 수막염, 뇌종양, 두개 내 출혈 등

2) 만성 진행 두통

(1) 두통 형태 중 가장 안 좋음.

(2) 두개내병변(뇌종양, 수두증, 뇌혈관 기형, 뇌 거짓 종양)을 의심 → 방사선 검사 등으로 확인

3) 급성 반복 두통

편두통, 긴장성 두통, 군발 두통, 턱관절 장애로 인한 두통 등

4) 만성 비진행 두통

(1) 만성 매일 두통이 해당

(2) 만성 두통 : 특별한 약물 복용 없이 3개월 이상 동안에 한 달에 15일 이상 두통 발생

5) 혼합형 두통

만성 비진행 두통에 편두통이 혼재되었을 때

2. 분류

1) 두통

┌ 일차 두통(약 90%)

└ 이차 두통

✚ 소아기 재발 두통의 원인(by ICHD-II)

1) 원발 두통 : 약 90%
  (1) 편두통 : 무전조 편두통, 조짐 편두통, 편마비 편두
      통, 기저 편두통, 합병 편두통
  (2) 긴장형 두통
  (3) 군발 두통과 다른 3차-자율신경 두통
  (4) 기타 일차 두통

2) 이차 두통 : 약 10%
  (1) 두경부 외상 : 경막하 혈종, 뇌진탕 증후군
  (2) 뇌혈관질환 : 동정맥 기형, 뇌경색증, 뇌출혈

(3) 비혈관질환 : 뇌종양, 수두증, Chiari 기형(type I)
(4) 음식 알레르기, 독극물, 약물 : 일산화탄소, 중금속
(5) 감염 질환 : 수막염, 뇌염, 뇌종양, 기생충 질환
(6) 항상성(homeostasis)이상 : 고혈압, 수면무호흡 증
    후군
(7) 목, 눈, 귀, 부비동, 이, 경부 구조물의 질환 : 부비동
    염, 눈 굴절이상(refractive error), 측두하악골 접합
    부전(temporomandibular joint disorder)
(8) 정신증 장애로 인한 두통
(9) 뇌신경통과 중추성 원인의 안면통

---

3. 편두통(migraine)

1) 편두통의 분류법

  (1) 무조짐 편두통(Migraine without aura)

    m/c 형태(60~85%), aura(-)

    *진단 : 다른 질환과 관련이 없고 아래 ①~③ 항목에 적합한 두통이 적어도 5번 이상
        발작이 있을 때

    ① 1~72시간 지속되는 두통이면서

    ② Ⓐ 편측(소아는 양측도 가능)

      Ⓑ 중등도 또한 심한 정도의 두통

      ⓒ 박동성

      Ⓓ 일상 생활 움직임에 더 악화되는 두통 중에서 2가지 이상의 특징이 있고

    ③ Ⓐ 구역 또는 구토

      Ⓑ 빛 공포증과 소리 공포증 중에서 한 가지 이상 동반 증상이 있는 두통

  (2) 조짐 편두통(Migraine with aura)

    ① 편두통의 14~30%

    ② 완전 가역 시각 조짐(m/c), 감각 조짐 또는 언어 장애 중 한 가지 이상의 조짐 증상

2) 치료 : 약물요법 – 보존적 요법

  (1) 규칙적인 생활 습관, 특히 일정한 시간에 자고 일어나거나 식사를 거르지 않는 노력
      등이 중요

[2] 약물요법

  Ⓐ 급성기 치료약 : ibuprofen, acetaminophen, naproxen sodium, 트립탄 제제(5HT 수용체에 작용)

  Ⓑ 예방 요법 : 일주일에 2회 이상 약물이 필요한 발작일 때

    amitriptyline(항우울제), propranolol(베타차단제), cyproheptadine(세로토닌 길항제), valproate 또는 topiramate(항경련제)

[3] 약물에 치료 잘 안되는 경우 – 불안증, 우울증 등 다른 질환 동반 여부 확인

4. 긴장형 두통(Tension type headache)

[1] 소아 및 청소년의 반수 이상에서 보임

[2] 보통 30~72분 정도 지속

[3] 누르거나 조이는 통증, 머리의 양쪽 통증, 경도~중등도의 두통 호소

[4] 편두통에서 빈번한 증상인 복통, 구역, 구토, 어지러움, 시각 장애는 낮은 빈도

[5] 머리뼈를 둘러싸고 있는 근육과 경부 근육 눌러보면 통증(두개 주변 압통 : pericranial tenderness) 호소

[6] 동반질환(학교 공포증, 우울증, 불안증 등) 검사해야 함.

[7] 치료 : 긴장 이완 요법, 생체 되먹임 치료, 약물 투여(acetaminophen, amitriptyline)

#두통의 치료 비교

	편두통		긴장성 두통	군발 두통		삼차 신경통
증상	① 전두부 / 측두부 ② 심하게 쑤시는 박동성 두통 ③ 메스꺼움, 구토 동반 가능		① 양측 후두부 / 경부 / 측두부 / 두정부 ② 찌르는 듯한 통증 ③ 저녁에 심해지는 둔한 압박감	① 안구주변 / 측두부 ② 밤에 머리가 깨질 듯한 극심한 통증		① 두경부 : 코 / 입 주변 ② 전기가 흐르는 듯한 통증 ③ 날카롭고 찌르는 듯함
치료 및 예방	예방	치료	① 마사지 ② 근이완 ③ 불안치료제 ④ 항우울제	예방	급성기	① Carbamazepine ② 기타 항뇌전증제 ③ 수술 · 미세혈관 감압술 · 고주파 신경절 차단술
	① BB : Propranolol ② CCB : Flunarizine Verapamil ③ TCA : amitriptyline ④ 항뇌전증제 : valproic acid	① 트립탄계 약물 : Sumatriptan ② NSAIDs / Aspirin / Acetaminophen ③ Ergotamine ④ 진토제 : Metoclopramide ⑤ 스테로이드		① 스테로이드 ② Verapamil ③ 리튬 ④ Methysergide ⑤ Topiramate	· 100% 산소 · 손무릎+앉아서 발을 봄 · 트립탄계 약물	

VI 뇌성마비(cerebral palsy)

1. 정의

발달 및 성숙 과정에 있는 뇌에 여러 가지 원인의 병변이나 기형이 생겨 2차적으로 운동
장애와 자세 이상을 보이는 비진행성(신경학적양상은 시간이 지나면서 바뀌고 진행하는
경우도)의 대뇌 기능 장애이며, 정신지체, 뇌전증, 언어 장애 등이 흔히 병발하는 질환

2. 빈도

출생아 1,000명 당 3.6명(만성 운동 장애 중 m/c)

3. 원인

[1] 대부분의 뇌성마비 어린이가 만삭으로 합병증 없이 출생

[2] 대부분의 뇌성마비가 만삭인 상태에서 분만 시 특별한 문제 없이 출생하지만, 80%의
환자에서 비정상적인 뇌 발달의 원인이 되는 출생 전 인자가 확인됨. 이러한 인자로
중추 신경계의 선척적 이상을 가지고 있는 경우가 많으며, 10% 미만에서 분만 시 질
식을 경험한다.

[3] 기타 위험 인자 : 모체의 자궁내 감염(융모양막염, 태반막의 감염, 탯줄의 염증, 악취
가 나는 양수, 산모의 패혈증, 출산시 38℃ 이상의 체온, 요로 감염)은 정상 몸무게로
출생한 영아들에서 뇌성마비 위험성 현저히 증가시킴

[4] 출산시 받은 뇌실 출혈, 경막하 출혈, 뇌조직 내출혈과 산전 중추신경계 감염, 신생아
과빌리루빈증

[5] 대부분 정확한 원인을 알 수 없다.

4. 증상 및 분류

뇌성마비의 분류와 중요 원인		
중요 증후군(%)	신경 병리	중요 원인
강직 양측 마비(35%)	뇌실주위 백색질 연화증 뇌실주위 낭종 또는 백질의 흉터 뇌실의 팽창, 후 뇌실의 사각화	미숙아 허혈 감염 내분비/대사(예 : 갑상샘)
강직 사지 마비(20%)	뇌실주위 백색질 연화증 다낭종 뇌연화증 겉질 기형	허혈 감염 내분비/대사 유전/발달
편마비(25%)	뇌중풍 : 자궁 내 또는 신생아 국소 경색 또는 겉질, 겉질밑 손상 겉질 기형	혈전 장애 감염 유전/발달 뇌실주위 출혈 경색증
추체외로(15%) (무정위 운동, 운동 이상증)	질식 : 피각과 시상의 대칭적 흉터 핵황달 : 담창구, 해마의 흉터 사립체 : 담창구, 꼬리, 피각, 뇌간의 흉터 병변이 없는 경우 : 도파–반응 근육 긴장 이상이 아님	질식 핵황달 사립체 유전/대사

1) 강직 편마비(Spastic hemiplegia)

마비된 쪽의 자발적 움직임이 감소, 매우 일찍부터 한쪽 손만 사용

(1) 병이 있는 반대쪽 하지의 운동이 미약하여 그쪽을 저는 증상

(2) 마비된 쪽의 발목의 강직으로 인하여 발이 내번, 발끝으로 걷는다.

(3) 심건 반사 항진, 발목 간대와 Babinski 징후가 출현

(4) 마비가 온 반대쪽 뇌 손상부위의 위축이나 뇌손상의 소견이 흔하게 발견됨.

2) 강직 양측 마비(Spastic diplegia) : m/c

(1) 양 하지의 강직 현상, 심건 반사 항진

(2) 겨드랑이에 손을 넣고 안아 올리면 하지가 뻣뻣, 가위처럼 하지가 교차

(3) 발목 관절이 지나치게 뻗치는 양상(extension), 발은 점내 반족의 형태, 발끝으로 걸음

(4) 운동 부위인 전두부에 또는 뇌실 주위에 뇌 연화 현상이나 전두부에 cortical atrophy 양상
지적 발달이 정상인 경우는 예후가 좋으며 가장 흔한 신경 병리학적 소견은 뇌실 주위
벽질 연화증

3) 강직 사지 마비(Spastic Quadriplegia)

(1) 뇌성마비중 가장 중증 : 심한 운동 장애 + 정신지체 및 뇌전증

(2) 상지의 강직은 4개월이 지나서야 나타남.

⑶ 쥐는 반사가 소멸되지 않아 손은 쥐고 있는 상태로 강직을 나타냄.

⑷ 하지의 경우 walking reflex와 stepping reflex가 불확실하거나 소실

⑸ 운동 발달의 지연, 양측 ankle clonus와 심건 반사 항진

⑹ 이후에 하지의 강직과 함께 발끝으로 걷는 증상, 가위처럼 하지가 교차되는 증상

⑺ 빈번한 뇌전증 발작, 전체적인 발달의 지연 동반되므로 인지나 시신경, 청신경등 운동신경 외에 다른 신경 발달 상태를 면밀히 관찰해야 한다.

⑻ 연하 장애가 흔함 → 흡인 폐렴

⑼ 가장 흔한 병변 : 뇌실주위 백색질 연화증, 다낭종 겉질 뇌연화증

4) 아테토이드 뇌성마비(Athetoid cerebral palsy)

⑴ 무도무정위 운동, 추체 외로 뇌성마비로 불리기도 함.

⑵ 고빌리루빈혈증의 적극적 관리와 핵황달 예방으로 인해 발생 빈도 낮아짐.

⑶ 발달 지연과 더불어 1세때 증상 발현이 현저하여 균형과 근긴장의 정도에 상애를 초래

⑷ 보행 장애, 구음장애, 손발 뒤틀림.

⑸ 정신지체는 일으키지 않는다.

5. 진단

⑴ 면밀한 병력, 신체 검사 및 신경 검사, 뇌 자기 공명 영상 등으로 진단

⑵ 주기적으로 운동 능력 외에 언어, 청각, 시각, 지능의 발달 및 정서장애에 대한 검사 시행해야 함

⑶ 선천 기형이나 대사 질환이 있는 환자에서는 유전 검사도 고려

6. 치료

⑴ 조기 물리 치료 : Vojta exercise

⑵ 보조기 착용

⑶ 특수 교육

⑷ kernicterus에 대한 예방, 저체중에 대한 적절한 care

VII 중추신경계의 발달 이상

신경관의 형성과 중추신경계의 분절 과정

1. 중추신경계의 발달

- 신경관(neural tube)형성
- 신경관 분절(segmentation)
- 신경세포 증식(proliferation)
  이주(migration) 및 조직화(organization)

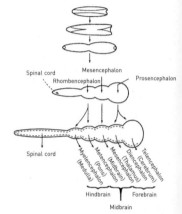

1) 신경관(Neural tube)의 형성

　(1) 무뇌증(anencephaly)

　(2) 뇌류(encephalocele), 척수류(myelocele), 척수
　　　수막류(myelomeningocele), 척추 갈림증(spina
　　　bifida), tethered cord, dermal sinus

　(3) Chiari 기형 : 뇌간의 하부와 소뇌가 대공
　　　(foramen magnum) 속으로 들어가 뇌탈출
　　　(herniation)의 소견이 나타나는 신경관 이상

신경관의 형성과 중추신경계의 분절 과정

2) 신경관의 분절(segmentation)

　통앞뇌증(holoprosencephaly) : 분할의 결합정도에 따라 심한 것부터 alobar, semilobar, lobar 형

3) 신경세포의 증식(Proliferation), 이주(migration) 및 조직화(organization)

　(1) 임신 2~4개월 : 뇌실부위와 뇌실밑 부위에서 신경상피 줄기세포로부터 신경세포와
　　　아교세포 증식

　(2) 임신 2~5개월 : 방사아교세포에 부착되어 대뇌 및 소뇌의 예정된 부위로 이주

　(3) 태생 5개월~출생 후 수년 : 겉질 신경세포의 배열, 가지 돌기와 축삭의 분지, 시냅스
　　　형성, 아교 세포의 증식과 분화, 말이집 형성 등의 조직화 과정

2. 신경관 결합

　(1) 숨은 척추갈림증(Spina bifida occulta) : 척추 중간선의 결합은 있지만 척수나 수막의 탈
　　　출이 동반되지 않은 상태

(2) 수막류, 수막척수류, 뇌류(Meningocele, meningomyelocele, encephalocele)

  ① 수막류 : 척추 수막류는 척추 뒤쪽의 결함으로 수막이 탈출한 상태로 척수는 대개 정상

  ② 수막척수류 : 척추의 dysraphism 중 가장 심한 형태

  ③ 뇌류 : 수막 주머니 안에 대뇌겉질, 소뇌 또는 심한 경우 뇌줄기의 일부까지 들어 있는 상태

3. 대뇌겉질 발달 기형

(1) 뇌이랑 없음증(Lissencephaly, agyria)

(2) 뇌갈림증(Schizencephaly)

(3) 신경세포 이소증(Neuronal heterotopia)

(4) 다소뇌회증(Polymicrogyria)

(5) 국소 겉질 형성 이상(Focal cortical dysplasia)

(6) 공뇌증(Porencephaly)

4. 뇌신경 무발생 및 후두와 발생 장애

(1) Marcus Gunn 현상 : 입과 턱으로 빠는 동작을 할 때 동시에 눈이 깜박여지는 현상

(2) Möbius 증후군 : 양쪽 얼굴 신경과 가돌림 신경의 무발생

(3) Chiari 기형 : 소뇌의 편도가 대공을 통하여 탈출한 상태

(4) Dandy-Walker 기형 : 제4뇌실의 포낭성 확장, 소뇌 충부의 형성 저하 등

(5) 거미막 낭종 : 실비우스 틈새에 호발

(6) Joubert 증후군 : 소뇌 충부 형성 저하가 있으면서, 근긴장 저하, 운동실조, 특징적 호흡 이상

5. 수두증(Hydrocephalus)

선천성 혹은 후천성으로 뇌척수액이 과량으로 저류되어 뇌실계의 확대, 뇌압 항진된 상태

1) 발생 기전에 따른 분류

  (1) 비교통 수두증(obstructive, non-communicating hydrocephalus)

  ① 뇌실 내에서 폐쇄로 인하여 뇌척수액 순환 장애 생긴 경우

  ② 수도관 협착과 아교세포 증식, Chiari 기형, Dandy-Walker 증후군, Galen 정맥 기형, 뇌척수액 통로의 종양, 낭종 등에 의한 수두증

(2) 교통 수두증(non-obstructive, communicating hydrocephalus)

　① 거미막밑공간 속에서의 뇌척수액 흡수장애로 발생

　② 두개 내 출혈, 세균 혹은 육아종 수막염의 후유증으로 생긴 수두증

(3) 수액의 과도한 분비

　① Choroid plexus papilloma

2) 증상

(1) 2세 이전 소아(두개골 봉합 폐쇄 이전)

　① 두위가 비정상적으로 커지고

　② 봉합 넓어지고

　③ 앞숫구멍(anterior fontanel) 확대

　④ cracked pot sound (Macewen sign) : 앞숫구멍 부위의 머리뼈를 두드리면 깨진 항아리 소리가 남

　⑤ 두피 정맥 확장

　⑥ 이마는 얼굴보다 더 돌출

　⑦ setting sun phenomenon : 이마는 얼굴보다 더 돌출되고 안구는 밑으로 내려와 그 모양이 해가 질 때를 연상하게 함.

　⑧ 뇌의 위축 진행에 따라 사지의 강직성 변화, 운동 정신 발달의 지연

　⑨ 수두증이 빠르게 진행시 구토, 기면, 경련

(2) 2세 이후 소아

　① 비특이적 뇌압 상승 증상(두통, 구토, 기면 등) + 수두증을 유발한 원인 질환에 의한 국소 신경 증상

　② 가쪽뇌실 확장 시 하지 강직성 마비

3) 검사 소견

(1) 단순 두개골 X선 검사 - 12세 이전 소아에서 digital marking, 봉합선 개방

(2) 투광 시험(transillumination) - 신생아나 영아에서 진단에 도움.

(3) 초음파 스캔 - 앞숫구멍 닫히기 전 소아에서 진단, 진행 여부의 추적, 관찰에 도움됨 특히 신생아의 두개내 출혈, 세균 수막염시 유용

(4) 뇌CT, MRI - 진단에 가장 도움.

4) 감별진단

(1) 큰머리증(macrocephaly)

(2) 무뇌수두증(hydranencephaly)

(3) 뇌 위축과 동반된 뇌실의 확장

5) 치료

(1) 종양, 낭종 – 수술로 폐쇄부위 제거

(2) 대부분 뇌척수액 순환을 bypass하는 shunt 수술 – ventriculoperitoneal shunt가 m/c

(3) 반복적 척수 천자, acetazolamide 투여 – 제한적 경우에 일시적 치료

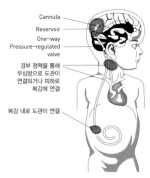

Ventriculoperitoneal shunt에 의한 수두증의 치료

6) 예후

(1) 평균 지능 낮고 여러 가지 발달 이상(기억력의 장애, 사시, 시공간 지각력의 장애, 시야 결손 등) 나타날 수 있음.

(2) 치료하지 않았을 경우 1년 이내에 50%, 10년 이내에 75% 사망

(3) 수술 하는 경우 90%가 생존, 생존자의 2/3가 정상 혹은 정상에 가까운 지능

(4) 지능, 신경학적 예후는 수두증의 원인, 심한 정도, 동반된 기형 유무 등에 좌우됨.

6. 피부 신경 증후군(Neurocutaneous syndrome)

중추신경계나 피부는 모두 외배엽 기원→ 외배엽의 분화 과정에 결함 생겨서 특이한 피부 증상이 나타나는 선천성 이상이 신경계의 이상과 동반되는 경우를 말함.

★1) 결절 경화증(Tuberous sclerosis)

★※ Triad : 경련, 지능 장애, 피지샘종

(1) 유전 양상 : AD(상염색체 우선)

(2) 병리 소견 : 겉질과 뇌실막밑(subependyma)에 경화된 결절

→ 결절은 석회화되고 뇌실내로 돌출하여 Monro 공을 폐쇄시켜 수두증 유발하기도

(3) 피부 소견

① 색소 탈실반(depigmented nevi) – 가장 먼저 관찰할 수 있다. : 출생시 또는 영아기에 다양한 크기의 흰색 점, 몸통 · 사지에 흔히 보임

② 피지샘종 – 가장 특징적 소견 : 4~6세경 나타나기 시작, 처음에는 코, 뺨 등에 작고 붉은 구진의 여드름 모양의 다발성 발진 형태 → 점차 크기와 숫자 증가하고 합쳐짐

③ periungual fibroma(손톱주위 섬유종)

④ Shagreen patch – 등, 허리, 둔부에 오렌지 껍질 같은 느낌

⑤ cafe–au–lait반, 백반

(4) 중추신경 증상

① 어린 영아 –영아 연축

② 연장아 – 초점 경련, 대발작

③ 경련이 일찍 나타날수록 지능 장애 가능성 크다.

④ 증상 발현의 정도 다양(약 40% – 정상 지능)

(5) 안저의 이상 : 오디모양(mulberry) 종양, 별아교세포의 증식에 의한 과오종(hamartoma)

(6) 좌심실 내 횡문근종

(7) 신장, 폐에 혈관근 지방종(angiomyolipoma)

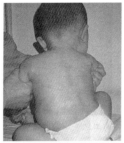
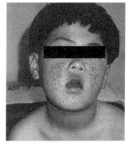

(a) 색소 탈실반 : 영아 연축을 보인 6개월 남아의 요
추부 바깥쪽 둔부 피부에서 관찰되는 색소 탈실반

(b) 피지샘종 : 10세 남아의 안면

결절성 경화증의 피부 소견

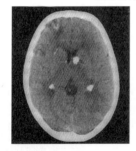
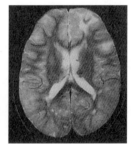

결절성 경화증

[8] 진단 : brain CT, MRI, 복부 초음파, 심초음파, 피부 및 안저 검사 등이 필요
　① 얼굴의 피지샘종, 손톱주위의 섬유종, 뇌겉질의 결절이나 뇌실막밑 과오종, 안저
　　의 다발과 오종
　　　→ 이중 하나 이상 소견이거나
　② 영아 연축, 색소 탈실반, 샤그린 반점, 안저의 과오종, 뇌실 내 혹은 뇌실 주변의
　　결절 석회 침착, 양측 신장의 혈관근 지방종, 심장의 횡문근종
　　　→ 이중 두 가지 이상의 소견을 보이면 진단 가능

[9] 치료

대증 요법이 주된 치료 : ① 뇌전증 발생 시 항경련제(영아 연축 시 vigabatrin)

② 지능 장애 동반 시 특수 교육

③ 종양 발생 시 외과적 치료

	Sturge—Weber syndrome	Tuberous sclerosis
유전 양상	유전병 아님	AD 유전
뇌 병리 소견	① rail-road 모양 ② intracranial 석회화 ③ 비정상적 혈관 조영 증강 ④ 뇌위축	① 피질의 회백질을 따라 sclerotic patch ② 뇌실 주변부 석회화
주요 증상	① 뇌전증 ② MR : 저증강 ③ 반신마비	① 뇌전증 ② MR : 저 증강 ③ 피지 선종
피부 병변	Portwine nevus (CN 5 위치)	① 탈색 모반 ② 피지 선종 ③ 손톱 주변부 섬유종 ④ 샤그린 반점 ⑤ 담갈색반점(밀크색 커피 반점)
동반 증상	① 눈 : 우안(소눈증) 녹내장 ② face : facial angioma	① 눈 : 안저 hamartoma(과오종) ② 뇌피질 : 결절 subependymal hamartoma ③ 신장 : angiomyolipoma ④ 심장 : Rhabdomyoma

2] 신경섬유종증(Neurofibromatosis)

뇌의 발생 초기에 neural crest가 분화, 이주하는 과정의 이상
으로 발생

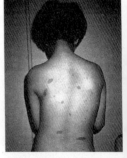

[1] 제1형(Recklinghausen병, 85%)

① cafe-au-lait, 다발 신경섬유종, Lisch 소결절

② 신경 피부질환 중 가장 빈도가 높은 질환

③ AD 유전

④ cafe-au-lait은 전신의 피부 특히 등, 흉부, 사지의 굴측
에 호발

⑤ 신경섬유종은 말초 신경 주행경로에 호발, 척수 자율신
경과 뇌신경에서도 발생

⑥ 수두증은 드물다.

신경섬유종증의 피부 소견(여아 14세)
다발성 담갈색 반점(cafe-au-lait spots)반이 환아
의 등에서 관찰되며 척추 측만증의 소견도 보인다.

⑦ 진단기준

 Ⓐ cafe-au-lait반 6개 이상(사춘기 이전이면 최대 직경 5mm 이상, 사춘기 이후면 최대 직경 15mm 이상)

 Ⓑ 겨드랑이와 서혜부의 주근깨(freckling)

 Ⓒ 시각 신경 신경아교종

 Ⓓ 둘 이상의 신경섬유종 또는 하나의 plexiform neuroma

 Ⓔ 접형골의 형성 이상이나 장골의 겉질이 얇아지는 등의 골병변

 Ⓕ 2개 이상의 Lisch 소결절

 Ⓖ 가족력

  → 이중 2개 이상 항목 시 진단 가능

⑧ 뇌종양 발생 빈도 높으므로 정기적 CT, MRI 검사 필요

[2] 제2형

 ① 전체 신경 섬유종증의 10%

 ② 진단기준

  Ⓐ 양측 제8뇌신경의 종괴(acoustic neuroma)

  Ⓑ 일측 제8뇌신경의 종괴를 가진 환자로서 제2형 신경 섬유종증을 가진 부모, 형제, 자식 있는 경우

  Ⓒ 신경 섬유종, 수막종, 교종, 신경아교종, 신경집종, 연소형 후피막하 수정체 혼탁

   → 이중 2가지 이상 시 진단 가능

[3] 치료는 1,2형 모두 증상에 대한 대증 치료

3) Sturge-Weber 증후군

한 쪽 안면의 제5뇌신경 분포 영역에 portwine nevus가 넓게 생기고, 경련, 반신 마비, 뇌 석회 침착, 지능 장애가 나타나는 질환, 초기 대뇌 혈관계의 발생 이상 질환

[1] 임상 특징

 ① 경련(대개 1세 이전) : 뇌의 혈관종이 관찰되는 반대쪽 얼굴이나 사지에 나타나는 국소 강직간대 발작

 ② 진행성의 반신 마비, 지능 장애

 ③ 소눈증(buphthalmos), 녹내장(glaucoma)

 ④ 얼굴 - portwine nevus / facial angioma

[2] 검사 소견

 ① 두개골 X선사진 - 두 줄 모양의, 마치 구불구불한 철길처럼 보이는 석회화

　② 뇌CT 스캔 - 뇌실질 내의 석회화, 석회 침착의 부위, 뇌피질 위축, 뇌실 확대 등의
　　소견
　③ 뇌MRI - 비정상적인 혈관종의 조영 증강, 뇌 위축
(3) 예후 : 뇌 및 눈에서 발생한 병변의 침범 정도와 범위에 따라 결정
(4) 치료
　① 약물치료 - 뇌전증 발작 조절(항경련제)
　② 외과적 치료 - 혈관종의 외과적 절제, 대뇌 반구 절제술
　③ 발달 장애 - 특수 교육
　④ 피부 병변 - 레이저 치료

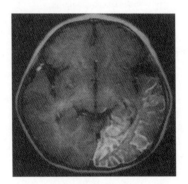

Sturge-Weber 증후군의 MRI 사진
조영증강 병변이 관찰된다.

중추신경계의 유전 대사 질환

1. 중추신경계의 장애를 초래하는 유전 대사 질환

1. 복합 분자(Complex molecules) 질환
   • 용해소체 축적병 : 지질 및 당단백질 대사 장애
   • 과산화소체 질환
   • 당화 장애

2. 소분자(Small molecules) 질환
   • 아미노산 대사 장애
   • 아미노산 운반 장애
   • 유기산 혈증

3. 에너지 대사 장애
   • 탄수화물 대사 장애
   • 지방산 산화 장애
   • 사립체 질환

4. 기타
   • 금속 대사 장애
   • 핵산 대사 장애

2. 대사성 질환이 의심되는 경우

[1] 정신지체나 비정상적인 신경학적 증상이 형제나 가까운 친척에게 있는 경우

[2] 영아에서 설명할 수 없는 반복적인 구토나 의식의 변화가 있는 경우

[3] 반복적인 운동실조 증상이나 경직

[4] 중추신경계의 퇴행성 증상

[5] 다른 이유를 찾을 수 없는 정신지체의 경우

IX 퇴행 뇌질환

✦ 퇴행성 뇌질환

1) 뇌회질의 변성(Degenerations of cerebral gray matter)
Neuronal ceroid lipofuscinosis
GM2 gangliosidosis
영아형 Gaucher 병
Mucopolysaccharidosis

2) 뇌백질의 변성(Degenerations of cerebral white matter)
Adrenoleukodystrophy
Metachromatic leukodystrophy
Krabbe 병
Pelizaeus–Merzbacher disease
Multiple sclerosis

3) System degenerations
Friedreich ataxia
Ataxia–telangiecasia
Wilson병
Dystonia musculorum deformans

X 중추신경계의 감염 질환

1. 세균 수막염(Bacterial Meningitis)

1) 신생아 수막염(Neonatal meningitis)

(1) 원인

★① Group B *Streptococcus* (m/c)

★② *E. coli*

★③ *Listeria monocytogenes*

(2) 병인론

① 대부분 혈행성 전파

② 뇌염, 패혈성 경색, 뇌농양, 뇌실염, 경뇌막하 삼출, 수두증이 쉽게 합병

(3) 증상

① 초기에는 타 감염성 질환이나 비감염성 질환과 비슷

② 초기 뇌압상승 동반 가능

③ 기면(50~90%), 천문팽대(20~30%), 경련(30~50%),

④ 경부경직(10~20%) : Brudzinski sign(목 들면 다리 당김)/Kernig sign(다리 들면 당김)

⑤ high pitch cry

⑥ 체온 변화, 수유 곤란, 구토 등

(4) 진단

① 척수액 검사, 척수액 배양에 의한 균의 확인이나 항원 검출에 의해 확진

② 신생아 수막염의 70~85% 혈액 배양이 양성이므로 혈액배양 및 CBC를 먼저 평가

　(상태가 심한 환아에서 요추천자는 호흡상태를 악화시킬 수 있다.)

③ 요추 천자하여

- 백혈구 32/mm³ 이상
- 다핵세포 60% 이상
- 포도당이 혈당의 50~70% 이하
- 단백질 150mg/day 이상
- CSF Gram stain하여 세균이 보이면 뇌막염 진단

(5) 치료(원인균 불확실시)

★① Ampicillin + Gentamicin

② Cefotaxime + Ampicillin

③ Latamoxef + Ampicillin

④ Listeria, enterococcus는 모든 cephalosporin 계통 약물에 내성 : 경험적 치료시 cepha
단독투여 금지

⑤ 치료기간 : 최소 2주

⑥ 치료 개시 48시간 후에 척수액 재검사하고 항생제 종류, 투여법을 재검토

2) 신생아기 이후의 급성 세균성 수막염

[1] 원인

① 영유아

★Ⓐ H. influenzae type b (m/c)

★Ⓑ Neisseria meningitidis

★Ⓒ S. pneumoniae

② 큰 소아

★Ⓐ S. pneumoniae (m/c)

★Ⓑ N. meningitidis

[2] 역학

① 1~12개월 사이의 영아에서 가장 높다.

② 나이와 관계된 특별한 병원체에 대한 면역성 결핍이 중요한 위험요인이다.

③ 침습성 질병을 가지고 있는 사람과의 접촉, 밀집, 빈곤, 인종, 남자, 모유를 먹지
않은 2~5개월의 영아도 위험요인에 포함.

④ S. pneumoniae : 한겨울

N. meningitidis : 겨울, 봄철

H. influenzae type b : 2개월~2세

[3] 검사실 소견

★ 중추신경계 감염 질환에서의 뇌척수액 소견					
구분	압력 (mmH₂O)	백혈구수 (/mm³)	백혈구 분포	단백 (mg/dL)	당 (mg/dL)
정상	50—80	<5¹	림프구(>75%)	20-45	>50 (혈당치의 75%)
급성 세균 수막염	100~300	300~2,000² (100~>10,000)	다핵구 (75~95%)	100~500	<40 (혈당치의 50%)

구분	압력 (mmH₂O)	백혈구수 (/mm³)	백혈구 분포	단백 (mg/dL)	당 (mg/dL)
부분적으로 치료된 세균 수막염³	정상 또는 증가	5~10,000	다핵구 치료 기간이 길면 단핵구가 더 많음	100~500	정상 또는 감소
바이러스 수막염 및 수막뇌염	정상 또는 약간 상승 (80~150)	≤ 1,000	단핵구	50~200	대개 정상 <40 (볼거리의 15~20%)
결핵 수막염	대개 상승	10~500	림프구	100~3,000	<50
진균 수막염	대개 상승	5~500	단핵구	25~500	<50
매독	대개 상승	50~500	림프구	50~200	정상
뇌농양⁴	100~300	5~200	림프구	75~500	>50

☆ 중추신경계 감염 질환에서의 뇌척수액 소견

1. 건강한 신생아에서 30/mm³까지는 정상이다.
2. 급성 세균 수막염 환자의 20%에서는 뇌척수액 내 백혈구 수가 250/mm³ 미만이고, 심한 패혈증 및 수막염이 동반된 환자에서는 백혈구 증가를 볼 수 없으며 예후가 나쁘다.
3. 그람 염색 및 배양 검사의 양성률이 감소하나 당, 단백 및 백혈구 분포는 치료를 받지 않는 수막염에 비해 큰 차이가 없다.
4. 농양이 뇌실로 터지면 다핵구 수가 증가하고 백혈구 수는 >10,000/mm³을 넘을 수 있다.

[4] 치료

① 원칙

ⓐ 뇌압상승 없이 24시간 이내에 급속히 진행시 : 척수 천자 후 즉시 항생제 투여

ⓑ 뇌압상승 또는 국소신경증상 있을 시 : 항생제 먼저

② 방법

☆ⓐ 3세대 cephalosporin (cefotaxime or ceftriaxone) + vancomycin

ⓑ β-lactam 항생제에 알레르기성 있는 환아는 chloramphenicol

ⓒ Corticosteroids

• 급성 세균성 수막염을 가진 6주 이상의 소아

• 특히 Hib infection시 2일간 정맥내 dexamethasone사용 권장

• 영구적인 청신경 손상이 감소됨.

• 항생제 투여 1~2시간 전에 주면 최대 효과 나타냄.

④ supportive care

⑤ 치료 중 고열, 구토, 혼수상태 등이 발생하면 CT 검사

[5] 급성 세균성 뇌막염의 합병증

① SIADH(항이뇨 호르몬 분비 이상 증후군)

- 수막염이 있는 대부분의 환자에서 나타남.
- 30~50%에서 저나트륨혈증, 혈청 오스몰 농도 감소, 소변 Na 상승, 소변 오스몰 농도 상승 등이 나타남.

② 경막하 삼출(subdural effusion)

- 약 10~30%에서 볼 수 있다.
- 85~90%는 무증상
- 반복되는 구토, 고열, 대천문 팽창, 두위 증가, 경련 있고 뇌막염 호전되는 양상 이 없으면 의심
- 인플루엔자 수막염 때 호발
- 진단 : Ⓐ Brain CT 시행 (choice)
          Ⓑ transillumination
          Ⓒ Subdural tapping

③ 뇌농양

④ 수두증

⑤ DIC

⑥ ventriculitis

⑦ 많이 동반되는 신경학적 후유증은 청력장애이다.

- 감각 신경 청력 장애 ┌ *S. pneumoniae* 30%
                      ├ *N. meningitidis* 10%
                      └ *H. influenzae* type b 5~25%
- 세균성 수막염 환아는 퇴원 전후로 청력 검사 실시

3] 세균성 수막염의 예방

[1] *N. meningitidis*

☆① *N. meningitidis* 수막염 환자에 노출된 모든 사람 : 예방 접종력에 관계 없이 항생제 예방 요법 실시

☆② rifampicin (20mg/kg/d, 2회, 2일)

③ 2가 백신(A, C) 및 4가 백신(A, C, Y, WB5) 개발

(2) b형 *H. influenzae*

① 긴밀한 가족내 접촉, 48개월 미만 소아 존재시

② rifampicin (20mg/kg/d, 1회 4일)(※ rifampicin : 임산부에게는 금기)

③ 백신 접종 받은 경우에는 rifampicin 필요 없음.

(3) *S. pneumoniae* : 7가 단백 결합 백신 개발

2. 뇌농양

1) 원인

(1) 4~8세에 m/c

(2) 우-좌단락을 동반한 선천성 심질환(Fallot 4징)에 의한 색전화, 수막염, 만성 중이염, 얼굴이나 두피의 연조직 감염, 면역결핍, 뇌실-복막 단락 등이 원인이 된다.

(3) 원인균 : *S. aureus, S. viridans, S. pneumoniae*. 혐기성 세균, 그람 음성 호기성 막대균

2) 증상

(1) 초기에는 비특이적 증상(미열, 두통, 기면)

(2) 진행시 구토, 심한 두통, 경련, 유두 부종, 국소신경 징후(반부전 마비), 혼수 동반

(3) 소뇌 농양 – 눈떨림, 동측의 조화 운동 불능 및 운동 거리 조절 이상, 구토, 두통

3) 진단

(1) CT 검사

① 조영 전 – 저흡수

② 조영 후 – 경계가 확실한 낭성 음영

(2) MRI

4) 치료

(1) 원인을 잘 모르는 증례

• nafcillin or vancomycin과 3세대 cepha 및 metronidazole을 병용

(2) 병변이 종괴 효과, 뇌압 상승을 일으키는 피막이 형성된 농양

• 항생제 치료와 흡인을 병용

(3) 항생제 사용기간 – 보통 4~6주

XI 뇌종양

– 종양 질환 파트 참조

XII 뇌혈관질환(Cerebrovascular disease)

1. 동맥혈전(**Arterial thrombosis**)
2. 정맥혈전(**Venous thrombosis**)
3. 색전증(**Embolism**)
4. 뇌출혈(**Intracranial hemorrhage**)

21 말초 신경-근육 질환

Power Pediatrics

 근질환

1. 근질환의 일반적인 주 증상

[1] 근긴장도 저하(hypotonia)

[2] 근 위축(muscular atrophy)

[3] 발달지연(development delay)

[4] 임상적으로는 팔을 올리지 못하고 머리를 가누지 못하며, 보행 불능 또는 불안정 등의 근력 저하증상

2. 근원성과 신경원성 질환의 감별진단

근원성과 신경원성 질환의 감별진단		
질병 부위	근원성	신경원성
임상적 소견		
근 위축의 분포	근위부, 대칭적	원위부, 비대칭적
구징후(bulbar sign)	(−), (+)	(−), (+)
섬유속 연축(fasciculation)	(−)	(−), (+)
감각 장애	(−)	(−), (+)
심부건 반사	저하~소실	저하, 소실, 항진
검사소견		
근전도(EMG)	근원성 변화	신경원성 변화
신경 전달 속도	정상	정상~저하
혈청 효소(CK, aldolase)	상승	정상
근 생검	근원성 변화	신경원성 변화

3. 진행성 근 디스트로피의 일반적인 특징

1) 발병이 빠르고 급속히 진행되는 것에서 성장 발달이 완성된 후 증상이 출현하여 서서히 진행되는 것까지 다양하며 예후도 다양하다.

2) 진행성 근 디스트로피의 병형에 따른 비교

	Duchenne형		지대형	안면 견갑 상완형
병형	악성형	양성형(Becker)	(Limb–girdle)	(FSH)
성	남자	남자	남자, 여자	남자, 여자
유전 양식	반성 열성	반성 열성	상염색체 열성	상염색체 우성
발병 시기	2세 이전	6~19세	10세 이후	소아가~성인
근위축 순서	요대, 견갑근	요대, 견갑근	견갑, 요대근	안면, 견갑, 요대근
가성 비대	80%	때때로	드물다	드물다
진행성	급속	완만	급속~완만	완만
변형 구축	관절 구축	적음	말기에 본다	드물다
CK 변화	상승(고도)	상승(고도)	정상~상승	정상
예후	불량, 발병 후 10년 내 사망	비교적 양호	중년 이후 악화	양호
	지능 장애를 보인다	결혼 가능		
기타		여아는 모두 보인자	특유의 웃는 얼굴 (transverse smile)	

3) 각 형의 공통점
   (1) 유전적 소인이 관여
   (2) 진행성 질환
   (3) 근원성 변성 질환
   (4) 근육 효소 활성치가 상승
   (5) 근본적인 치료가 없음.

4. Duchenne형 근 디스트로피

1) 유전과 역학
   (1) 유병률 : 인구 10만명당 4명
   (2) 발병률 : 신생아 10만명당 30명
   (3) 성염색체 열성 유전(XR), 1/3 정도는 돌연변이에 의해 남아에서만 발생, 여아에서는 드묾
   (4) 여아의 경우 임상 정도는 가벼우나 Turner 증후군 동반 시 증상 심함.

2) 발생 병리

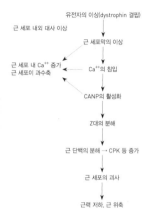

유전자의 이상(dystrophin 결핍)

근 세포 내외 대사 이상

근 세포막의 이상

근 세포 내 Ca^{++} 증가
근 세포이 과수축   ← Ca^{++}의 침입

CANP의 활성화

Z대의 분해

근 단백의 분해 → CPK 등 증가

근 세포의 괴사

근력 저하, 근 위축

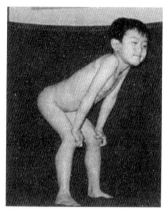

Gowers 징후

3) 증상

(1) 대개 보행 개시 후에 발견

(2) 대부분 2~4세경에 발견(서서히 증상이 출현하므로 정확히 알기 어렵다)

★(3) 비복근의 가성비대(pseudohypertrophy) : 발병 초기에 장딴지근이 딱딱하고 비대하여 장딴지근육(Gastrocnemius muscle)의 가성비대 근력이 강함. 이후 약화

(4) 발끝걷기(toe walking), 오리걸음(waddling gait)(다리를 벌리고 허리를 흔들며 걸음)

★(5) Gower 징후 : 누운 상태에서 기립 시 먼저 손을 사용하여 옆으로 누운 다음 다시 손을 사용하여 앉은 후 손으로 무릎을 짚고 손을 조금씩 대퇴부 쪽으로 옮기면서 일어섬.

(6) sliding-through 현상 : 근위축으로 어깨근이 불안정하여 겨드랑이를 양손으로 잡아 올리면 어깨가 빠져나가는 현상

(7) 관절 구축, 척추 측만

(8) 심전도(90%에서 이상소견)

① 동성 빈맥(sinus tachycardia)

② V_1과 V_2에서 높은 R파와 낮은 S파

③ V_5와 V_6에서 깊은 Q파

[9] 심초음파상 심근의 기능 장애

[10] 호흡근 위축으로 인한 호흡장애(말기에 환기부전으로 CO_2 narcosis에 빠지기도)

LEAD 1	AVF	V₁	V₂

DMD 환아의 ECG

높은 R파(AVF)와 깊은 Q파(V₄)

[11] 보통 정상아 평균지능 분포의 1SD 정도 이동된 경한 지능장애(진행하지 않음)

4) 병의 경과 – 진행성

　　[1] 12~13세경 기립곤란

　　[2] 20대 초반에 사망(심부전, 호흡부전)

5) 검사소견

　　[1] 혈청 CK 상승(가장 특이적)

　　[2] AST, ALT, LDH 상승

　　[3] creatine의 요배설 증가, creatinine 배설 감소

　　[4] 근전도 – 저진폭, 지속 시간 단축, 신경전달 속도는 정상

　　[5] 근생검 – 근섬유 지름 다양, 중심핵이 존재, 근섬유의 지방조직 대치

6) 치료

　　[1] 특별한 치료법은 없다.

　　[2] 상태에 따른 물리 치료, bracing, 외과적 치료로 기형 교정

5. 중증 근무력증(Myasthenia gravis)

1) 정의

　　골격근의 신경근 접합부(NMJ)의 자극 전달 장애로 인하여 근육이 쉽게 피로해지는 질환

2) 병태 생리

　　[1] 신경근 접합부 후시냅스막의 형태 변화

⑵ 니코틴성 아세틸콜린 수용체(AChR) 수의 감소

- 주로 "AChR에 대한 자가 항체"로 인해 생기는 항원 – 항체 반응의 결과
- 항체의 생성에 T세포가 중요한 역할
- 많은 환자에서 가슴샘 과다형성 보임.

⑶ 드물게 신경근 접합부의 유전적 이상

3) 증상 부위에 따른 분류

[1] 안근형(ocular type)

① 안검 하수(ptosis)와 가벼운 안구 운동 장애(가장 흔한 초기 증상)

② 복시, 손가락으로 눈꺼풀을 밀어올림.

③ 일내 변동을 보이거나 수면 부족, 감염, 월경, 임신 등에 의해 악화

[2] 구형(bulbar type) : ① 구음장애(dysarthria)

② 연하장애(dysphagia)

③ 객담 배출 장애

④ 대개 전신형과 합병

[3] 전신형(generalized type)

① 전신의 골격근이 침범

② 쉽게 피로, 호흡곤란, 근력저하, 진행시 근위축

[4] 신생아 일과성형 : MG에 이환된 어머니에서 태어난 신생아의 10~15%

[5] 선천성 지속형

[6] 가족성 영아형

4) 검사 소견

[1] 항 cholinesterase제에 대한 반응 – edrophonium, neostigmine

① Edrophonium (Tensilon) : 0.1~0.2mg/kg IV후 10~15초 내에 효과 나타나며 2분내 소실, 신생아에서는 금기

② Neostigmine (Prostigmine) : 0.04mg/kg IM후 10~15분에 효과, 20~40분에 최대치 도달

[2] 근전도

① 반복자극법 : M파(근활동 전위), 진폭의 감쇄(waning)

② 단일 근섬유 근전도(single fiber electromyogram)검사 : jitter 증가

③ 신경 전도 속도는 정상

[3] 면역학적 검사 : ① 항 AChR 항체의 검출 : 전신형의 약 30~58%에서 양성

② T-림프구 : 초기에 suppressor T-림프구의 감소

[4] 흉부CT : 흉선종, 흉선 비대의 유무검사

5) 진단

★[1] 일 내 변동을 보이는 골격근의 피로 및 휴식에 의한 회복

[2] 항 cholinesterase제에 의한 증상의 개선 – Tensilon test

[3] 다른 중추 및 말초 신경, 근질환을 제외

6) 치료

[1] 약물

① 항 cholinesterase제(neostigmine, pyridostigmine) : 연하곤란이 가장 흔한 부작용

② 부신피질호르몬제(prednisolone) : 2주경부터 호전, 3개월에 최고로 호전

③ azathioprine, cyclosporine 등의 면역억제제

④ 투여 시 주의해야 할 약제

✚ 중증 근무력증에서 주의해야 되는 약제

1. 항생제 : streptomycin, kanamycin, gentamicin, polymycin, tetracycline	4. 근육 이완제 : curare, succinylcholine
2. 항부정맥제 : quinidine, quinine, procainamide	5. 신경 안정제 : benzodiazepine, chlorpromazine
3. 마취제 : ether, lidocaine, procaine, halothane	6. 항경련제 : diphenylhydantoin, diazepam
	7. 이뇨제 : acetazolamide

---

[2] 가슴샘 절제술(Thymectomy) : 2세 미만의 높은 항 AChR 항체가 보이는 군에 효과적. 선천성이나 가족성인 경우는 효과 없음.

[3] 방사선 조사

[4] 혈장 교환(Plasmapheresis)

• 주로 Crisis 치료에 사용

• steroid 요법에 반응 없는 경우 고려, 효과는 일시적

[5] Crisis의 치료

① myasthenic crisis : 약제의 급격한 중지, 감염, 월경, 임신등에 의해 증상이 악화되어 호흡장애를 일으킴. 산동(mydriasis). 혈장 교환 or neostigmine 투여

② cholinergic crisis : 항 cholinesterase제의 급격한 상승 또는 약 효과 증강 인자에 의해 부교감 신경 증상과 호흡근 마비가 옴. 축동(miosis). 기계호흡과 atropine 투여

6. 늘어지는 영아 증후군(Floppy infant syndrome)

1) 정의

임상적 진단은 자발적인 움직임이 감소하거나 없으면서 심한 근긴장 저하로 인하여 영

아가 헝겊 인형과 같은 형상을 보이는 것.

[1] 흔히 볼 수 없는 이상한 자세

[2] 수동적 운동에 대한 관절 저항의 감소

[3] 관절 가동역(range of motion)의 확대

2) 분류

+ **Floppy infant의 분류**

마비성 상태(근력 저하를 동반)

1. 척수성 근위축증(Spinal muscular atrophy)
   Werdnig–Hoffmann병
   Kugelberg–Welander병

2. 선천성 근병증(congenital myopathy)
   구조적
     cental core병
     Nemaline
     근병증기타
   대사성
     glycogen 축적증 II, III, IV형
     지질 축적 근병증
     미토콘드리아 근병증

3. 기타 신경근 질환
   선천성 근 디스트로피(congenital muscular
   dystrophy)
   선천성 긴장성 근 디스트로피(dystrophia
   myotonica)
   신생아 중증 근무력증(myasthenia gravis, neonatal
   form)
   말초 신경증(peripheral neuropathies)

비마비성 상태

1. 중추신경계 질환
   뇌성마비(hypotonic cerebral palsy)
   정신 박약(특발성)
   대사 이상 질환
   염색체 이상 질환 : Down 증후군
   분만 손상, 두개 내 출혈, 저산소증

2. 결합 조직 질환
   선천성 인대 이완증
   Ehlers –Danlos 증후군
   Marfan 증후군
   골형성 부전증
   뮤코다당 축적증(mucopolysaccharidoses)

3. Prader–Willi 증후군(저긴장–비만 증후군)

4. 대사, 영양, 내분비 장해
   갑상샘 기능저하증
   구루병
   고칼슘혈증

5. 양성 선천성 저긴장(benign congenital hypotonia)

3) 근긴장도의 평가

[1] 수동적 긴장도 평가

[2] 수동적 긴장도 평가

• 수평 걸기(horizontal suspension)

★ • 개구리 다리 자세
- scarf 징후
- 2중절 징후
- heel-to-ear sign
- 수직 걸기
- 정자 검사

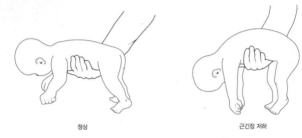

정상   근긴장 저하

수평 걸기(ventral suspension)

(2) 견인 반응(traction response) : head lag를 보임

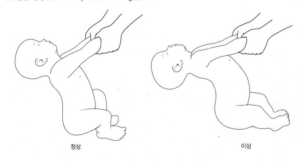

정상   이상

견인 반응(traction response)

II 말초 신경성 질환(Peripheral nerve disorders)

1. 신경근 질환의 감별진단

신경근 질환의 감별진단			
구분	말초 신경병증	전각 세포병	신경근 접합부 질환
근력 저하의 호발 부위	주로 원위부	광범위 분포	근위부/안근육
심부 건 반사	저하/소실	저하/소실	정상
감각 장애	대개 있다	없다	없다
혈청 효소(CK)	정상	정상	정상
신경 선도 속도	느리다	정상	정상
근전도	신경병증	신경증	정상
근생검	탈신경 지배 과징	탈신경 지배 과정	비특이성
신경 생검	축삭 혹은 말이집탈락 변성	정상	정상

2. Bell 마비

1) 정의

중추신경병증이나 뇌간 기능의 이상을 동반하지 않는 급성 편측성 말초 안면 신경 마비

2) 발생 빈도 및 원인

[1] 발생 빈도 – 인구 10만명 당 10세 이하 : 2~3명, 10세 이상 : 10명

[2] 전신적 바이러스 감염 후 2주 이내 발병 – Epstein-Barr virus

[3] 기타 – Lyme 병, herpes virus, mumps virus

[4] 중추성 안면 신경마비(central facial nerve palsy)와 감별

- 이마 부위에는 마비가 오지 않고 이마 밑 부위에만 마비(말초성 : 이마에 주름이 없다. 중추성 : 이마에 주름이 있다.)
- 얼굴 상부 이마 부위의 근육들이 양측 대뇌겉질의 교차지배를 받기 때문

3) 증상

[1] 얼굴 상하부가 모두 마비

[2] 전구 증상 – 동측의 귀통증(otalgia)

[3] 마비된 쪽의 입 끝(mouth corner) 처짐, 눈물 감소, 노출성 각막염

[4] 혀의 전방부 2/3에서 감각 마비(환아의 50%)

4) 치료

[1] 수면 중 노출성 각막염 예방 – methylcellulose 점안액 or 안 윤활제

(2) edema와 신경에 대한 압박감소 – ACTH, prednisone, facial canal의 외과적 감압술

5) 예후

(1) 성인에서보다 소아에서 예후가 더 양호(85% 이상에서 완전하게 자연 치유)

(2) 발병 2~4주에 회복시작, 6~12개월에 거의 완전 회복

(3) 수주 이상 지속 시 신경초종(schwannoma), 신경 섬유종, 백혈병에 의한 안면 신경 침습, 중이의 종양, 뇌간 경색, 종양, 외상에 의한 안면신경의 손상 등과 감별

3. Guillain-Barre 증후군

1) 원인

☆ 흔히 virus 감염(상기도 감염, 위장염), 예방접종 후 3일~6주(평균 10일 전후)에 발생

2) 병리

(1) 구역 말이집 탈락(segmental demyelination)이 특징적, 병터는 말초신경(peripheral nerve)이다.

(2) 혈관 주위와 신경 섬유 내초(endoneurium)에 림프구, 단핵구, 단구 등의 침윤

(3) 주로 운동 신경 침범(감각신경도 침범가능)

3) 증상

(1) 4~9세 소아에서 많이 발생

(2) 마비전 근육 피로나 근육통 선행

☆(3) 하지에서 상행으로 마비 진행(Landry 상행 마비), 마비는 대칭적(9%에서 비대칭)

(4) 통증, 지각 이상이 동반되기도 한다(위치감각 장애가 흔함).

(5) 뇌신경 마비(안면 신경이 m/c)

(6) 호흡근 마비(중증 합병증) : 사망할 수 있는 가장 위험한 증상으로 주의 깊게 관찰해야 한다.

(7) 교감 신경 침범(부정맥, 고혈압, 체위성 저혈압)

(8) 심부 건반사 : 대개 초기에 소실되고 가장 나중에 회복됨, 상당 기간 존재하는 경우도 있음

4) 검사 소견

(1) 뇌척수액

- 단백세포해리(albumino−cytologic dissociation) : 세포 수는 많이 증가하지 않고 단백만이 정상치의 2배 이상으로 증가. 진단에 아주 중요!

(2) 운동신경 전도 속도는 대부분에서 현저히 저하, 감각신경 속도는 정상 or 약간 저하

5) 치료

(1) 24시간내 급속히 진행되어 호흡부전이 올 수 있으므로 반드시 입원 관찰

(2) 대증 요법

(3) 상행 마비 진행이 빠를 경우 : 정맥내 면역글로불린 투여(0.4g/kg 씩 5일간 투여, 효과없으면 혈장교환술)

(4) steroid, 면역억제제 : 효과 불확실

(5) plasmapheresis : 증상 발현 2주 이내에 효과적

6) 경과 및 예후

(1) 발병 후 2~3주부터 증상 점차 호전(발병 순서의 역방향으로 회복)

- 숨뇌, 호흡부전, 상지 마비 → 하지 기능 → 심부건 반사

(2) 대부분의 경우 2~18개월 이내에 완전 회복(이후에는 거의 회복되지 않음)

22 골격계 질환

Power Pediatrics

I 연골 무형성증(Achondroplasia)

1. 특징

(1) 상염색체 우성 유전(AD) (FGFR-3 유전자의 point mutation)

(2) 100,000명 출생당 2~3례의 발생 빈도

(3) 성인에서 볼 수 있는 왜소증의 m/c 원인

(4) 80% 이상에서 새로운 Mutation

(5) 왜소증이 m/c Sx

(6) 고령의 아버지로부터 태어난 신생아에서 발병 증가

(7) 연골내골화(Enchondral ossification) 장애, 막내골화(membranous ossification)는 정상
- 성장판의 비후대(hypertrophic chondrocyte zone)가 감소되어 소멸

2. 증상

(1) 저신장 : 성인이 되어도 140cm 넘지 못함.

(2) 짧은 사지, 큰머리, 튀어나온 이마, 우묵 들어간 콧날, 중지와 약지의 간격 벌어짐
(Trident hand), 짧고 넓은 손, 비교적 큰 체간(trunk), 요부전만(lumbar lordosis), 배, 둔
부가 나옴.

(3) Waddling gait(어기적거리는 걸음)

(4) 지능 정상, 생식능력 있음, 수명도 정상

(5) X선 소견

① Rhizomelic short limb(장골이 짧고 두꺼우며, 근위부 골이 짧아짐) : 상완골이 요골
· 척골보다 더 짧다.

② Pelvis : 입구가 넓어 샴페인 잔모양, ball-and-socket 기형

[6] 합병증 : 수두증, 선천 척수강 협착

대후두공(foramen magnum이 작고 기형보여 척수를 압박)

[7] 치료 : 효과적인 치료는 없으나 최근 신연골형성술(distraction osteogenesis)을 이용한 사지 연장술로 변형 교정과 어느 정도 사지 길이 연장 가능해짐.

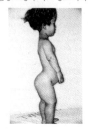

연골무형성증(achondroplasia)

골형성 부전증(Osteogenesis Imperfecta)

1. 임상적 특징

(1) 교원섬유의 성숙장애나 비정상적 교원질 합성에서 기인한 골기질의 선천성 형성장애
- 골 결핍과 뼈가 쉽게 부러지는 특징

(2) I형 : AD, 귀머거리, 청색공막(blue sclera), 충치, 장관골 골절호발, 전음성 난청 동반

(3) II형 : 출생 당시 다수의 장관골 골절, 자궁내(50%) 또는 신생아기 사망

(4) 그 외 III형, IV형이 있음.

2. 진단

(1) X선상 골다공증(osteoporosis)

(2) 반복되는 다발성 골절로 장관골의 변형

(3) 두개골에 조밀한 골반점(wormian bone 충양골)

3. 치료

(1) 전신적 약물요법 – 큰 효과 없음.

(2) 근래에 bisphosphonate가 골절 예방에 좋은 효과 보임.

(3) 정형외과적 교정 – 절골술, 골수강 내고정술

III 두개골 조기봉합(Craniosynostosis)

두개골 봉합의 조기 골유합증(premature synostosis)

1. 증상

(1) 두개골이 폐쇄된 봉합의 장축에 수직되는 방향으로 성장저하

(2) 다른 방향으로 두개골의 대상성 과다성장

→ 협두증(Craniostenosis), 단두증(Brachycephaly), 장두증(Dolichocephaly), 첨두증(Oxy-cephaly), 탑상두(Acrocephaly), 사두증(Plagiocephaly)

(3) 압박에 의한 뇌손상, 실명 가능

2. 진단

X선으로는 봉합의 조기 융합, 뇌의 회선회축 밑 얕은 안와를 볼 수 있다.

3. 치료

뇌압 상승 증상 있을시 조기 개두 감압수술

(뇌손상, 실명 방지)

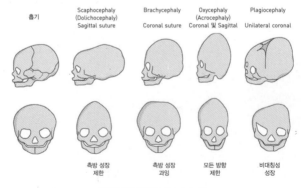

두개골 조기 봉합(Craniosynostosis)

신경섬유종증(Neurofibromatosis)

1. 특징

(1) 단일 유전자 질환 중 가장 흔함, 상염색체 우성 유전 투과도 100%

(2) 50%는 산발성, 아버지 연령이 많은 것과 연관

(3) neurofibromin 유전자 결함 의해 발병(종양 억제자)

2. 진단

다음 중 2개 이상의 특징

(1) 밀크커피색 반점

(2) 두개 이상의 신경섬유종 또는 하나의 총상 신경섬유종

(3) 겨드랑이 또는 서혜부의 주근깨

(4) 시신경교종

(5) 두개 이상의 홍채 과오종

(6) 전형적인 골병변

(7) 1촌간의 가족에서의 가족력

3. 임상증상

(1) 척추측만증, 경골의 선천성 만곡 및 가관절증

(2) 신경종 의한 골미란, 골막하 신생골

(3) 밀크커피색 반점, 피부결절, 모반, 상피증, 우췌상 과형성, 액와 주근깨

(4) 성적조숙, 성발달지연, 악성고혈압, 지능박약, 학습장애, 언어장애

V 선천 근성 사경(Congenital muscular torticollis)

1. 특징

- 흉쇄유돌근(sternocleidomastoid)
    ① SCM m.의 편측성 구축 및 단축에 의함.
    ② 두부는 환측, 턱은 반대쪽으로 기움.
    ③ 75%에서 우측에 발생, 여아 호발
    ④ 20%에서 발달성 고관절 형성이상(DDH)와 병발
    ⑤ 태아 출생시 둔위 출산(breech presentation)과 같이 난산인 경우 많이 나타남, 초산
       인 경우 더 잘 일어남.

2. 임상소견

(1) 출생시 또는 출생 후 2~3주에 변형이 관찰
(2) SCM m.내에 종괴 촉지
    ① 단단하고 압통은 없으며 방추형(fusiform swelling) 종창이 있다.
    ② 2~4주간 서서히 커지다가 생후 2~6개월 내 사라짐.
(3) 환측 경부 회전 운동
    반대측 측방 굴곡 운동(Lateral bending) ⎤ 제한
(4) 두경부의 변형, 환측 안면 편평화, 비대칭성, 변형 진행

3. 감별진단

(1) 선천성 척추 기형, 환축추 회전 아탈구, 경추 골절 등의 외상, 염증성 질환, 종양
(2) 사시에 의한 안구성 사경, 중추신경계 이상 따른 2차적 사경을 먼저 감별

4. 치료

진단이 되면 가능한 조기에 치료 시작

- 4세 이전 수술 : 영구 안면 비대칭 방지
- 8세 이후에서도 경부 운동 제한 해결 위해 수술 필요
    (1) 수동 운동(passive movement)도 수교정의 보존적 요법
    (2) 수술 : 1세까지 보존적 치료에 반응하지 않거나 1세까지 치료 없이 방치된 경우,
       부모가 비협조적인 경우
        - 근건절 단술로 흉쇄유돌근의 길이를 연장
        - 술식 시행 후 지속적인 물리 치료로 재발 방지

VI 발달성 고관절 이형성증(Developmental dysplasia of the Hip; DDH)

1. 특징

(1) Acetabulum, 대퇴골 근위부 및 관절 연부조직의 이상 발달

(2) 70%가 여아에서 발생

(3) 60%가 좌측고관절, 20% 우측, 20% 양측

(4) DDH의 발생빈도를 증가시키는 환경적 요인 : 둔위, 첫째아기, 쌍둥이, 양수과소증, 신생아의 고관절을 신전, 내전시키는 위치로 포대기를 싸는 습관

2. 분류

(1) 대퇴골두는 정상 위치에 있으나 비구의 이형성이 있는 경우

(2) 대퇴골두가 정상 위치로부터 전위되어 있으나 아직 비구내에 위치(Subluxation)

(3) 대퇴골두가 비구 밖으로 완전히 탈구(Dislocation)

3. 증상

★(1) 대퇴 내측 피부 주름이 비대칭이거나 과다

★(2) 탈구가 있는 고관절의 외전이 제한(6주 이후에 의의)

(3) Galeazzi 징후, Allis 징후 : 편평한 면에 아기를 높이고 무릎을 세우면 높이가 다름.

(4) Ortolani 징후(Reduction test) : 아기를 눕히고 고관절을 90°로 굴곡, 위에서 외전시키면서 대전자부(Greater trochanter)를 내측으로 밀어 올릴 때 고관절이 정복되면서 "뚝(click)"하는 느낌

(5) Barlow test (Provocation test) : 검측 고관절을 내전하면서 엄지로 소전자부를 침대에 평행한 방향으로 외측으로 밀어낼 때 탈구되면서 "뚝"하는 느낌

(6) Piston 징후 : 대퇴상단을 촉지하면서 탈구측 하지를 하방으로 잡아당기거나 상방으로 밀어 올릴 때 대퇴상단의 비정상적인 하강 또는 상승운동 촉지

★(7) Gait 이상 : 단측성일 경우 절름거림, 양측성일 경우 오리걸음(Waddling gait)

★(8) Trendelenburg 징후 : 탈구가 있는 쪽의 다리로 섰을 때 반대쪽 골반이 아래로 쳐짐.

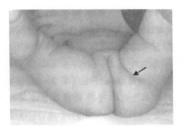

Allis 징후(좌측 고관절 탈구)

Ortolani 징후

4. X선 및 초음파 검사

☆1) 초음파 검사

☆(1) 고관절이완을 검사하는 가장 예민한 검사

(2) 조기진단 가능

(3) 보조기에 의한 치료 시 정복정도와 관절의 안정성 평가

2) X선 검사(생후 2~3개월후)

(1) Putti 3주징

- 대퇴골두의 골화핵 출현 지연, 저형성
- 대퇴골두가 Hilgenreiner line 상방으로, Perkin line 외측으로 전위
- 비구 경사각(Acetabular index) 증가

(2) 기타

- Shenton line 단절
- Calve line 단절

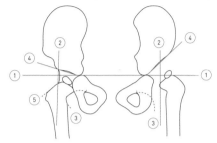

고관절 탈구의 X선 사진 소견

① Hilgenreiner선 : 양측 triradiate cartilage를 연결하는 선

② Perkins선 : 비구개의 외측단에서 Hilgenreiner선에 수직으로 그은 선

③ Shenton선 : Obturator foramen의 상연을 따라 지나는 곡선과 대퇴 경부 내연을 따라 지나는 곡선

④ Acetabular index : 비구개의 외측단과 triradiate cartilage 측단을 연결하는 선이 Hilgenreiner선과 이루는 각을 말하며, 신생아에 있어서 40° 이상이면 비구 이형성을 생각한다.

⑤ Calve선 : 대퇴골 경부 외연을 지나는 곡선과 장골 외연을 지나는 곡선

#선천성 고관절 탈구(DDH)

역 학	임상 특징

(1) 70% : 여아 우세
(2) 방향
  ① 60% : 좌측 Lt.
  ② 20% : 우측 Rt.
  ③ 20% 양측 Bilat.
(3) 빈도 증가하는 경우
  ① 첫째 아기
  ② 둔위(breech position)
	(1) 대퇴내측의 피부 주름이 비대칭적
	(2) Allis 징후(Galeazzi 징후)
	  ① 편평한 면에 아기를 눕히고
	  ② 무릎을 세우면
	  ③ 높이가 서로 다르다
	(3) 아기를 눕히고 고관절을 90°로 굴곡시킨 상태에서 외전시키면 탈구가
	  있는 쪽의 고관절 외전이 제한적
	(4) Ortolani 징후(정복, reduction test)

진 단	① 아기를 눕히고 ② 고관절을 90°로 굴곡시킨 상태에서

(1) 영아기 : US(선별 검사)
(2) 생후 2~3개월 : X선 검사도 가능
(3) 엉덩 관절의 발달 이상의 X선 소견
  ① 대퇴골두의 골화핵의 출연 지연
  ② 대퇴골두의 골화핵의 저형성
  ③ 대퇴골두가
    – Hilgenreiner 선에 대해 상방으로
    – Perkins 선에 대해 외측으로 전위
	③ 외전시키면서
	  ④ 대전자부를 내측으로 밀어 올릴 때
	  ⑤ 뚝하는 느낌
	(5) Barlow 검사(탈구, provocation test)
	  ① 고관절을 내전시키면서
	  ② 장축으로 밀어 올릴 때
	  ③ 뚝하는 느낌
	(6) Piston 징후
	  ① 대퇴상단을 촉지하면서

치 료	② 탈구 측 하지를 하방으로 잡아당기거나 ③ 상방으로 밀어올릴 때

(1) 6개월 이전
  ① 외전부목
  ② Pavlik 장구(외전 상태로 고정)
(2) 6~18개월
  * 연부 조직 견인
    → 폐쇄 정복술
    → hip spica cast로 3·4개월 고정
(3) 18개월~5세
  ① 개방성 정복술(=관혈적 정복술)
    open reduction
  ② 무명골 절골술
  ③ 근위 대퇴 감염 절골술
	④ 대퇴 상단의 비정상적인 하강 상승 운동이 촉진됨
	(7)
	
	    <table><tr><td>단측성</td><td>양측성</td></tr><tr><td>절름 거림</td><td>오리걸음
	waddling gait</td></tr></table>
	(8) Trendelenburg 징후
	  ① 탈구측 다리로 섰을 경우
	  ② 반대편의 골반이 아래로 쳐진다

5. 치료

- 조기 진단이 치료에 가장 중요

치료		
6개월 이전	**6~18개월**	**18개월~5세**

• 외전부목(abduction splint)
• Pavlik 장구
  (외전상태로 고정)
	• 고관절 주위 연부조직 견인
	  → Closed reduction
	  → Hip spica cast로
	    3~4개월 고정
		• 관혈적 정복술
		  (Open reduction)
		• 무명골 절골술
		• 근위 대퇴부 절골술 등
		  (femoral or pelvic osteotomy)

- 탈구를 방치하거나 부적합한 치료를 할 경우 : 대퇴골두의 무혈성괴사, 비구이형성,
  퇴행성 관절염 초래 → 고관절통 및 파행성 보행 유발

일과성 고관절 활막염(Transient synovitis of the hip)

1. 특징

(1) 10세 이하 소아의 고관절통과 다리 저는 증상의 m/c 원인

(2) 호발 연령 : 3~8세(M>F)

2. 증상

(1) 편측성, 급성

(2) 고관절이나 대퇴부 or 슬관절부의 통증

(3) 고관절 부위 압통

(4) 근경직 – 고관절 수동적 운동 범위↓, 고관절 외전 · 내회전↓

3. 치료

(1) Supportive care – bed rest, 체중 부하 금지

(2) 심한 통증 – NSAIDs

(3) 관절 운동 회복에 7~10일 걸림.

(4) 2주 정도 체중부하를 금하는 것이 재발방지에 좋음.

역 학	임상 특징
(1) 10세 이하의 소아 　① 고관절통을 호소하면서 　② 다리를 저는 증상의 가장 흔한 원인 (2) 호발 : 3~8세 (3) 남아 (4) 대부분 편측성 (5) 급성으로 발생 (6) 상기도 염증 증상이 선행 가능	(1) 고관절, 대퇴부, 슬관절의 통증 호소 (2) 근육 경직 　① 고관절의 수동적 운동 범위 감소 　② 고관절의 외전과 내회전 감소
DDX : 소아 고관절 질환	치 료
(1) Legg–Calve–Perthes 병 : 대퇴골 두부 골단의 무혈성 괴사 (2) 대퇴 골두 골단 분리증 (3) 골의 감염 화농성 관절염 등	(1) 체중부하 금치하고 침상 안정 치료 　① 통증이 소실 　② 관절 운동이 완전히 회복될 때까지 (2) 재발 방지 　① 일주일 후 관절 운동이 회복 후에도 　② 2주 정도 체중 부하를 금함 (3) NSAIDs.

☆ 고관절통을 초래하는 질환

구분	일과성 고관절 활막염	Legg-Calve- Perthes 병	대퇴 골두 골단 분리증	화농성 관절염
호발연령	4~8세	4~9세	11~15세	0~3세
운동 제한	① 외전 ② 내회전	① 외전 ② 내회전	① 외전 ② 내회전 ③ 굴곡	모든 방향
pain	1~2+	0~2+	1+	4+
X선 소견	정상	① 비정상 ② 단계에 따라 변화	① 비정상 ② 분리 slip	흔히 정상
체온	정상	정상	정상	상승
ESR	간혹 증가	정상	정상	① 증가 ② >25mm/시간
치료	안정	① 보조기 ② 수술	수술	① 수술 ② 항생제

성장통

1. 특징

(1) 3~12세 호발, 여아 호발

(2) 전체 소아의 30%에서 경험

2. 임상양상

(1) 양측성 간헐적으로 하퇴부, 대퇴부의 심부 근육층 또는 슬관절이나 고관절부에 심부 통증 호소

(2) 심하게 신체 활동한 날, 주로 저녁에 통증 호소, 다음날 아침에는 증상 소실

(3) 성장통 이외의 다른 원인을 의심해야 할 소견

① 파행, 관절 구축, 부종, erythema, 국소압통 동반 시

② 아침에 통증 호소하거나 한쪽 다리만 아프다고 할 때

3. 성장통과 감별 질환

성장통과 감별해야 할 질환			
외상	정형외과적 질환	교원질 질환	내분비 질환
골절 피로 골절 병적 골절 탈구/아탈구 염좌 슬개골 연화증 구획 증후군 건염/점액낭염 유아 학대 증후군	박리성 골연골염 원판형 연골 대퇴골 골단 분리증 LCP 병 Freiberg 병 Köhler 병 Sever 병 Osgood–Schlatter 병 과운동 증후군 발달성 고관절 탈구 족근골 유합 주상골 부골	연소기성 류마티스관절염 전신홍반루푸스 피부근염 Henoch–Schölein 자반증 가족성 지중해성 열 류마티스 열 염증성 장질환 경화성 경피증	갑상샘저하증 부갑상샘항진증 Hypercortisonism 골다공증 내분비성 근염
감염	영양성	종양	기타
세균성 감염 골수염 화농성 관절염 연조직염 추간판염 화농성 근염 바이러스성 감염 일과성 활액막염 세균성 근염 풍진 백신	괴혈병(비타민 C 결핍) 구루병(비타민 D 결핍) 비타민 과다증 고콜레스테롤혈증	**양성 종양** 　골연골종 　고립성 골낭종 　유골골종 　거대 세포종 　동맥류성 골낭종 **악성 종양** 　연골육종 　유잉육종 　골육종 　신경모세포종 　림프종 　백혈병	Caffey 병 신경근 자극 말초 신경증 축성병 점액다당류증 Lipoidosis Fibromyalgia 반사성 교감성 이영양증 정신-육체성 질환 　(히스테리, conversion, 　reaction, 학교 공포증) 혈우병 겸상 적혈구 빈혈

4. 치료

　　(1) 특별한 치료없이 자연소멸 됨.

　　(2) 따뜻한 물로 목욕, 국소 부위 찜질, 마사지, 진통제

IX Osgood-Schlatter병(Osteochondritis of Tibial Tuberosity)

1. 원인

☆ 슬개 인대의 갑작스러운 또는 지속적인 견인으로 인하여 경골 결절의 골단이 부분적으로 분리되어 혀 모양으로 보임.

2. 임상양상

☆(1) 10-15세의 운동 많이 하는 사춘기 연령 호발

(2) 25-50%는 양측성

☆(3) 경골 결절 부위의 압통, 종창 있으나 피부 염증은 없음.

(4) 계단 걷거나 운동시 통증이 심해짐.

(5) X선 소견 : 경골 결절의 근위부에 골침착, 골흡수의 불규칙한 음영

3. 치료

(1) 슬관절 쉬게 하면 경골 결절이 유합되면서 수개월에 걸쳐 저절로 낫게됨.

(2) 보행제한은 필요 없음.

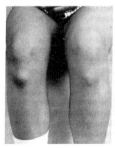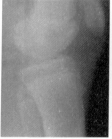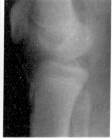

Osgood-Schlatter병
경골조면의 돌출과 압통이 특징적이다.

X 소아골절

1. 소아골절의 특징

1) 골절 재형성

　(1) 골막에서의 골 흡수와 신생골 형성의 조합에 의하여 발생

　(2) 다소 덜 정확한 해부학적 정복도 용납 가능(변형에 대한 교정능력이 큼)

　　• 연령이 어릴수록, 골간단에 골절이 가까울수록 자연적인 교정의 잠재력 커짐

　　• 슬관절, 족근관절, 주관절등의 경첩관절의, 같은 운동면에서의 각 형성은 쉽게 교정됨

2) 과성장

대퇴골과 같은 장골에서의 골절치유와 연관된 Hyperemia로부터 성장판이 자극되어 과성장 일어남(1~3cm 정도 과성장)

3) 진행하는 변형

　• 성장판 손상은 성장판의 완전 또는 부분 폐쇄 초래 가능 · 각변형, 단축 야기

　• 그 정도는 성장판 손상의 범위와 앞으로 남은 성장량에 따름

4) 빠른 치유

소아는 성장 잠재력이 크고, 골막의 대사가 활발하므로 성인보다 빨리 치유

2. 소아골절의 양상

대부분의 소아골절은 비수술적 방법으로 치료 가능

1) 완전골절

　(1) 피질골의 연속성이 소실되는 경우임.

　(2) 소아 골절의 m/c 유형

　(3) 분류

　　• 골절선 방향 따라 : 나선상, 횡, 사상

　　• 골절편 수에 따라 : 단순, 선상, 분쇄

2) Buckle 또는 Torus 골절

    (1) 어린 환아의 골간단부, 특히 원위 요골에서 압박력에 의해 발생

    (2) 2–3주간의 간단한 교정으로 치유 가능

3) Greenstick 골절

    골의 소성변형(Plastic deformation) 한계 이상의 굴곡력이 가해질 때 발생

4) 소성변형(Plastic deformation)

    외력에 의해 골이 휘거나 굴곡, 변형이 일어나는 것

    척골에서 가장 흔하며 비골에서도 가끔 볼 수 있다.

5) 골단판 골절의 동반 가능성

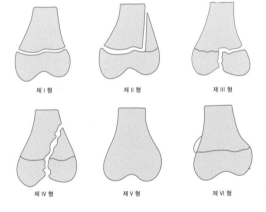

제 I 형   제 II 형   제 III 형

제 IV 형   제 V 형   제 VI 형

Slater-Harris의 골단판 골절의 분류

23 알레르기 질환

 알레르기 총론

*용어정리

① Allergy : altered state of reactivity

② Atopy : 표적기관의 과민성을 동반하는 IgE 매개질환, 뚜렷한 가족력(+)

③ 알레르기는 과민성면역반응으로 표적기관에 염증이 형성되어 발생하는 질환으로 정의,
   임상적으로 비슷한 증상이 자주 재발하면서 만성화하는 특성

1. 과민성 면역 반응의 종류

과민성 면역 반응의 형태와 대표적인 질환	
과민성 반응의 형태	대표적인 질환
제I형 : 즉시형(immediate type) 위급형(anaphylactic type) 리아진형(reagenic type)	아토피 질환 : 천식, 알레르기 비염, 아토피 피부염, 두드러기, 아나필락시스
제II형 : 세포 용해형(cytolytic type) 세포 독성형(cytotoxic type) 세포/세포막 반응형(cell/membrane reactive type)	자가면역질환 : 용혈 빈혈, 혈소판감소증, 수혈 반응, Goodpasture 병, pempigus, myasthenia gravis, thyrotoxicosis
제III형 : 독성 결합체형(toxic complex type) 면역 결합체형(immune complex type)	혈청병, 사구체신염, 혈관염, 과민성 폐렴, 전신홍반루푸스, 류마티스관절염
제IV형 : 지연형(delayed type) 세포 매개형(cell-mediated type)	결핵, 나병, 접촉 피부염(contact dermatitis), 이식 거부, 갑상샘염, 악성 빈혈, 제1형 당뇨병

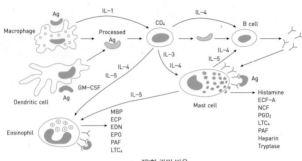

제I형 과민 반응

Ag=antigen, IL=interleukin, GM-CSF=granulocyte-macraphage colony stimulating factor,
ECF-A=eosinophil chemotatic factor of anaphylaxia, NCF=neutrophil chemotatic factor,
PGD₂=prostaglandin D₂, LTC₄=leukotriene C₄,
PAF=platelet activating factor, MBP=major basic protein,
EcP=eosinophil cationic protein, IgE=immunoglobulin E,
EDN=eosinophil derived neurotoxin, EP=eosinophil peroxidase (Sly M)

Type II : 세포독형 반응(Cytotoxic Reaction)

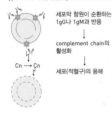

세포막 항원이 순환하는
1gG나 1gM과 반응
↓
complement chain의
활성화
↓
세포(적혈구)의 융해

Type III : 면역 복합체형 반응(Immune Complex Reaction)

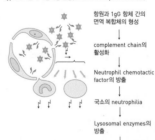

항원과 1gG 항체 간의
면역 복합체의 형성
↓
complement chain의
활성화
↓
Neutrophil chemotactic
factor의 방출
↓
국소의 neutrophilia
↓
Lysosomal enzymes의
방출
↓
조직 손상

Type IV : 세포면역형 반응(Cellular Immune Reaction)

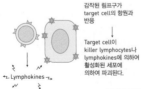

감작된 림프구가
target cell의 항원과
반응
↓
Target cell이
killer lymphocytes나
lymphokines에 의하여
활성화된 세포에
의하여 파괴된다.

알레르기 염증 반응

2. 알레르기 질환의 임상적 특성

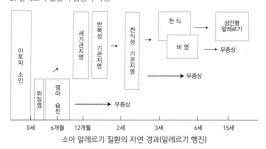

소아 알레르기 질환의 자연 경과(알레르기 행진)

3. 알레르기 반응을 일으키는 기전

1) 알레르기 질환의 증상 발현에 미치는 신체 조건

알레르기 질환의 증상 발현에 미치는 신체 조건			
면역세포 (감작)	알레르기 세포 (과감작)	표적기관 (과반응성)	알레르기 임상형태
−/+	−	−	정상
+	+	−	무증상 감수성
+	+	+	알레르기 질환
−/+	−	+	비알레르기 질환

[1] 알레르기 발생 과정

① 감작 단계(sensitization) : 알레르기 반응을 일으킬 수 있도록 준비하는 단계

② 작동 단계(effector phase) : 알레르겐과 접촉하여 증상을 유발하는 단계

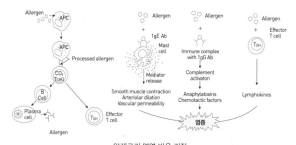

알레르기 면역 반응 기전

(2) 알레르기 반응의 종류

① 조기반응 : 알레르겐에 노출된 뒤 10분내 증상 발현, 1~3시간 뒤 사라짐.

② 지연반응 : 알레르겐에 노출된 뒤 6~12시간에 심한 증상, 24시간 내 사라짐.

③ 만성 알레르기 반응 : 조직 염증이 수일부터 수년간 지속

(3) 알레르기의 유전적 요인

여러 유전자의 복잡한 상호 작용으로 증상발현

(4) 감염과 알레르기 : 환경위생이론

4. 알레르기 질환의 분류

1) 분류

원인에 의한 분류	**증상의 발현 시기에 따른 분류**
1) 외인성(extrinsic) 알레르기	1) 계절성 알레르기 : 화분
흡입 항원 : 집먼지진드기, 화분, 동물 피부, 곰팡이 등	2) 통년성 알레르기 : 집먼지진드기
식품 항원 : 달걀, 우유, 생선, 땅콩, 대두, 생선, 토마토,	
과일 등	**표적기관에 의한 분류**
독성물(poison) : 벌독, 옻	1) 개별기관(isolated organ) 증상
약물 : 항생제(페니실린 등), 조영제	호흡기 : 천식, 비염, 과민성 폐렴, 후두염
2) 내인성(intrinsic) 알레르기	눈 : 결막염, 봄철 각결막염
감염	피부 : 두드러기, 아토피 피부염, 접촉성 피부염
운동, 기온, 대기압, 공해, 한랭, 압력 등의 물리적 자극	위장관 : 알레르기 장염, oral allergy 증후군, 위식도 역
	류, Celiac 병, 반복성 구내염
	2) 전신증상
	아나필락시스 : 쇼크
	혈청병

5. 역학과 환경요인

1) 역학조사

2) 환경과 알레르기

(1) 태내감작 : 태반을 통한 모체의 조건에 영향

(2) 출생 후의 환경 : 모유, 수유, 미숙아

(3) 대기오염 : 아황산가스, 오존, 질소산화물, 미세분진

(4) 실내공기오염 : 흡연

(5) 감염 : RSV, rhinovirus

6. 알레르겐

1) 공중 알레르겐

    (1) 실외 알레르겐

        ① 꽃가루(Pollen) : 수목, 목초, 잡초

        ② 곰팡이 : Alternaria, cladosporium

    (2) 실내 항원

        ① 집먼지진드기(house dust mite)

        ② 동물상피와 바퀴벌레

2) 식품 알레르겐

    우유, 대두, 달걀, 밀, 생선, 견과류, 갑각류

3) 약물/라텍스/곤충 : 항생제, 조영제

※ 소아알레르기 질환의 임상적 특성과 그 경과

    (1) 알레르기 증상은 특정인에서만 나타나 유전적인 요인의 관여가 뚜렷

        (양쪽 부모가 아토피 질환시 80% 유전, 한쪽 부모만 그럴시 60%가 유전)

    (2) 한가지 알레르겐이 다양한 증상을 나타내기도 하고, 여러 종류의 원인 물질이 같은
        증상을 나타내기도 한다.

    (3) 알레르기 증상은 일반적으로 특정항원과 IgE의 결합에 의한 특이반응으로 나타나지
        만, 비특이적 자극(운동, 기온변화, 습도, 매연 등)에 의해서도 가능

    (4) 알레르기 행진(allergy march)

        성장하면서 알레르기 증상이 달리 나타나기도 하고 사라지기도 한다('알레르기의 자
        연경과' 또는 알레르기 행진(allergy march)'라고 함)

        ① 생후 1개월 전후 : 위장관 알레르기(특히 우유)

        ② 생후 2개월 : 아토피 피부염

        ③ 3~4개월 : 세기관지염

        ④ 돌 이후 : 천식과 구분이 되지 않는 천명기관지염(wheezy bronchitis)

        ⑤ 4세경 : 전형적인 천식 증상

        ⑥ 학령기 중반 이후 : 알레르기 비염

        ⑦ 사춘기 : 알레르기 증상을 호소하는 경우가 줄어듦.

           (70%는 치유되지만 20~30%는 그대로 성인기로 접어듦)

7. 알레르기 질환의 진단

알레르기 반응이 일어나기 위한 세 가지 조건

① 특이항체

② 화학 매체

③ 표적기관의 반응성

1) 알레르기 병력 조사

[1] 특징적인 증상

[2] 계절, 환경 및 특수 상황의 연관성

[3] 치료에 대한 반응

[4] 가족력

2) 진찰 소견

[1] 천식 : 천명, 호흡곤란, 흉부 함몰

[2] 비염 : 맑은 콧물, 비점막 부어 있고 창백

adenoid face(아데노이드 비대증 환자 같은 얼굴)

allergic shiner(눈 밑의 피부가 어두운 색)

allergic salute(코를 아래에서 위로 문지르는 모습)

transverse nasal crease(코를 많이 비벼 콧등에 주름이 잡힘)

대표적인 알레르기 진단 방법의 한계				
진단방법	알레르겐과 세포의 결합	화학 매체의 분비 생산	표적기관의 반응	비고
병력	±	±	±	비슷한 증상이 자주 재발하는 임상 경과
진찰	−	−	+	전형적인 증상 확인
총 IgE	±	−	−	Th2형 면역 반응
호산구	±	+	±	알레르기 염증 반응
특이 IgE (RAST, PRIST, CAP, MAST)	+	−	−	알레르겐 확인
알레르기 피부 시험 (Allergy skin test)	+	+	±	검사의 부위와 실제 증상을 일으키는 표적 기관이 항상 일치하지 않음
알레르겐 유발 검사 (Allergen challenge test)	+	+	+	알레르겐을 먹이거나 흡입 또는 피부 접촉으로 증상 발현을 확인하므로 가장 확실한 방법임
비특이 유발 검사 (Non−specific challenge test)	−	+	+	Methacholine, 히스타민, 식염수, 운동 등의 비특이 자극 물질을 이용한 검사

대표적인 알레르기 증상의 발병 기전		
표적 기관	병리	증상
말초혈관 확장	부종/가려움증	피부 : 두드러기/가려움증 비강 : 코막힘/재채기 결막 : 충혈/가려움증 기관지 : 기도 수축/기침 위장관 : 장운동 장애/장운동 항진
분비선 자극	과다 분비	비강 : 콧물 눈 : 눈물 기관지 : 가래 위장관 : 설사
평활근 수축	협착	기관지 : 천명, 호흡곤란 위장관 : 장폐색, 구토와 복통

3) 검사실 검사

(1) IgE치 측정

① 흔히 총 IgE치를 말한다.

② 대단히 예민한 검사이지만, 정상치의 범위가 넓어서 결과를 판단하기가 어렵다.

(2) RAST (Radioallergosorbent test)

① 특이적 IgE를 알아내는 검사

② 예민도가 떨어진다.

(3) 호산구(Eosinophil)검사

① 총 호산구 수를 측정하는 것이 백분율보다 낫다.

Radioallergosorbent test와 피부 시험 간의 임상적 유용성		
	피부시험	RAST, CAPS
위험성	있다	없다
민감도	매우 민감	덜 민감
항히스타민제의 영향	있다	없다
스테로이드제의 영향	보통 없다	없다
피부 묘기증에 의한 영향	있다	없다
편리성	불편	편리
검사 결과	즉시 판독	장시간
비용	경제적	비싸다
정량화	아니다	반정량적

4) 인체를 대상으로 하는 검사

(1) 알레르기 피부(Allergy skin test)

① IgE 매개성 알레르기 질환을 진단하는 데 매우 유용

② 종류 : 단자 시험(Prick test), 소파 시험(scratch test), 피내 시험(intradermal test), 첩포 시험(patch test)

③ 검사에 영향을 미칠 수 있는 약물

- Antihistamine : 검사 1주일 전에 약물을 끊어야 한다.
- Theophylline : small dose는 영향이 없다. large dose는 6~12시간 전에 약물을 끊어야 한다.
- Steroid : type I 과민 반응에는 영향이 없다. type IV는 suppression
- DSCG : 검사에 영향을 미치지 않는다.

(2) 증상 유발 검사(Provocation test)

① 여러 가지 검사를 해도 원인을 알기 어려울 경우 시행

② 종류 : 항원 흡입 유발 시험, 메타콜린 또는 히스타민 흡입 유발 시험, 운동 유발 시험, 물리적 유발 시험, 약물 유발 시험, 식품 경구 유발 시험, 환경 유발 시험

(3) 폐기능검사(Pulmonary function test)

① 항원 흡입 전후에 폐기능 검사 실시

→ 병을 앓고 있는지 여부, 심한 정도 평가

② 종류 : Wright peak flow meter, Peak flow meter

(4) 기타 검사

① 흉부 X선 검사

② 부비동 X선 검사

8. 알레르기 질환의 치료 원칙

1) 급성 증상의 치료

(1) 회피요법

(2) 약물요법

① 교감 신경 자극제(Adrenergic drugs)

- 천식 발작, 아나필락시스
- epinephrine이 대표적

② 항콜린제(Ipratropium bromide)

- 심한 천식 환자의 치료 시 보조 흡입 약물
- 무스카린 수용체의 ACh antagonist. vagus n. reflex 억제하여 기관지 확장

③ 항히스타민제(H₁-receptor antagonist)

- 알레르기 비염, 두드러기

- 만성 두드러기, 아나필락시스양 반응에서는 H_2-receptor blocker를 함께 사용
- 부작용 : 진정작용(sedation), 두근거림, 신경과민, 점막 건조
- 2세대 antihistamine : 진정작용이 거의 없다. 항알레르기 제제로도 사용

④ 테오필린(Theophylline)
- Phosphodiesterase의 억제 작용을 가진 약제로 기관지 확장의 효과가 있어 천식에 널리 사용됨.
- 아데노신 수용체의 길항 작용 : 횡격막의 피로를 줄이고 비만 세포에서 유리되는 화학 매체의 분비를 감소시킴
- 천식에서 기관지 확장제로 사용
- 치료 효과 농도(8~15μg/mL)가 좁아 독성 작용이 쉽게 나타난다.
  → 혈중 농도를 정기적으로 측정해야 함.

[3] 스테로이드제
① 가장 강력한 약물
② 기관지 천식, 알레르기 비염, 알레르기 결막염, 두드러기, 아토피 피부염, 아나필락시스성 반응
③ 기전 : 염증 반응에 관여하는 cytokine 억제
④ 부작용 : 구인두 칸디다증, 발성 장애, 시상하부-뇌하수체-부신축(HPA axis) 억제, 성장지연(소아에서 가장 문제, 최근 흡입제제 개발로 부작용 줄어듦)
⑤ 사용법 : alternate-day regimen, 장기간 사용시 tapering

[4] Theophylline제

2) 알레르기의 장기적 관리
[1] 환경 관리 : 회피요법과 제거요법(알레르기 질환 치료의 기본)
- 향후 태어날 영아에게는 모유 수유

✦ **천식 환자를 위한 환경 조절 방법**

1. 실내 습도를 50% 이하로 유지한다.
2. 이불은 자주 햇빛에 널어 말리고 더운물(>70℃)로 세탁한다.
3. 베개나 매트리스는 비닐(또는 allergen-proof covers)로 싸서 사용한다.
4. 헝겊으로 된 소파나 카펫을 사용하지 않는다.
5. 방바닥은 장판장으로 하고 매일 물걸레로 닦는다.
6. 꽃가루가 날릴 때나 공기 오염이 심할 때에는 출입문과 창문을 닫아 놓는다.
7. 강아지나 고양이 등 애완 동물을 키우지 않는다.
8. 실내에서는 담배를 피우지 않는다.

[2] 약물요법

　　① 흡입용 스테로이드

　　② 화학 매개체 길항제(leukotriene receptor antagonist, anti-platelet activating factor)

　　③ 크로몰린

　　④ 테오필린

　　⑤ 지속성 베타2 항진제

　　⑥ 알레르겐 면역 요법

[3] 면역 요법

　　① 개념 : 원인 항원을 일정한 간격을 두고 소량씩 증량하여 환자에게 주사함으로써

　　　　면역학적 변화를 유도하는 방법

　　② 적응증

✦ 면역 요법의 적응

1. 적어도 피부 시험 또는 RAST/CAP 등으로 특이 IgE 항체가 증명되어야 하고, 병력으로 원인 물질과 증상의 발현과의
   연관성이 확인되어야 한다.
2. 약물치료와 적절한 환경 요법에도 불구하고 증상이 지속되는 경우 또는 스테로이드의 투여가 빈번한 경우
3. 계절성 알레르기 증상이 매우 심하였거나 적어도 2년 이상 계절적 증상이 있었던 경우
4. 피할 수 없으면서 표준화 작업이 잘 된 알레르겐으로 집먼지진드기(Df, Dp)와 화분, 고양이 알레르겐이 포함된다.
5. 벌에 쏘여 전신 증상을 일으킨 경우
6. 지속되는 증상으로 빚어진 불편함과 경제적 부담이 면역요법을 실시하였을 때보다 큰 경우 : 학교 결석, 나이, 의료 부담 등

　　　Ⓐ IgE매개에 의한 질환(제1형 알레르기 질환)이어야 한다.

　　　Ⓑ 사용가능한 질환 : 기관지 천식, 알레르기 비염, 곤충이나 약물 등에 의한 아나

　　　　필락시스 예방

　　　Ⓒ 효과 없는 질환 : 아토피 피부염, 음식물 알레르기

　　③ 금기증

---

1. 절대적 금기증
　① 심한 면역 질환이나 악성 종양을 앓는 환자
　② 심한 고혈압, 관상동맥질환 또는 베타차단제를 장기간
　　사용하여 epinephrine 사용이 불가능한 환자
　③ 순응도가 나쁜 환자

2. 상대적 금기증
　① 5세 미만의 소아
　② 임신(유지 요법은 가능함)
　③ 중증 천식

---

④ 기전

Ⓐ IgG4로 생각되는 차단 항체(Blocking Ab)가 생산되어, 이것이 항원과 결합

→ 항원이 비만세포의 IgE와 결합하는 것을 막고, 화학 매체 유리를 억제하는 효과

Ⓑ IgE감소, 호염기구에서 히스타민 분비 억제, 항원 특이 억제 T 세포 증가

⑤ 방법

Ⓐ 초기 요법 : 위와 같은 면역학적 변화를 초래하기 위한 방법

• 희석된 소량의 항원을 일정간격으로 피하주사

• 환아가 감내할 수 있는 최고농도와 최고양이 되도록 5~6개월 또는 그 이상에 걸쳐 증량 주사

Ⓑ 유지 요법 : 면역학적 변화를 장기간 유지

• 초기 요법에서 설정된 최고농도, 최고양을 일정 간격으로 장기간 투여

⑥ 효과가 인정되는 항원을 사용 : 집먼지진드기, 꽃가루(pollen), 벌 독액(bee venoms), alternaria, 고양이털

⑦ 부작용

Ⓐ 천식 발작, 아나필락시스, 주사 부위의 부종, 통증

Ⓑ 특히 아나필락시스에 대한 응급처치가 준비된 장소에서 경험이 있는 의료진에 의해 실시되어야 함.

Ⓒ 주사후 적어도 30분 정도 관찰해야 함.

[4] 예방 요법

① 알레르기 가족력 있는 부모에게서 태어난 아기

Ⓐ 모유 수유할 것

Ⓑ 알레르기성이 강한 식품(계란, 우유, 밀, 생선, 감귤류, 땅콩, 버터)

→ 생후 6개월 이후에 시작, 수유 중인 엄마도 섭취 피할 것

② 알레르기 환경을 조기에 회피하면 좋은 경우

Ⓐ 제대혈(cord blood) IgE : 1.3IU/mL 이상

Ⓑ 혈청 총 IgE치가 높은 경우

Ⓒ 영아기에 호산구 증다증이 있는 경우

Ⓓ 알레르기 질환에 대한 가족력을 가지고 있는 경우

II 알레르기 각론

1. 기관지 천식

1) 천식의 특징

(1) 기도의 과민 반응(airway hyperactivity)

(2) 기도 염증(airway inflammation)

(3) 가역적인 기관지 수축(reversible bronchoconstriction)

2) 역학

(1) 어느 연령에서든지 발병가능

(2) 약 80% 이상이 6세 이전에 처음 onset

(3) 남녀비 : 사춘기 이전 – 남>여, 사춘기 이후 – 남=여

3) 병태 생리

(1) 기도 과민성 : 천식의 가장 특징적인 소견

→ 유전적인 소인, 반복적 기도 염증(m/i), 그 외 : 기도벽의 배후, 기도 상피세포 손상, 기도 근육 이상

(2) 기도 폐쇄(기도 과민성의 표현형)

① 기도벽의 부종

② 급성 기도 수축

③ 만성 점액전(mucous plug)의 형성

④ 기도 개형(remodeling)

(3) 혈액가스 교환 이상

① 천식발작으로 발생한 기도 폐쇄는 대부분 환기 관류 불균형 동반

② 다양한 호흡 부전 동반

4) 원인

(1) 유전적 소인

① 5번 chromosome (IL-4 유전자 집단)

② 20번 chromosome (ADAM33)

(2) 환경적 소인

① allergen

② 호흡기 감염

③ 환경 오염 물질

④ 차고 건조한 공기

5) 소아천식의 특징

① 구조적, 생리적 특수성에 의한 폐쇄가 잘 일어남.

② 성인보다 증상이 심하고 기관지 확장제에 대한 반응이 뚜렷하지 않음(특히 2세 미만) : 기도 안지름이 작고 분비물이 많고 말초 기도의 평활근 발달이 미약하기 때문

③ 면역학적으로 미숙 → 호흡기 감염 多 → 잦은 천식 증상

④ 영·유아기에 반복적으로 천명(wheezing)증상을 보이는 경우의 자연 경과

Ⓐ 3세를 지나면서 소실되어 학동기에서는 정상적인 폐기능 회복되는 경우

Ⓑ 약 2세 이후부터 전형적인 천식 증상을 보이다가 사춘기에 호전되거나 일부 성인까지 증상이 이어지는 경우

✦ 소아 천식의 연령별 접근 방법

2세까지 : 감별 질환이 다양하고, 검사 방법과 치료 수단에도 많은 제한이 따른다.
1. 감별 질환
  1) 감염성 질환 : 천명을 나타내는 호흡기 감염을 일으키는 감염
    RSV, Rhinovirus, Parainfluenza virus, Influenza virus, Adenovirus, *Mycoplasma pneumoniae* 등
  2) 위식도 역류와 잘못된 수유 방법
  3) 선천성 문제 : 기도 연화증(후두, 기관, 기관지), 후두 web, 혈관 고리(vascular ring), 섬모 운동 장애, 면역결핍증, 선천성 폐기종 등
  4) 기타 : 이물 흡인, 종격동 종양, 기관지폐 형성 이상 등
2. 검사 수단의 제한
  1) 불가능한 검사 : 유발 검사, 폐기능 검사, 최대 호기 속도 측정
  2) 제한되는 검사 : 피부 시험
  3) 가능한 검사 : 혈액검사(RAST 포함)
3. 치료 수단의 제한
  1) 제한되는 치료 수단 : 에어로졸(특수 스페이서 사용)
  2) 가능한 치료 수단 : 주사, 경구, 네불라이저 (nebulizer)

3~5세 : 감별 질환의 폭이 줄어들고, 피부 시험이 가능하다.
1. 감별 질환
  1) 감염 질환 : 천명을 나타내는 호흡기 감염의 감소
  2) 위식도 역류 : 현저히 감소
  3) 선천성 문제 : 현저히 감소
  4) 기타 : 이물 흡인, 종격동 종양 등
2. 검사 수단의 제한
  1) 불가능한 검사 : 폐기능 검사
  2) 제한되는 검사 : 최대 호기 유속 측정
  3) 가능한 검사 : 피부 시험, 혈액검사(RAST 포함)
3. 치료 수단의 제한
  1) 제한되는 치료 수단 : 에어로졸(스페이서 사용)
  2) 가능한 치료 수단 : 주사, 경구, 네불라이저 (nebulizer)

6세 이후 : 천식 유발 시험이 가능하다.
감별 질환과 검사 수단이 성인에 준하여도 무방하다.

6) 진단 및 임상소견

[1] 증상 - 간헐적인 마른 기침과 천명이 장기간에 걸쳐 나타남 : 만성천식의 가장 대표적인 증상

* 증상을 유발/악화시키는 요인

  • 흡입성 항원 : 집먼지진드기, 동물의 비듬, 화분

  • 호흡기 감염 : RSV(2세 이하), rhinovirus(나이든 소아)

  • 운동 및 과호흡 : 운동 유발성 천식(exercise-induced asthma)

    – 과호흡으로 인해 기도 점막의 온도가 내려가거나 점막 내 삼투압 변화 때문에 발생

    – 예방 : 운동 10분 전에 베타2 작용제 흡입, 혹은 운동 30분 전에 cromolyn 흡입

  • 기상 변화 및 대기 오염 물질 : 낮은 온도, 높은 습도, 황사현상, 간접 흡연, 이산화황

  • 식품 첨가물 및 약물 : 방부제, 산화 방지제, 아스피린, NSAIDs

  • 정서적 요인 : 정서적 불안, 스트레스

  • 기타 : 비염, 부비동염, GERD, 야간에 악화

① 기침(cough)

  • 기침형 천식(cough variant asthma) : 만성 기침 + sputum eosinophilia + 기도 과민성

② 천명(wheezing)

  Ⓐ 고음조(high pitch)

  Ⓑ 호기시에 현저(진행되면 흡기시에도 들림)

  Ⓒ 아주 심한 경우에는 들리지 않을 수도 있다.

③ 호흡곤란

  Ⓐ 숨쉬기 답답(chest tightness)

  Ⓑ 숨이 참(shortness of breathing)

[2] 병력과 신체진찰

① 병력 청취(m/i)

  • 원인 물질이나 유발 인자와 증상 발현과의 관계, 치료에 대한 반응, 가족력 등

  • 천식 삼조(triad asthma) : 천식 + 비용-(nasal polyp)을 동반한 부비동염 + 아스피린 과민성 → 천식 치료에 잘 반응하지 않음.

② 신체진찰 : 천명, 빈호흡, 코 벌렁거림(alar nasi flaring), 흉부 함몰, 호흡근의 사용과 청색증 등

[3] 진단 검사

① 혈액검사

- 총 호산구 수를 포함한 전체 혈구 계산(CBC) : ($400/mm^3$ 이상) 아토피 피부염에서 현저
- 총 IgE 및 알레르겐 특이 IgE 항체의 titer : 알레르기성 천식에서 현저
- ABGA 등 : 병력과 진찰 소견에 따라 시행

② 피부 시험

- 특이 IgE 항체를 찾는데 가장 민감
- 일반적으로 집먼지진드기(HDM), 애완 동물 등의 실내 알레르겐, 나무, 잡초, 잔디 화분과 공중 진균과 같은 실외 알레르겐, 달걀, 대두, 우유 등의 식품 알레르겐(어린이의 경우) 등을 포함시킴.

③ 폐기능 검사

- 폐활량 측정법(Spirometry) : 6세 이상에서 시행
  - 단독으로 기도 폐쇄를 단정할 수 없음.
  - 3차례 이상 시도하여 가장 잘 된 결과를 취해 호흡 기능 평가

✚ 천식 환자의 폐기능 검사 소견

1. 폐활량 측정법(spirometry)
   기류 제한(limitation of airflow)
   낮은 FEV_1
   $FEV_1/FVC < 0.8$

2. 기관지 확장제에 의한 호전 정도
   FEV_1의 상승 : 12% 이상

3. 운동 유발
   FEV_1의 감소 : 15% 이상

4. 최대 호기 속도
   오전 오후 변화 : 20% 이상

- 기관지 유발 시험(Bronchial challenge test)
  - 메타콜린, 히스타민 등의 기도 수축제나 운동, 고삼투액 등 비특이적 자극원 이용 가능
  - methacholine provocation test가 m/c
  - 운동 유발 검사

☆ 최대 호기 속도 측정법(Peak expiratory flow rate)
  - 사용 방법이 간단하고 기구 가격이 저렴하여 가정에서 폐기능 측정에 좋음.
  - 일중 변동이 있을 수 있으므로(아침에 낮고 오후에 높다.) 가장 높은 최대 호기 유속값과 일중 변동률을 기준으로 평가한다.

④ 영상 의학 검사 : 다른 원인을 R/O하기 위해 필요하고 치료 도중에 전형적인 경과
를 밟는 천식에서는 흉부 방사선 촬영은 불필요

7) 치료

'천식은 만성 질환이면서 관리를 소홀히 하면 점차 심하게 진행하는 질환이라는 개념' 아
래 장기적인 차원의 관리가 필요

(1) 정기적인 평가와 감시

(2) 증상의 악화 요인의 제거 또는 회피

```
✦ 천식 악화 요인의 관리

1. 환경 관리                              2. 동반 질환의 치료
   매연 줄이기 : 담배, 자동차 배기 가스         비염, 부비동염, 위식도 역류, 수유 습관
   알레르겐 줄이기 : 실내 알레르겐(애완동물, 진드기, 바
   퀴, 곰팡이)                            3. 감염 질환의 예방
   자극성 물질 줄이기 : 난방용 스토브, 향수, 먼지 등        위생관리
                                          인플루엔자 예방 주사
```

(3) 약물치료 : 급성 천식 증상 치료 및 유지치료(Controller and reliever)

사용 용도에 따른 천식 약물의 분류	
분류	대표적인 약물

완화제
Quick-relief medicine,
Reliever
	흡입용 속효성 β₂-항진제 :
	    Albuterol (Ventolin), terbutaline, metaproterenol (Alupent)
	흡입용 Anticholinergics
	    Ipratropium (Atrovent)
	Short-course systemic glucocorticoid : Prisone, methylprednisolone

분류	대표적인 약물

조절제
Long term-control medicine,
Controller
	비스테로이드 항염증제
	    Cromolyn, nedocromil
	흡입용 스테로이드
	서방형 테오필린
	지속성 β₂-항진제
	    salmeterol, formoterol
	류코트리엔 수용체 길항제(leukotriene modifier)
	    Montelukase (Singulair), zafirlukast (Accolate), onon
	경구용 스테로이드
	    Prednisone, methylprednisolone

① 급성 천식 발작의 치료

Ⓐ epinephrine 1 : 1,000 solution(0.005~0.01 mL/kg, SQ)

또는 흡입제 adrenergics(β₂-stimulant)를 1차 약제로 사용 − 1st choice

ⓑ humidified O₂ supply

ⓒ corticosteroid : 직접적인 기관지 확장 작용은 없으나, 항염증 작용이 있어 급, 만

성 천식, 천식 지속 상태에 효과적

ⓓ aminophylline 5 mg/kg를 15분에 걸쳐 서서히 정주

- cromolyn sodium : 알레르겐이나 운동에 노출되기 전에 예방적 사용

- Immunotherapy

- 항생제 : 감염이 의심되는 경우에만 사용

★→ 증상, PEFR, ABGA로 증상의 중증도를 파악한다.

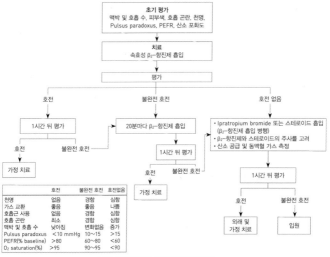

급성 천식 발작의 치료(외래 및 응급실)

② 천식 지속 상태(status asthmaticus)의 치료

급성 천식 발작의 치료에도 반응하지 않고, 호흡곤란이 지속되는 경우

- 환아의 vital sign 및 Sx 기록

- Humidified O₂ 투여

  – nasal canular나 마스크 사용

  – PaO₂ 70~90 mmHg 유지되도록

- IV 확보 후 5% D/S 투여 : 수분 공급은 통상 유지량의 1~1.5배 이상 투여하지 않는다.
  - Adrenergics 투여 : 급성 천식 발작 때와 동일(흡입제)
  - Aminophylline 투여
    - loading dose : 5 mg/kg로 15분에 걸쳐 투여
    - maintenance dose : 0.75~1.25 mg/kg/hr
  - Corticosteroid
  - 항생제 : 세균 감염의 합병증 있는 경우
  - 안정제는 금기

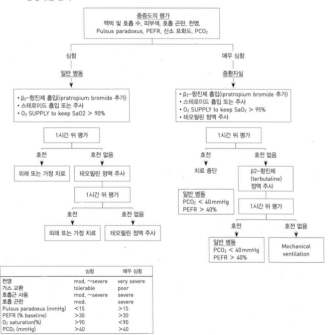

	심함	매우 심함
천명	mod. ~severe	very severe
가스 교환	tolerable	poor
호흡근 사용	mod. ~severe	severe
호흡 곤란	mod.	severe
Pulsus paradoxus (mmHg)	<15	>15
PEFR (% baseline)	>30	>30
O_2 saturation(%)	>90	<90
PCO_2 (mmHg)	>40	>40

급성 천식 발작의 치료(외래 및 응급실)

④ 장기적 치료(maintanance therapy)

		☆ 소아 천식의 중증도 분류 및 초기 치료						
중증도 요소 (component of severity)		간헐성 (intermittent)		지속성(persistent)				
				경증(mild)		중등증(moderate)		중증(severe)	
		0~4세	≥ 5세	0~4세	≥ 5세	0~4세	≥ 5세	0~4세	≥ 5세
장애 정도	증상	주2회 이하		주2회 초과, 매일은 아님		매일		온 종일	
	야간 증상/ 수면 지장	없음	< 2회/월	1~2회/월	3~4회/월	3~4 회/월	>1회/주, 매일 밤은 아님	>1 회/주	자주 7회/주
	증상 완화제 사용	주2회 이하		주2회 초과, 매일은 아님		매일		하루에 수차례	
	정상 활동의 제한	없음		심각하지 않은 제한		일부 제한		심각한 제한	
	폐기능 • FEV₁ (예측치) 또는 최대호기유속 (개인 최고치) • FEV₁/FVC	해당 없음	발작 사이에 정상 <80% >85%	해당 없음	>80% >80%	해당 없음	60~80% 75~80%	해당 없음	<60% <75%
악화 위험	경구용 전신 스테로이드를 필요로 하는 발작 (중증도 및 마지막 발작과의 간격 고려)	0~1회/년		6개월 내에 경구용 스테로이드를 필요로 하는 발작이 2회 이상이거나, 1년에 하루 이상 지속되는 천명이 4일 이상이거나, 그 밖에 지속성 천식의 위험인자가 있는 경우	≥2회/년				

8) 천식 조절에 도달하기 위한 치료

(1) 천식 치료 단계는 1단계에서 5단계까지 치료 단계를 선택

(2) 지속적인 천식 증상으로 인해 치료를 시작하는 대부분 환자의 초기 치료는 2단계부터 시작

(3) 첫 진찰 시 천식의 증상이 심하거나 조절되지 않고 있으면 3단계부터 치료 시작

		Step 1	Step 2	Step 3	Step 4	Step 5
0~5세 소아		간헐성 천식 (intermittent asthma)	지속성 천식(persistent asthma): 매일 치료(daily medication)			
	선호 약물 (preferred)	필요시 속효성 β_2-항진제 (SABA PRN)	저용량 흡입용 스테로이드 또는 류코트리엔 조절제	중간 용량 흡입용 스테로이드 또는 저용량 흡입용 스테로이드 + 지속성 β_2-항진제 또는 류코트리엔 조절제 또는 데오필린	고용량 흡입용 스테로이드 또는 중간 용량 흡입용 스테로이드 + 지속성 β_2-항진제 또는 류코트리엔 조절제 또는 데오필린	Step 4 + 경구용 스테로이드 또는 항IgE (anti-IgE)
	대체 약물 (alternative)		또는 데오필린			
		각 단계: 환자 교육 및 환경 조절				
	천식 완화제 (quick-relief medication)	1) 증상이 있으면 속효성 β_2-항진제 치료가 요구된다. 2) 바이러스 호흡기 감염이 있을 때: • 속효성 β_2-항진제를 4~6시간마다 흡입시킨다. 그러나 1일 이상 속효성 β_2-항 제의 규칙적인 흡입 치료가 요구될 때에는 전문의에 의뢰한다. • 증상의 악화가 아주 심하거나 환자가 전에 심한 악화의 병력이 있는 경우에는 단기간의 경구용 스테로이드를 사용할 수 있다. 3) 주의: 속효성 β2-항진제의 빈번한 사용이 필요할 경우는 step up을 고려해야 한다.				
6세 이상 소아		간헐성 천식 (intermittent asthma)	지속성 천식(persistent asthma): 매일 치료(daily medication)			
	선호 약물 (preferred)	필요시 속효성 β_2-항진제 (SABA PRN)	저용량 흡입용 스테로이드	중간 용량 흡입용 스테로이드 또는 저용량 흡입용 스테로이드 + 지속성 β_2-항진제, 류코트리엔 조절제, 또는 테오필린	고용량 흡입용 스테로이드 또는 중간 용량 흡입용 스테로이드 + 지속성 β_2-항진제, 류코트리엔 조절제, 또는 테오필린	고용량 흡입용 스테로이드 + 경구용 스테로이드 또는 항IgE (anti-IgE)
	대체 약물 (alternative)		또는 데오필린			
		각 단계: 환자 교육 및 환경 조절				
	천식 완화제 (quick-relief medication)	1) 증상이 있으면 20분 간격으로 3회까지 속효성 β_2-항진제 치료를 할 수 있다. 단기간의 경구용 스테로이드 치료로 고려할 수 있다. 2) 주의: 일주일에 2일 이상 속효성 β_2-항진제 치료가 요구될 때에는 천식 조절이 잘 안 되고 있음을 의미하며, STEP UP을 고려해야 한다.				

⑷ 천식이 잘 조절되고 있을 때의 치료 : Step down

⑸ 천식이 조절되지 않을 때의 치료 : Step up

천식 조절 정도에 따른 치료 계획		
조절 정도		**치료 계획**
조절됨(controlled)	하향 ↓	조절 상태를 유지하기 위한 최소의 치료 단계를 계획한다.
부분적으로 조절됨(partly controlled)		조절 단계로 도달하기 위하여 치료 단계 상승을 고려한다.
조절 안 됨(uncontrolled)	상향 ↑	조절 단계에 도달할 때까지 치료 단계를 상승한다.
악화(exacerbation)		급성 악화 시의 치료를 한다.

천식 조절 정도에 따른 분류			
항목	**조절됨** **(controlled)** 아래 항목 모두 만족	**부분적으로 조절됨** **(partly controlled)** 1주일 동안 아래 항목 중 하나 이상 해당	**조절 안 됨** **(uncontrolled)**
주간 증상	주 2회 이하 (하루 1회를 넘지 않음)	주 2회 초과	하루에 여러 차례
활동의 제한	없음	어느 정도 있음	심각한 제한
야간 증상/수면 지장 0~4세 5~11세 12세 이상	월 1회 이하 월 1회 이하 월 2회 이하	월 1회 초과 월 2회 이상 주 1~3회	주 1회 초과 주 2회 이상 주 4회 이상
증상 완화제의 필요	주 2회 이하	주 2회 초과	
☆ 폐기능(FEV_1, PEFR) 5~11세 12세 이상	(예측치 또는 개인 최고치의) FEV_1, PEFR >80% FEV_1/FVC >80% FEV_1, PEFR >80%	(예측치 또는 개인 최고치의) FEV_1, PEFR 60~80% FEV_1/FVC 75~80% FEV_1, PEFR 60~80%	(예측치 또는 개인 최고치의) FEV_1, PEFR <60% FEV_1/FVC <75% FEV_1, PEFR <60%
스테로이드 치료를 필요로 하는 천식 발작 0~4세 5세 이상	1년에 0~1회 1년에 0~1회	1년에 2~3회 1년에 2회 이상	1년에 3회 이상

6) 천식 악화 환자의 치료

★(1) 천식 악화의 중증도 평가

	경증	중등증	중증	천식 지속 상태
호흡곤란	걸을 때 누울 수 있음	말할 때 영 · 유아 : 연약 짧게 울음, 먹지 못함 앉은 자세 편함	쉴 때 영 · 유아 : 안 먹음 앞으로 구부림	
대화	문장을 말함	구절로 끊어짐	단어만 말할 정도	
의식상태	초조할 수 있음	계속 초조	계속 초조	혼미한 상태
호흡수[1]	증가	증가	분당 30회 이상	
흉골 함몰	거의 없음	항상	항상	역리적(기이) 호흡
천명	중등도, 호기 시	크게 들림	항상 크게 들림	천명이 안 들림
분당 맥박 수[2]	< 100	100~120	> 120	느린맥
역리 맥박(기이맥)	없음, < 10mmHg	가끔, 10~25mmHg	가끔, 20~40mmHg	호흡근 피로에 의해 소실
최대 호기 유속	> 80%	60~80%	< 60%	
PaO_2 (산소 공급)	정상	> 60mmHg	< 60mmHg, 가끔 청색증	
$PaCO_2$	< 45mmHg	< 45mmHg	> 45mmHg	
SaO_2 (산소 공급)	> 95%	91~95%	< 90%	
	탄산 과잉증(hypercapnea)이 성인보다 소아기에서 잘 나타남			

1) 호흡수 : 정상 호흡수 < 2개월 < 60회/분, 2~12개월 < 50회/분, 1~5세 < 40회/분, 6~8세 < 30회/분
2) 분당 맥박수 : 2~12개월 < 160회/분, 1~2세 < 120회/분, 2~8세 < 110회/분

(2) 천식 악화의 치료

(3) 중증 천식 악화의 파악

2. 알레르기 비염

1) 위험 인자

아토피의 가족력, 6세 이전에 혈청 내 IgE 100IU/mL이상, 흡연자 부모, 실내 알레르기
항원에 과도 노출된 경우

2) 분류

┌ 계절성 알레르기 비염 : 매해 일정한 계절에 발생, 꽃가루가 원인

  • 봄 – 나무(tree)

  • 여름 – 잔디(grass)

  • 가을 – 잡초(weed)

└ 통년성 알레르기 비염 : 계절과 관계없이 간헐적 혹은 지속적으로 증상이 나타남

- 집먼지진드기(house dust mite) : m/c, 애완동물, 일부 곰팡이

3) 발병기전

비점막과 알레르겐의 반복접촉 → APC와 T-cell and B-cell Interaction → specific IgE →
Eosinophil and Mast cell : cytokines → target : 비강 → Sx 유발

4) 증상

[1] 발작적인 재채기와 맑은 콧물 - Sx triads

[2] 코가려움증과 코막힘 - allergic salute, rabbit nose, transverse nasal crease, allergic gape,
adenoid face

[3] 비충혈

[4] 비강의 진찰 소견 : 창백, 다량의 콧물, 비중격만곡과 비용이 동반되기도

5) 검사소견

[1] 피부시험과 RAST

[2] 말초 혈액검사 : 총호산구 수

[3] 비즙 도말 검사

- 호산구 증다증
- 말초 혈액, 기름종이에 푼 코, 흡인기로 채취한 비점막 분비물로 도말검사
- 호산구 5~10% 이상이면 진단 가능

[4] 부비동 X선 검사 : 상악동에 흔히 점막 부종을 보인다.

[5] 유발 검사

[6] 혈청 IgE치

[7] 특이 IgE 항체

6) 감별진단

Allergic rhinitis VS Common Cold		
	(1) Allergic rhinitis	(2) Common cold
onset	rapid frequent	slowly
sneezing	prominent	(–) or mild
nasal discharge	초기 : thin watery	진하고 점액성
	후기 : thick, 무색	회백~노란색
눈의 itching	frequent	대개(–)
전신 증상	대개(–)	frequent
nasal smear	eosinophill	neutophill ↑
증상 지속기간	수시간~2 · 3day	대개 1주
전염성	frequent	(–)
기타 Allergic ds	(+)	rare

[1] 호산구성 비염 : 알레르기 피부검사 모두(–)

[2] 혈관 운동성 비염 : 비폐쇄가 더욱 심하고 비특이적 자극에 의해 악화

[3] 약물 비염 : 국소 비혈관 수축제를 과다 사용시

[4] 섬모 운동 장애 증후군 : 비섬모 미세 소관의 해부학적인 이상

7) 치료

[1] 회피요법

① 집에서 애완견 기르지 말 것

② 환아의 침실에서 카펫 제거

③ 침구류를 1~2주마다 더운 물로 세탁

④ 온도 25℃, 습도 50% 이하로 유지

[2] 약물요법

① Antihistamine : 콧물, 재채기 증상 완화(코막힘에는 효과 없음)

② Steroid : 현재까지 가장 효과적인 알레르기 비염 치료제

③ 항알레르기 약제 : cromolyn sodium

④ 항생제 : 2차 감염이 생긴 경우

⑤ 요즘은 2세대 항히스타민제 사용(loratidine, cetirizine)

★⑥ 스테로이드 국소분무제 사용(beclomethasone, budesonide, triamcinolone, fluticasone)

※ vasoconstrictor는 사용 금지

(∵ 장기 사용시 비점막의 궤양, 섬모 운동의 장애등을 일으켜 비가역인 만성 비후성
비염이나 부비동염을 유발)

[3] 면역 요법

알레르기 백신으로 원인 항원을 소량씩 증가 투여, Ix은 회피가 어려운 원인이 특이 IgE로 증명되고, 약제를 거부하거나 약제에 반응하지 않는 경우

8] 합병증

[1] 중이염과 부비동염

[2] 천식

[3] 코폴립(폐렴은 알레르기 비염의 합병증이 아님)

3. 눈의 알레르기

눈은 외부환경과 직접 접촉하면서 혈관이 많이 분포되어 있고, 면역학적으로 활발한 조직이기 때문에 알레르기의 좋은 표적기관이 된다.

1] 임상 형태

[1] 알레르기 결막염(Allergic conjunctivitis)

① 계절성 – 꽃가루, 풀 등에 알레르기를 가진 사람에게 비염 증상과 동반하여 발생

② 통년성 – 집먼지진드기, 애완동물, 곰팡이에 의해 발생, 천식 알레르기 비염, 피부 알레르기 환자에서 주로 동반

③ 증상 – 가려움, 결막의 부종, 충혈, 눈물, 눈부심 등

[2] 봄철 각결막염(Vernal keratoconjunctivitis)

① 봄철에 집중적으로 발생

② 계절성 알레르기 비염, 천식 또는 아토피 피부염을 앓고 있는 소아에 흔히 동반

③ 암검형과 윤부형의 두가지 형태

④ 증상 – 가려움, 눈부심, 점액성 분비물, 이물감, 눈물

[3] 아토피 각결막염(Atopic keratoconjunctivitis)

① 주로 아토피 피부염에 동반되어 나타나는 만성 염증성 안질환

② 하안검 결막을 주로 침범

③ 증상 – 극심한 가려움, 충혈, 작열감, 안검부종, 눈부심

[4] 거대 유두 결막염(Giant papillary conjunctivitis) : 콘텍트 렌즈 등의 이 물질에 장기간 노출되어 생기는 결막염

2) 감별진단

(1) 감염에 의한 결막염 : 더 흔하고 일측성, 가려움증 보다는 작열감, 이물감

(2) 눈물길의 폐쇄, 이물, 안구건조증, 포도막염, 안검 결막염

3) 치료

(1) 1단계 치료 : 알레르겐 회피, 찬찜질, 윤활제

(2) 2단계 치료 : 항히스타민제 – 경구용보다는 점안용 약제

　　　　　　　　충혈제거제 – 알레르기 반응자체는 감소시키지 않음, 약물결막염의 위험

　　　　　　　　비만세포 안정제, 비스테로이드 항염증제

(3) 3단계 치료 : 국소 스테로이드 – 바이러스 감염, 백내장을 초래할 우려가 있다.

(4) 면역요법

4. 아토피 피부염

1) 정의 및 역학

(1) 심한 가려움증(pruritus)을 동반한 피부질환으로 홍반(erythema)과 인설(scaling) 등의 특
　　 징적인 임상소견을 보임.

(2) 환아의 50%는 1세 이전에, 30% 정도는 1~5세 사이에 증상 시작

2) 면역학적인 병태 생리

(1) 전신적인 면역반응 : 혈청 IgE양과 호산구 수가 증가

(2) 피부조직의 변화 : 혈관주위 T 세포 침윤과 표피 증식

(3) 피부의 면역 반응

(4) 유전 : 모계 유전형태의 가족력이 현저

3) 원인

(1) 어린 소아의 약 30%에서 식품항원이 관여

(2) 나이가 들면서 집먼지진드기 항원이 관여

4) 증상과 임상소견

(1) 병변의 부위

　　 ① 뺨(홍반성 습윤성 피부염) : 초기 병변

　　　 → 얼굴의 나머지 부분, 목, 손목, 복부, 사지의 신전부로 퍼짐.

→ 굴곡부 침범은 나중에 나타남.(그 외 슬와부 popliteal와 전주와부 antecubital의 피부염으로 나타나기도 함)

② 가려움증(특징적인 증상) : 환아가 침구나 침대의 한쪽 면에 얼굴을 비빈다.

→ 2차 세균 감염이 잦음.

③ 피부염의 시작은 음식물(특히 우유, 밀, 간장, 생선, 땅콩, 달걀 등)의 섭취와 관련

④ 얼굴 : 모세혈관의 투과성 증가로 흰색조를 띠며, 혈관 확장은 주위 조직의 부종과 창백함을 가져온다.

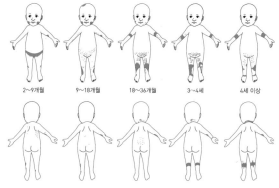

| 2~9개월 | 9~18개월 | 18~36개월 | 3~4세 | 4세 이상 |

연령별 아토피 피부염의 특징적인 분포

피부병변 ┌ 급성기 병변 : 심한 가려움증, 홍반성 구진, 찰과상, 수포 및 장액성의 삼출액
│   과 부종, 가피
├ 아급성기 : 인설과 표피 박리를 동반한 홍반성 구진
└ 만성기 : 태선화 현상과 섬유화를 동반한 구진의 만성기 병변

5) 진단

☆
✚ 아토피 피부염의 진단기준

주증상
가려움증
특징적 발진 모양 및 호발 부위
만성, 재발성의 임상 경과
아토피질환의 동반 및 가족력

부증상
피부 건조증(xerosis)
피부 감염
어린선(ichthyosis), 모공 각화증(keratosis pilaris)
백색 비강진(pityriasis alba)

손이나 발의 비특이적 습진과 두드러진 손금
유두의 습진
반복되는 결막염, 전낭하 백내장, 원뿔 각막
(keratoconus)
눈 주위 색소 침착, Dennie lines
구순염(cheilitis), 안면 창백, 안면 피부염, 목주름
백색 피부 묘기증(white dermographism and delayed
blanch)
환경이나 감정 요인에 의한 악화
혈청 IgE의 증가 또는 피부 시험 양성

*감별진단

① 지루성 피부염 : 주로 두피에서 시작

② 알레르기성 접촉성 피부염 : 굴곡부위 침범 안함.

③ 감염성 습진 : 화농성 물질 배농 후 잘 생김.

④ 심상선 어린선 : 가려움증은 덜하고 인설은 더 큼.

6) 합병증

2차 감염 : 포도상구균, β–용혈성 사슬알균, 단순 포진

7) 치료

(1) 증상의 악화 요인의 회피

① 피부자극 요인 : 지나친 비누 사용 금지(보습 비누 사용), 목욕 자체는 2차적인 피
부감염과 적절한 피부노출을 위해 필요. 목욕 후에는 보습제를 충분히 발라준다.
건조한 피부, 감염, 조이는 의복, 더위 등은 가려움증의 악화요소
손톱은 짧게 깎도록 하고 얼굴에 손이 가지 않게 함
옷은 부드러운 면제품이 좋음.
집먼지진드기가 없게 해줌.

② 식품 : 40% 정도에서 식품이 증상을 악화 연관성 있는 식품 제한(무작위 제한은 피함)

③ 흡입항원 : 흡입 알레르겐(특히 집먼지진드기)을 줄여주는 관리가 필요

④ 감염관리 : 세균감염(포도상구균이 m/c), 바이러스 감염 주의

⑤ 급성기 : wet dressing (Burow 액 등을 심한 병변 부위에)

(2) 약물치료

[국소치료]

☆① 보습제 : 피부상태와 선호도에 따라 적절한 보습제 선택

☆② 국소스테로이드 제제

③ 국소 면역 조절제

④ 타르

⑤ 광선 치료

[전신약물요법]

① 항히스타민제 : 가려움 조절 목적

② 전신 스테로이드 요법 : 단기간 사용

③ 사이클로스포린 : T세포의 사이토카인 억제 효과

④ 인터페론 : IgE 반응을 줄이고 Th2 세포의 증식과 기능을 억제

(3) 교육 : 임상경과에 대해 환자와 부모를 교육시키고 이해 시킴

8) 예후

(1) 적절한 요인을 제거하는 것, 적절한 국소 치료, 질병 경과에 대한 부모의 이해가 필요

(2) 완해(remission)는 보통 5년 이내

☆(3) poor prognostic factor

- 소아기의 광범위하게 있었던 아토피 피부염
- filaggrin 유전자의 돌연변이
- 알레르기 비염이나 천식이 동반되었을 때
- 부모나 형제의 아토피 피부염 가족력
- 이른 나이에 발생한 아토피 피부염
- 혈청 IgE 값이 높은 경우

5. 두드러기

1) 정의

(1) 두드러기 : 상부진피의 모세혈관 확장 및 투과성 증가에 의하여 붉게 부어오르거나 얼룩 모양을 나타내며 주위와 분명한 경계를 취한다.

(2) 혈관부종 : 좀 더 깊은 피부 조직(진피 심층부, 피하조직)에 부종, 두드러기와 동반된다.

2) 병인

[1] IgE 매개성 알레르기 반응 : IgE 항체와 항원의 반응에 의해 비만세포로부터 히스타민
이 방출되어 팽진 발적 나타남

[2] 보체계의 활성화 : 보체계 반응의 부산물인 C3a, C5a가 비만세포와 호염기구 표면에
직접 작용하여 히스타민 방출

[3] 혈액 응고계의 활성화 : bradykinin이 혈관 투과성 증가

[4] 호중구, 혈소판, 림프구와 대식 세포 등의 단구 세포에서 방출되는 histamine releasing
factor에 의한 히스타민 방출

3) 급성과 만성의 구분

[1] 급성 두드러기 : 대개 48시간 이내 증상이 사라지거나 또는 반복

[2] 만성 두드러기 : 6주 이상 지속, 적어도 주 2회 이상 재발하는 경우

4) 원인과 임상형태

[1] 식품과 두드러기

① 즉각형 IgE 매개 반응

② 영아기에는 우유, 달걀, 대두, 밀과 땅콩 등의 견과류가 흔한 원인

③ 영아기 이후에는 원인 식품의 범위가 다양해짐.

[2] 감염

① 가장 흔한 원인은 Epstein-Barr virus, 간염 바이러스, 아데노바이러스, 장내 바이러
스 등 주로 전신감염을 일으키는 바이러스

② 국소감염과 진균에 의한 경우는 두드러기가 발생하지 않는다.

[3] 흡입 또는 접촉성 항원

① 드물지만 화분이 많이 날리는 계절에 화분 알레르기 환자에서 두드러기나 아나필
락시스 증상이 나타날 수 있다.

[4] 물리적 두드러기

① 압력 두드러기 : 조이는 의복, 오래 걷거나 않는 행위 등으로 신체 일부가 압력을
받아 나타남.

② 피부 그림증

• 손톱이나 날카로운 물체로 피부를 자극하여 나타나는 피부증상

• 자극 후 혈관이 수축하여 피부가 흰색을 띄다가 가려움증, 홍반, 부종

③ 일광 두드러기

- 일광에 노출 후 1~3분 이내 증상 발생 → 일광 피한 뒤 1~3시간 뒤 사라짐.
- 가려움증 → 부종 → 홍반, 넓은 부위 노출된 경우 저혈압 및 천명과 같은 전신 증상

④ 콜린성 두드러기

- 따뜻한 물에 목욕, 땀, 운동, 불안감 등의 심리적 요인에 의해서 나타나는 증상
- 1~2cm의 홍반으로 둘러싸인 작은 점 모양의 두드러기가 주로 목 부위에 발생 전신 증상이 나타나기도 함.

⑤ 한랭 두드러기

- 물리적 두드러기 중 가장 흔한 형태
- 손, 눈, 코 등 추위에 노출된 부위에 잘 나타남.
- 광범위한 신체 부위가 추위에 노출되면 저혈압과 같은 전신증상이 나타나며 응급처치 하지 않으면 사망에 이르기도 한다.
- 가족력이 있는 경우도 많고, 혈청 내 한랭 단백과 매독 환자에서 발견되는 Donath-Landsteiner 항체가 나타나기도 하며, 바이러스 감염 후에 발생하기도 한다.

⑥ 수인성 두드러기

- 온도와 관련 없이 물에 접촉하여 나타나는 두드러기
- 다른 원인의 물리적 두드러기 감별 뒤 진단을 내려야 한다.

⑸ 선천성 혈관부종

① 얼굴과 사지의 피부 및 후두와 장점막의 부종에 의해 증상이 나타나고 성인이 되면서 점차 심해진다.

② 제1형 : 상염색체 우성 유전에 의한 C1 inactivator의 결핍

제2형 : 유전자 변이에 의해 발생한 C1 inactivator 기능장애

③ 혈청 C4 값이 떨어져 있으면 의심

C1 esterase의 기능 분석에 의하여 확진

⑹ 특발성 만성 두드러기

① 모든 검사가 정상이면서 다른 동반 질환없이 나타나는 두드러기

② 병변의 경계를 쉽게 촉지할 수 있고 주로 작게 둥근 모양을 나타낸다.

③ 35~40%에서 자가 항체 피부 시험에 양성 반응

5) 진단

(1) 병력과 신체진찰

(2) 알레르기 피부 시험과 RAST

(3) 특정 검사

원인	검사 방법
아토피 질환 식품과 약물	원인 물질 제거, 증상 일기, 피부 시험, RAST 또는 CAP, 의심되는 물질로 유발 시험
감염 전염 단핵구증, 장바이러스, 사슬알균, 간염, 기생충증	균 검사, 대변 검사, 간염 항원 검사
물리적 두드러기 피부 묘기증(dermographism) 한랭(cold urticaria) 콜린성(cholinergic) 운동 유발성(exercise induced) 일광성(solar) 진동성(vibratory) 지연 압력성(delayed pressure) 수인성(aquagenic)	Dermographometer(3.6kg/cm³) 등으로 피부 자극 Ice cube test, cryoglobulins, cryofibrinogens, VDRL 메타콜린 피부 반응 운동 유발 시험 광선(300nm 또는 450nm)에 30분 노출, protoporphyrin, coproporphyrin 측정 4분간 진동 10분간 압력 시험 여러 가지 온도의 물에 의한 유발 시험
전신 질환 교원 혈관 질환: 전신 홍반 루푸스, 피부 혈관염 등 갑상샘 비만 세포증(systemic mastocytosis)	면역글로불린, ANA, RF, C3, C4, CH₅₀, Factor B, 피부 생검-면역 형광 검사 갑상샘 기능 검사, 항갑상샘 항체 피부 생검, 피부 그림증 검사
유전 또는 후천 혈관 부종	C4, C2, C1, inactivator 검사, CH₅₀
특이적 반응	피부 혈관염 감별을 위한 피부 생검-면역 형광 검사, ANA

6) 감별진단

(1) 두드러기의 감별진단

① 다형성 홍반이 나타나는 바이러스 감염, 약물 반응(고정 발진이 특징)

② 생후 2~3세 urticaria pigmentosa : 피부 생검 시 비만 세포가 증가

③ 24시간 이상 같은 부위에 색소 침착 또는 자반양상의 두드러기인 경우 혈관염 의
심. 혈관염일 경우 통증, 발열 등의 전신 증상, ESR 증가, 항히스타민제에 대한 반
응 떨어짐

(2) 혈관부종의 감별진단

① 연조직염, 단독열 – 통증, 발열을 동반한 붉은 병소

② exercise-induced anaphylaxis

7) 치료

[1] 회피요법

[2] 약물요법

① 아드레날린 약물 : 심한 급성 두드러기, 기도폐쇄 동반한 혈관부종 환자에서 빠른
   호전을 위해 사용

② 항히스타민제 : 가장 중요하고 기본적인 두드러기 치료제

③ 스테로이드

④ Cyclosporine

⑤ 기타 : 면역글로불린 IV, 혈장 분리 반출 요법

8) 예후

[1] 원인에 따라 차이가 있지만 급성 두드러기는 대게 일과성

[2] 전신질환에 의한 두드러기는 원일 질환에 예후에 따라 예후 결정

[3] 만성 두드러기의 경우 대개 6개월 또는 수년간 증상 지속

6. 아나필락시스

1) 정의

항원이 비만세포나 호중구 등에 붙어 있는 항원 특이 IgE와 반응한 후 그들 세포에서 분
비되는 화학 매개 물질에 의하여 일어나는 급성 반응

2) 원인

병원 내에서의 원인	제품
조영제 라텍스 약물 : 페니실린 등의 항생제, 화학요법제, 근육 이완제 생물학적 물질 : L-asparaginase, 알레르겐, 혈액 제제, 인슐린, 면역글로불린	곤충 : 벌, 불개미, 쉬파리, 흡혈 곤충 경구용 약물 음식 첨가물 : metabisulfite, monosodium glutamate, aspartame(감미료) 운동 유발 원발성
병원 밖에서의 원인 음식물 : 해산물, 견과류, 콩과 식물, 달걀, 샐러리, 우유	

* 위 알레르기 : 조영제, 아편제제, 아스피린, D-tubocurarine, thiamine, captopril
 – 위 알레르기(pseudoallergy) 또는 아나필락시성 반응에는 IgE가 꼭 필요한 것은 아니며, 이물질이 직접 비만 세포에 작용하여 반
  응을 유발시킬 수 있다.

3) 증상

(1) 폭발적인 반응이 일어난다.

(2) 이물질이 주사로 주입된 때 심하다.

(3) 이물질 투여 후 증상 발현이 빠를수록 반응은 더욱 심각하다.

(4) 첫 증상 : 입 주위나 얼굴에 따끔따끔한 느낌

→ 열이 나는 듯한 느낌, 연하 곤란, 목과 가슴 부위가 죄어드는 느낌

→ 홍조

→ 두드러기, 혈관 부종, 목소리가 변함, 흡인성 천명음, 연하장애, 비폐쇄, 눈 주위의
  가려움증, 재채기 등

(5) 신체진찰 상 저혈압, 약한 심박음, 서맥, 때로 부정맥 관찰

(6) 대부분 상기도 폐쇄가 원인이나, 상기도 폐쇄 없이 심한 순환계 허탈만 관찰되는 경
  우도 있다.

(7) 지속 시간

• 항원 노출 후 30분 이내에 주로 나타나며, 회복되면 증상은 수시간내 없어진다.

• 증상 소실 1~8시간 후 다시 나타나는 이상성을 보이기도 함(치료약물의 작용시간
  이 짧은 것과 연관)

- 수시간 또는 수일 계속 되는 경우도 있음

4) 치료

(1) 조기 진단과 증상 초기에 적절한 응급치료의 시작이 관건

(2) 기도 유지와 심폐 기능 평가

☆(3) 1차적으로 epinephrine(1 : 1,000, 0.01 mL/kg, 최대량 0.3mL, 근육주사, 필요한 경우 15분마다 반복)

(4) H₁길항제(diphenylhydramine 1~2mg/kg) 근주 또는 정주

(5) 주사약물, 곤충독 : 압박대 사용. 3분 간격 풀고 조임 반복(항원 흡수 감소)

(6) 저혈압이 지속되면 다리를 높이고 생리식염수의 급속 주입이 필요심한 저혈압 지속시 dopamine이나 norepinephrine 정주

(7) sodium bicarbonate로 대사성 산혈증 교정

(8) 기관지 수축 증상 있으면 aminophylline 4~7mg/kg 서서히 정주

(9) 부신피질호르몬 : 아나필락시스 초기 치료 후에 투여, 효과는 확실하지 않음.

(10) 100% 산소를 4~6L/min 투여

(11) 기관삽관, 기관절개술 : 상기도 폐쇄가 심할 경우 즉시 시행

(12) 수액 공급 : 환자 상태가 안정된 후 vital sign 유지

5) 예방

(1) 조영제 : 검사 전 하루동안 prednisolone 경구 투여diphenylhydramine 50mg을 검사 1시간 전에 근육 주사(90% 이상 예방)

(2) 약물 : 경구 투여함으로써 많이 줄인다.

(3) 라텍스 : 저알레르겐 라텍스 사용

(4) 음식과 유관한 운동성 아나필락시스 : 식사 6시간 후에 운동, 전에 증상을 유발했던 음식은 12시간 경과 후 운동

(5) 아나필락시스 경험이 있는 자 : 응급으로 주사할 epinephrine을 휴대

7. 혈청병

1) 정의

이종 항원(foreign antigenic material) 투여 후 전신적 과민성 혈관염 등의 면역 장애 증상들이 나타나는 질환

2) 원인

　(1) 최근은 페니실린 등의 약물 알레르기에 의하여 주로 발병

　(2) 과거에는 디프테리아나 파상풍 치료에 사용했던 항독소 내에 존재하는 동물의 혈청
　　　단백질에 의해 발생

3) 증상

　(1) 발열, 불쾌감, 피부발진, 전신적인 두드러기(가장 괴로움)

　(2) 얼굴과 목 주위의 부종, 안면부 발적, 근육통 림프절 종창, 관절염, 위장관 증상(복통,
　　　설사, 구역)

　(3) 잠복기 : 7~12일(3주 후에 나타날 수도 있고, 이전에 노출되었거나 알레르기 반응이
　　　있었던 경우는 주사 후 1~3일 이내에 나타날 수도 있으며, 아나필락시스가 발생할 수
　　　도 있다).

4) 검사소견

　(1) 백혈구, 호산구 수 : 다양

　(2) 혈소판감소증

　(3) 단백뇨, hemoglobinuria, 현미경적 혈뇨

　(4) 혈액내 형질세포 관찰되기도

　(5) 적혈구 응집 반응, sheep RBC agglutinin 증가

　(6) 혈청내 보체치(C3/C4) 감소

5) 치료

　(1) 항히스타민제, 아스피린

　(2) 스테로이드 : 증상이 심한 경우

　(3) 혈장 분반술(plasmapheresis) : 치료에 반응하지 않는 경우

8. 식품 알레르기

1) 정의 및 개요

　(1) 특정 식품이나 식품 첨가물을 섭취했을 때 일어나는 몸에 이롭지 못한 모든 반응

　(2) 흔한 음식물 : 우유, 계란, 밀, 땅콩, 견과류, 콩, 메밀(우리나라)
　　　　　　　　　└──── 영아 & 소아에서 m/c

⑶ 보통 1~2년이 지나면서 없어지는 경우가 대부분이나, 땅콩과 메밀 알레르기는 나이
가 들어서까지 지속

2) 원인 및 발생 기전

⑴ 주요 항원 : 대부분 수양성 당단백(glycoprotein), 분자량은 약 10,000~60,000kD

⑵ 기전 : GI mucosa가 large antigenic protein fragments에 대하여 permeability가 있다. secre-
tory IgA가 antigen의 흡수를 면역학적으로 막는데 영아기에는 IgA의 barrier의 발달이
느리기 때문

⑶ 주로 IgE 항체에 의한 즉시형 반응

3) 증상

⑴ 피부 증상 : 발진, 두드러기, 혈관부종

⑵ 위장관 증상 : 입술이나 구강 점막의 부종과 가려움증, 구토, 복통, 복부팽만, 설사,
장출혈, 흡수장애, 철결핍성 빈혈

⑶ 호흡기 증상 : 비염 증상, 천식 증상, 만성 재발성 폐침윤, hemosiderosis

⑷ 전신성 아나필락시스

⑸ 그 밖 : Chinese restaurant syndrome, hot dog headache, food-dependent excercise-induced
anaphylaxis

4) 진단

⑴ 원인 식품을 '추정'하기 위한 검사

① 문진 및 진찰

★② 식품 일기

③ 특이 IgE 항체 검사, 특이 IgG 항체 검사

④ 히스타민 방출 시험

⑤ 피부 시험

⑵ 원인 식품을 '확인'하기 위한 검사

★ 식품 제거 및 유발 시험 : 가장 신빙성 있는 시험

• 의심되는 식품을 7~10일간 섭취하지 않도록 한 뒤 환자의 증상 소실을 확인

• 증상소실 확인되면, 그 식품을 다시 투여하여 동일한 증상 유발되는지 확인

5) 치료

[1] 원인 식품의 제거

[2] 약물치료

① 식품 섭취로 인한 알레르기 : 항히스타민제, 스테로이드

② 아나필락시스 경험한 환자 : 응급용 에피네프린 주사(휴대하고 다녀야함)

③ 항알레르기 제제

[3] 면역 치료

6) 예방

① 모유 수유가 식품 알레르기 예방에 도움이 된다.

② 수유 중인 산모나 영아는 알레르기성이 강한 식품의 섭취를 되도록 제한

7) 우유 알레르기

[1] 분류

① IgE 매개형(60%) : 피부와 호흡기 증상

② 비IgE 매개형 : 위장관 증상

[2] 증상

① 시기 : 우유 먹기 시작한 후 1주 지나 생후 한달 내에 발생

② 소화기 증상(50~70%) : 아나필락시스, 구토, 설사, 혈변

③ 피부 증상(50~60%) : 습진, 두드러기, 혈관부종

④ 호흡기 증상(20~30%) : 비염, 비충혈, 천명

[3] 진단

① IgE 매개형 : 알레르기 피부 반응 시험, 특이 IgE항체, 제거 및 유발시험

② 비IgE 매개형 : 내시경 조직검사, 제거 및 유발 시험

[4] 치료

① 우유, 우유 성분 완전 제거

② 모유나 완전 가수 분해 우유

③ 아미노산 식이 : 완전 가수 분해 우유에도 민감한 경우

④ 대두유 : 소장 결장염이나 장 병증시는 대치가 어렵고, IgE 매개성에서는 14%에서 민감하므로 사용가능

[5] 예후

① 3세 전에 80%이상이 소실(1세 50%, 2세 70%, 3세 85%)

② 예견 인자 : 1세에 우유에 대한 피부 시험

- 음성 : 3세경 100% 소실
- 양성 : 25%가 3세에도 증상 지속

8) 계란 알레르기

[1] 흰자위에 항원성이 강하다.

[2] 증상

① 섭취 후 한 시간 내 반응이 나타남.

② 두드러기, 발진, 아토피 피부염이 흔하다(즉시형 알레르기 반응).

③ 호흡기, 위장관, 전신 증상도 나타남.

[3] 다른 질환과의 관계

① 향후 집먼지진드기 등의 흡입 항원에 대한 감작률이 높다.

② 습진, 천식 증가

③ 높은 IgE치를 지닌다.

[4] 예후

① 2~5세에 40~80%가 소실

② 호전되기 쉬운 경우 : 피부 또는 위장 증상만 가지거나 특이 IgE 항체가 낮을 때

③ 호전되기 어려운 경우 : 호흡기 증상, 맥관 부종, 두 개 기관 이상 증상이 같이 있을 때

9. 약물 알레르기

1) 약물의 이상반응

---

1. 예측할 수 있는 이상반응
   ① 약물 중독(toxicity)
   ② 부작용(side effects)
   ③ 간접 부작용(indirect 또는 secondary effects)
   ④ 약물 상호 작용(drug interaction)

2. 예측할 수 없는 이상반응
   ① 불내성(intolerance)
   ② 약물 특이 체질 반응(idiosyncracy),
      약물 유전학적 반응(pharmacogenetics)
   ③ 약물 알레르기(drug allergy)

---

2) 위험 인자

[1] 약물의 종류 : 페니실린, 세팔로스포린, 아스피린, 설파제

[2] 약물의 접촉 방법 : 경구투여가 제일 적게 일으킨다.

[3] 알레르기 병력

[4] 환자의 나이 : 소아와 노인에서는 위험도가 낮다(∵면역 기능이 미숙하거나 퇴화).

[5] 질병

① 결핵, 백일해, 전염성 단핵구증 : 알레르기 촉진

② 기관지 천식, 심한 호흡기 질환 : 빈도를 증가시키지는 않으나, 증상이 심하다.

③ 아토피 환자, 심장병 환자 : 조영제 약물 알레르기 반응의 위험도 증가

④ HIV 감염환자 : 알레르기 발생 증가($\because$ IgE 생성 조절기능저하)

3) 증상

[1] 아나필락시스

[2] 혈청병

[3] 피부발진

[4] 약물열

4) 진단

[1] 병력 청취 : 약물 종류, 용량, 투여방법, 기간, 증상발현시기, 약물투여와의 관계

[2] 약물 투여 중지한 후 증상 소실된 경우 의심

[3] 피부시험, RAST, 유발 시험 등

5) 치료

[1] 원인 제거

① 가장 중요한 방법

② 영아의 피부발진은 바이러스에 의한 것이 많으므로 감별을 잘 해야한다.

③ 약리작용에 의한 부작용은 용량이나 투여 기간을 조절

[2] 대증 요법 : 증상에 따라 에피네프린, 항히스타민, 스테로이드 사용

[3] 탈감작 요법

① 알레르기 반응에도 불구하고 약물을 반드시 써야하는 경우

② CIx : Epidermal necrosis, Steven-Johnson syndrome, Erythema multifome

6) 페니실린 알레르기

(1) 증상

① 즉각 반응

- 조기 반응(약물투여 30분 이내) : 아나필락시스, 두드러기
- 지발 반응(약물투여 2~72시간 이내) : 두드러기, 혈관부종, 가려움증, 천명, 후
  두부종

② 지연 반응(약물투여 72시간 이후) : 피부발진, 발열

(2) 진단

① 병력 청취

② 의심 되는 경우 페니실린 사용전 피부 시험해야 한다.

③ 항원 결정 인자

- 주항원 결정 인자 : 95% 차지, 증상을 나타내지 않는다.
- 부항원 결정 인자 : 5% 차지, 임상적으로 문제

④ 피부시험

- 주항원 결정 인자 : PPL (penicilloylpolylysine)
- 부항원 결정 인자 : 신선하거나 2주 지난 페니실린 G 희석액이나 부항원 혼합물
  (MDM)

(3) 치료 및 예방

① 다른 약물 알레르기와 치료 같다.

② 페니실린을 대체할 수 있는 항생제 : erythromycin, azithromycin, clarithromycin, van-
  comycin, chloramphenicol, clindamycin

③ 반합성 페니실린, 세팔로스포린은 피하는 것이 좋다.

10. 곤충 알레르기

1) 분류 및 증상

　(1) 호흡기 알레르기 : 곤충에서 유리되는 특수한 물질을 흡입

　　① 원인 : 죽은 곤충에서 박리된 물질, 하루살이, 날도래, 나방의 날개에서 생기는 가루

　　② 증상 : 비염, 결막염, 천식

　(2) 국소적인 피부반응 : 곤충에 물렸을 때

　　① 원인 : 모기, 파리, 빈대

　　② 증상 : 두드러기, 구진, 수포, 홍반

　(3) 아나필락시스성 반응 : 자충(쏘는 곤충)에 의함

　　① 원인 : 막시류 곤충(Hymenoptera), 꿀벌, 호박벌, 말벌 종류, 개미 종류

　　② 증상 : 전신적인 두드러기, 호흡기의 폐색 증상, 쇼크

2) 치료

　(1) 무는 곤충 : 국소 치료제, 항히스타민

　(2) 막시류 곤충

　　① 아나필락시스성 반응 : 에피네프린 주사

　　② 지속적 저혈압 : 혈량 확장제, 항히스타민제

　(3) 면역 요법

24 결체조직 질환

I 소아기 특발성 관절염(Juvenile idiopathic arthritis; JIA)

1. 특징

(1) 소아에서 m/c 결체조직 질환

☆(2) 15세 이하의 소아에서 최소 6주 이상의 지속되는 관절염이 1개 이상의 관절에서 나타 날때 진단

2. 분류(증상 및 특징)

1) 전신형(Systemic type, Still disease)

(1) 관절염 증상 나타나기까지 수주 – 수개월 동안 고열, 발진, 전신 림프절비대, 간비장비대

(2) 특징적인 Fever pattern

• 매일 한 두차례 고열, 열이 있을 때 오한

• 일단 열이 내리면 멀쩡하게 보임.

(39℃ 이상의 Daily spiking fever가 2주 이상 지속)

(3) 일과성 발진

• 열과 동반하는 경우 많음(열이 떨어지면 발진도 소실)

• 작은 홍반으로 둘레는 창백, 크기가 큰 경우 중심부도 창백

• 주로 몸통, 대퇴부, 상완에 호발

(4) 관절염 증상(주로 다관절형), 흉막염, 심막염

(5) 활동성의 전신형 JRA 경우 전신적 발육장애 가능

(6) 임상경과는 다양(비교적 양성으로 Self-limited)

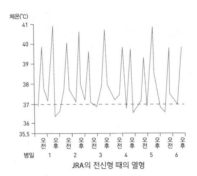

JRA의 전신형 때의 열형

2) 다수 관절형(Polyarticular type)

(1) 5개 이상의 관절이 대칭적 침범

(2) 여아에 호발

(3) 여러 관절의 Morning stiffness(특히 손가락이 흔함)

(4) RF(+)인 경우

- 소아기 후기에 주로 호발

- Rheumatoid nodule 동반

- Poor prognosis

3) 소수 관절형(Pauciarticular type)

(1) 4개 이하의 관절 침범

(2) 가장 흔하고 가장 양성

(3) 무릎 등 큰 관절 침범이 흔함, 대개 비대칭적

(4) I형과 II형으로 나뉨.

- I형 : m/c(30~40%)

① 여아에 많음.

② 4세 이전에 시작

③ RF(−), ANA(+)

④ 눈의 합병증 : 만성 홍체 섬모체염 동반(15~30%)

⑤ 정기적인 안과 검진

- II형 : 0~15%

① 주로 남아

② 8세 이후

③ ANA(−), HLA B27(+) : 후에 오는 spondyloarthropathy

3. 검사소견

[1] 특수 진단 검사법은 없음.

[2] Leukocytosis, Anemia, Thrombocytosis(특히 전신형)

[3] ESR 증가, CRP : 병의 activity와 치료에 대한 반응 평가에 유용

[4] RF : 5%에서만 양성(다수 관절형 중 RF 양성 군)

[5] ANA : RF 음성형의 25% / RF 양성형의 75% / 소수 관절형 I형의 90%에서 양성

[6] LE cell : 5%에서 양성

[7] Synovial fluid : Protein 증가, 5,000~80,000mm³의 세포수(중성구 현저)

[8] X선 소견 : 연부조직 종창, 관절 부근의 Demineralization, 관절면 변형, 관절강의 narrowing

4. 치료

- 치료목표 : 염증 억제, 관절통 경감, 관절 기능 보존

- 치료원칙 : 피라미드형 모델로 치료

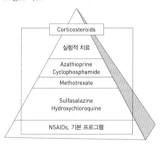

JRA의 치료 pyramid

1) NSAIDs

[1] 최소 6주간 치료, 병의 활동성이 없어진 후 1~2년 더 투여

[2] Salicylate (Aspirin) 사용 시는 부작용에 대한 주의 요망(Reye syndrome 주의)

JRA에 사용되는 NSAIDs		
약명	용량(mg/kg/일)	복용 횟수
Acetylsalicylic acid	80~100	4
Ibuprofen	30~40	3
Naproxen	10~20	2
Tolmetin	20~30	3~4
Diclofenac	2~3	3
Piroxicam	0.2~0.3	1
Indomethacin	1.5~3	3

2) MTX

(1) NSAIDs에 충분히 반응하지 않는 경우 사용

3) Steroid 사용의 적응증

(1) 홍채 모양체염(Iridocyclitis)이 있는 경우

(2) Salicylate에 반응 없는 전신형 환자

(3) Pericarditis, Myocarditis

cf. Severe arthralgia는 적응증 아님!!

4) 장기간 휴식은 병의 경과에 도움 안 됨. 일정한 운동량 유지 권장(물리 요법, 작업요법 등)

<table>
<tr><th rowspan="2">구분</th><th colspan="2">다수 관절형</th><th colspan="2">소수 관절형</th><th rowspan="2">전신형</th></tr>
<tr><th>음성</th><th>양성</th><th>I형</th><th>II형</th></tr>
<tr><td>빈도</td><td>20~30%</td><td>5~10%</td><td>☆ 30~40%</td><td>0~15%</td><td>10~20%</td></tr>
<tr><td>성별</td><td>90% 여아</td><td>80% 여아</td><td>80% 여아</td><td>90% 남아</td><td>60% 여아</td></tr>
<tr><td>발병</td><td>전 소아기</td><td>소아 후기</td><td>소아 초기
4세 전부터</td><td>소아 후기</td><td>전 소아기
5세 미만</td></tr>
<tr><td>관절</td><td>모든 관절</td><td>모든 관절</td><td>- 큰 관절
- 무릎, 발목, 발꿈치</td><td>- 큰 관절
- 고관절, 하지 큰 관절</td><td>모든 관절</td></tr>
<tr><td>sacroiliitis</td><td>×</td><td>드물다</td><td></td><td>흔하다</td><td>×</td></tr>
<tr><td>iridocyclitis</td><td>드물다</td><td>×</td><td>30%</td><td>10~20%</td><td>×</td></tr>
<tr><td>홍체모양채염</td><td></td><td></td><td>만성</td><td>급성</td><td></td></tr>
<tr><td>RF</td><td>×</td><td>100%</td><td>×</td><td>×</td><td>×</td></tr>
<tr><td>ANA</td><td>25%</td><td>75%</td><td>☆ 90%</td><td>×</td><td>10%</td></tr>
<tr><td>HLA Ab</td><td>?</td><td>DR4</td><td>DR5
DR6
DR8</td><td>B27 : 75%</td><td>?</td></tr>
<tr><td>최종 증상</td><td>시만 관절염
10~15%</td><td>심한 관절염
50% 초과</td><td>① 눈의 손상 10%
② 다발성 관절염
20%</td><td>spondylo
-arthropathy</td><td>심한 관절염 25%</td></tr>
</table>

☆ 소아기 류마티스관절염의 형

II 전신홍반루푸스(Systemic Lupus Erythematosus; SLE)

1. 검사소견

[1] ANA : 활동성 환자의 거의 모두 양성이므로 Screening에 유용

[2] Anti-dsDNA Ab : SLE에 더 특이적, 병의 Activity 반영

[3] CH50, C3, C4 감소

[4] Anti-Smith Ab : 활동성을 시사하지는 않음.

[5] Anti-SSA, SSB Ab : 양성일 때 Sjogren syndrome과 자주 동반됨.

[6] Proteinuria, Hematuria

[7] LE cell

[8] 면역 형광법을 이용한 피부, 신사구체의 Ig, Complement 침착 증명

◈ **SLE의 Activity**를 시사하는 소견

- Anti-dsDNA Ab 증가
- ESR 증가
- Immune complex 증가
- Complement (CH50, C3, C4) 감소

2. 진단기준

✚ 전신홍반루푸스의 진단기준

1. 안면 홍조(Malar rash)
2. 원판상 발진(Discoid rash)
3. 광과민성(Photosensitivity)
4. 구강 내 궤양(Oral ulcer)
5. 관절염(Arthritis): 2개 이상의 관절
6. 장막염(Serositis)
   ① 흉막염(Pleuritis)
   ② 심막염(Pericarditis)
7. 신 장애(Renal disorder)
   ① 지속성 단백뇨(>0.5g/일 또는 >3-plus proteinuria)
   ② 세포 원주(Cellular casts)
   ③ 신생검

8. 신경계 장애(Neurologic disorder)
   ① 경련(Seizures)
   ② 정신병(Psychosis)
9. 혈액학적 장애(Hematological disorder)
   ① 용혈 빈혈(Hemolytic anemia with reticulocytosis)
   ② 백혈구 감소증(<4,000/mm^3 2회 이상)
   ③ 림프구 감소증(<1,500/mm^3 2회 이상)
   ④ 혈소판감소증(<100,000/mm^3)
10. 면역학적 장애(Immunologic disorder)
   ① LE 세포 양성
   ② 항 DNA 항체 양성
   ③ 항 Sm 항체
   ④ 위양성 매독 혈청 반응
11. 항핵 항체(Antinuclear antibody)

- 11개 항목 중 4개 이상이 동시성 또는 어느 기간에 걸쳐 나타나는 경우

3. 치료

- 병의 정도와 침범된 기관에 따라 치료 방침 결정
- 목적 : 임상적 호전, 혈청 보체치 정상화

  (1) NSAIDs : 관절통, 관절염/간독성에 주의

  (2) Hydroxychloroquine : 가벼운 증상 시(피로, 피부병변, 관절증상)

  (3) 저분자 Heparin, Warfarin : 혈전증 및 Antiphospholipid Ab 양성 환자

  (4) Steroid

  ① 증상호전, 자가항체 소실, 신질환 호전, 생존기간 연장

  ② 결핵 합병시 진단 어렵게 하므로, 치료 전에 결핵 반응 검사 필요

  (5) Cytotoxic therapy : Cyclophosphamide, Azathioprine

  (6) 신질환의 치료 : 매우 중요

  ① 신생검으로 병기 결정, 이에 따른 치료 방침 결정

  ② WHO 분류상 6병기로 나눔(신·요로 질환 참조).

4. 예후

1) 5년 생존율

   90% 이상(하지만 상당수의 환자가 결국 사망)

2) 주 사망 원인

   ① Renal failure

   ② Infection

   ③ CNS disease

   ④ 만성 steroid 치료에 의한 폐출혈

   ⑤ MI

III 가와사키병
(Kawasaki disease, Mucocutaneous lymph node syndrome)

1. 병태 생리

- 중간 크기의 혈관을 주로 침범하는 전신 혈관염
- 급성기와 아급성기에는 혈관 내피 세포와 평활근 세포의 염증과 부종이 관찰
- 초기에는 다형 백혈구가 침윤되거나 단핵구로 대치됨.
- IgA 형질세포(plasma cell)가 주로 관찰됨.
- ☆ 혈관벽이 약해져 늘어나며, 경우에 따라 동맥류가 생기고 혈전이 생기기도 함(관상동맥 합병증 20%).

2. 증상

☆(1) 발열 : 38.5℃ 이상의 고열, 항생제에 반응이 없음, 오랜 발열은 관상동맥 합병증의 위험요인

(2) 사지말단의 부종, 피부의 부정형 발진, 양측 안구 결막의 충혈, 입술의 홍조 및 균열

☆(3) 딸기모양의 혀, 구강점막의 발적, 비화농 경부 림프절비대, BCG 접종부위의 발적

☆(4) 손가락, 발가락 끝의 막양 낙설

(5) 혈소판 수의 증가

☆(6) 관상동맥류(발병 1~2주에 나타나기 시작, 4~8주에 최대) : 거대관상동맥류(지름 8mm 이상)

3. 진단

☆1) 가와사키병의 진단기준

- 5일 이상 지속되는 발열
- 다음 5가지 중 4가지 이상
  ① 화농이 없는 양측성 결막 충혈
  ② 입술의 홍조 및 균열, 딸기 혀, 구강 발적
  ③ 부정형 발진
  ④ 비화농 경부 림프절비대(1.5cm 이상)
  ⑤ 손발의 변화 : 급성기 손발의 경성 부종과 홍조, 아급성기의 손발톱 주위의 막양 낙설

2) 감별진단

성홍열, EBV 감염, *Yersinia* 감염, Steven-Johnson 증후군, Toxic shock 증후군 등

4. 치료 및 경과

☆1) 급성기 : 면역글로불린의 다량 주사 + aspirin

[1] 면역글로불린

- 고용량 2g/kg 10~12시간에 걸쳐 서서히 정맥 내 주사발열 시작 10일 이내 주사시 aspirin 단독요법보다 관상동맥 이환율 20~25%를 2~4%로 감소
- 일차적으로 IVIG에 반응하지 않는 가와사키병의 경우 IVIG를 재투여하거나 고용량의 메틸프레드니솔론, 또는 infliximab을 사용한다.

[2] 항염제 : aspirin 30~50mg/kg/일(면역글로불린과 함께 쓸 때)

☆[3] 발병 후 1~2주에는 반드시 심초음파 검사 : 관상동맥의 상태 파악

☆2) 아급성기

☆ 저용량 aspirin(3~5mg/kg/일) – 항혈소판 효과, 6~8주간 투여

3) 유지 치료

[1] 관상동맥류가 지속되는 경우 : 장기적인 저용량 aspirin 또는 항응고요법, aspirin에 의한 라이증후군의 위험을 감소시키기 위해 수두와 독감 백신을 접종

[2] massive IVIG 치료한 경우에 생백신(MMR, 수두)의 접종은 11개월 이후로 연기 : 면역글로불린에 함유된 특이 항바이러스 항체가 면역 반응을 방해

IV Henoch-Schönlein 자반병(Henoch-Schönlein purpura)

1. 원인

- 자반, 위장관 증상, 관절 증상, 신 증상을 주증상으로 하는 질환
- 세동맥, 세정맥, 모세혈관같은 소혈관의 혈관염으로 오는 전신혈관장애
- 원인은 확실하지 않음.
- 약 50%환자에서 상기도 감염이 선행(strepcococci, adenovirus, parvovirus, mycoplasma)

2. 증상

3~10세 호발, 남 : 여 = 1.2~1.8 : 1, 가을, 겨울, 봄철에 잘 발생

(1) 피부 증상

☆• 붉은 자반(palpable purpura) : 상 하지에 주로 분포

- 두피에 심한 부종

(2) 복부 증상

☆• 배꼽 부위 심한 산통, 오심, 구토, 혈변 동반(환자의 80%)

- 장중첩증, 장천공, 췌장염 합병될 수도 있음.

(3) 관절 증상

☆• 관절의 통증과 종창(환자의 2/3)

- 주로 무릎과 발목, 후유증은 남기지 않음.

☆(4) 신 증상 : 육안적, 현미경적 혈뇨, 단백뇨(환자의 25~50%)

(5) 신경계 증상 : 드물게 의식장애, 경련 마비

3. 검사 소견

(1) 출혈이 많았을 때 빈혈, 경한 백혈구증가, 혈소판 증가가 올 수도 있음.

(2) 출혈 시간, 응고 시간 등, 혈액응고에 관한 검사는 모두 정상

(3) IgA 증가

(4) ANA, ANCA, RF는 일반적으로 음성

4. 치료

☆(1) 대증 요법 : 수분 공급, 통증 조절

☆(2) prednisolone : 심한 관절통, 복통, 심한 두피부종, 중추신경계 합병증시 사용, 2주 이내로 사용. 자반병의 경과, 신침범에는 영향을 주지 못함

● 성인과 비교한 신생아 피부의 특징

> 1. 피부가 얇고, 모발이 적으며, 세포간 유착이 약하다.
> 2. 땀 및 피지의 분비가 적다.
> 3. 외부 자극에 민감하다.
> 4. 세균 감염에 약하다.
> 5. 접촉 알레르기의 빈도가 드물다.
> 6. 조숙아나 손상된 피부, 음낭 등은 경피 흡수가 증가되어 있다.

I 세균성 감염 질환

1. 포도알균 열상 피부 증후군(Staphylococcal Scalded Skin Syndrome; SSSS)

1) 원인

Group II *S. aureus*에 의해 분비되는 외독소(exotoxin)가 혈중에 순환되어 야기

2) 임상소견

(1) 화농성 결막염, 중이염, 비인두염이 선행하는 경우가 많음.

(2) 신생아의 경우 증상이 매우 심함.

(3) 주로 얼굴 중앙부, 굴곡부의 체간에 통증을 동반하는 발적된 피부소견

(4) Exfoliative Ab가 있는 경우 국소적인 수포성 병변 야기

(5) Nikolsky 반응(+) : 수포가 벗겨져서 화상처럼 보임.

3) 치료

화상에 준한 치료 – 수분, 전해질 공급, 항생제 투여

2. 전염 농가진(Impetigo contagiosa)

1) 원인

(1) β−hemolytic *Streptococcus*

(2) Coagulase(+) *S. aureus*(유아기 수포성 농가진의 주요 원인균)

2) 임상소견

(1) 학령기 이전 소아에 호발

(2) 홍반 · 수포형성 · 수포파열 · 노란 진물이 나와 말라붙어 노란 딱지 형성

3) 치료

☆(1) 병소 부위 씻고 습포로 가피 제거 후 항생제 국소 도포

☆(2) 고열 등 전신증상, 병소가 넓은 경우 : 항생제 전신투여

(3) 마지막에 "병터에서 A형 사슬알균이 동정될 시 주의해야할 합병증 → 급성 콩팥 토리염

II 바이러스 감염 질환

1. 전염 연속종(Molluscum contagiosum)

1) 원인 : Pox virus

2) 임상소견

  (1) 중심부에 힘몰이 있는 구진(특징적 소견)

  (2) 다수의 병변이 신체 어느 부위에나 발생 가능

  (3) 색소는 피부색과 동일, 소파하면 흰 비지 같은 물질 나옴.

3) 치료

  소파술로 제거(자가접종에 의한 새로운 병변 발생 가능성 때문)

III 진균감염

1. 두부 백선(Ringworm of the scalp, Tinea capitis)

1) 임상증상

  (1) 어린이 탈모증의 m/c 원인

  (2) 5-12세의 남자 어린이 호발

  (3) 경계 명확한 윤상의 병변이 1개 또는 여러 개가 두피에 발생

  (4) 병변 부위 모발은 부서지기 쉽고 윤기가 없으며, 흔히 밑부분이 끊어져 그 부분만 탈
     모 되기도 함

  (5) 때로는 모낭성 농포 또는 파동성의 무통성 농양(독창; kerion) 형성 가능

2) 진단

  (1) Wood 등 검사 – 청녹색, 형광색

  (2) 모발, 피부를 긁어낸 표본의 현미경 검사, Sabouraud 배지 배양

3) 치료

  항진균제 경구 투여

IV 습진성 질환

1. 지루 피부염(Seborrheic dermatitis)

1) 임상증상

(1) 두피, 얼굴, 귀뒤의 주름, 사타구니에 호발

(2) 가려움증 없는 인설, 홍반

2) 치료

(1) 진물이 나는 경우 : Burow 용액, 대개는 1% Hydrocortisone 연고(약한 스테로이드 제제) 사용

(2) 두피의 치료 : 항지루성 샴푸제제

2. 기저귀 피부염(Diaper dermatitis)

기저귀를 차는 부위에 발생하는 피부염의 총칭. 단일질환이라기보다는 여러 원인에 의한 복합적 증상(일종의 자극성 피부염)

1) 원인

(1) 소변, 대변의 지속적인 접촉, 자극

(2) 젖은 기저귀와 공기가 통하지 않는 기저귀보에 의한 침연

(3) *Candida albicans* 감염 등

2) 임상증상

① 초기 홍반 · 만성화시 건조해지고 인설 발생

② 심한 경우 비후성 판, 수포, 미란 발생

3) 치료

★① 깨끗이 해주고 건조시킴(m/i)

- 기저귀 자주 갈아주고 자주 씻어줌.
- 약한 세제 쓰고 잘 헹궈주는 것이 중요

② 파우더 : 염증이 심하지 않은 경우

③ 1% Hydrocortisone : 삼출이 있는 경우 습포 후 사용

④ Zinc oxide 함유 연고

V 수포성 질환

1. Steven-Johnson syndrome (Erythema multiforme major)

(1) 감염, 약물 등에 의해 발생

(2) 구강점막, 구순 등의 점막에 특히 심한 염증성 수포 발생

(3) 고열등의 심한 증상

(4) 폐렴이나 다른 감염 등의 합병증 발생 가능

(5) High mortality : 25~35%

(6) 치료

① 원인 약제 투여 중단

② 수분, 전해질 공급

③ 다량의 steroid

④ 항생제 투여 고려(이차 세균 감염 예방)

26 소아 안과

Power Pediatrics

I 조절 내사시

원시로 인하여 내사시가 생긴 경우(원시로 인한 조절 내사시)

1. 특징

- (1) 내사시의 1/3 차지
- (2) 호발연령 : 2.5세
- (3) Accomodation과 Convergence의 불균형으로 인해 발생
- (4) 굴절성 vs 비굴절성
- (5) 선천적으로 한쪽 눈이 나쁜 경우(시신경 발육부전, 망막 이상, 선천성 백내장, 각막이상 등)나 성장중 한쪽 눈이 나빠졌을 때에도 사시 발생 가능. 이때에는 나이가 들수록 외사시로 되는 경우가 많음

  <u>cf.</u> 조절 외사 시 – "밖에 나가 놀 때 한쪽 눈을 찡그림"

2. 진단

- (1) Hirschberg test(각막 반사법)
- (2) 프리즘 차폐법 : 사시각 측정
- (3) 안저검사 : Retinoblastoma 등을 R/O
- (4) 굴절검사

3. 치료

- (1) 안경교정 : 원시 안경
- (2) 좋은 눈을 차폐하여 시력이 나쁜 눈을 사용하게끔 해줌.
- (3) 수술 : 시력 회복 후 필요시 수술

II 신생아 농루안(Ophthalmia neonatorum, Neonatal conjunctivitis)

1. 정의

생후 1개월 이내에 발생하는 모든 결막염

2. 원인

(1) 분만시 산도 통과 과정에서 세균, *Chlamydia*, virus 감염

(2) 신생아 농루안 예방 목적으로 출생 후 1% 질산은 용액 점안하는 경우 부작용으로
(Chemical conjunctivitis)

3. 임상특징

1) 세균성 결막염

(1) 잠복기 : 2~5일

(2) 안검부종, 점막부종, 농성분비물, 각막궤양, 심한 경우 각막천공, 실명

(3) 임균성 결막염(Gonococcal conjunctivitis)의 경우 증상이 가장 심함.

(4) 치료 : 항생제 점안, 전신투여

2) 클라미디아 결막염

(1) 잠복기 : 5~14일

(2) 치료 : EM 점안, 전신투여

3) 바이러스성 결막염

(1) 잠복기 : 5~7일

(2) 치료 : 항바이러스 제제

4. 신생아 농루안의 예방

(1) 1% 질산은 용액 점안(부작용 : 화학성 결막염)

(2) 1% Tetracycline 점안

(3) 0.5% EM 점안

(4) 2% Povidone-iodine

5. 화학성 결막염(Chemical conjunctivitis)

(1) 1% 질산은 용액 점안 후 수시간 이내에 발생(6~12시간)

(2) 3~4일후 자연 치유

III 바이러스성 결막염(Viral conjunctivitis)

일반적으로 말하는 "유행성 눈병"

1. 원인 및 분류

[1] Adenovirus type 8, 19 : 유행성 각결막염(Epidemic keratoconjunctivitis)

[2] Enterovirus type 70 : 급성 출혈성 결막염(아폴로 눈병)

2. 유행성 각결막염의 임상적 특징

[1] 결막충혈, 통증, 눈물 흘림, 이물감, 눈부심, 눈곱, 이전림프절 종창

[2] 전염성이 매우 강함 : 수건이나 세면도구를 같이 쓰는 사람에게나 여름철 수영장, 풀 장에서 다른 사람에게 급격히 옮길 수 있음.

3. 유행성 각결막염의 치료

[1] 대개 1~3주 정도 지나면 자연 치유

[2] 자연 치유 전까지 2차 감염 예방 위해 항생제 점안

[3] 타인 전파 방지 위해 개인 위생 철저히 해야 함.

세극등 검사 : 거짓막, 소포, 충혈		
	☆ 유행성 각결막염	☆ 급성 출혈성 결막염
잠복기	7일 이상 3~4주 지속	8~48 시간 경과도 5~7일
증상	한쪽 눈 먼저 or 양안 : ① 충혈, 통증, 눈물 ② photophobia ③ 결막 충혈, 여포, 위막	갑작스런 통증, 이물감, 눈부심 결막충혈, 안검종창, 결막하출혈, 상대성 각막염
치료	광범위 항생제 → 이차성 세균감염 방지	일주일정도 두면 그냥 좋아짐

27 손상과 중독

 손상의 역학

손상은 1세를 넘은 소아의 전연령에 걸쳐 m/c 사망원인

1. 손상의 조절(injury control)

[1] 운전자 교육 및 화재 예방 교육 등이 필요

[2] 위험한 환경 개선

[3] 응급의료 체계의 활성화

2. 사고의 종류별 빈도

응급실에서 손상으로 사망한 우리나라 소아 및 청소년의 손상기전(2007~2011년)						
	〈 1세	1~3세	4~6세	7~9세	10~12세	13~15세	16~18세
1순위	질식	보행자 교통사고				추락	오토바이 교통사고
2순위	동승자 교통사고	추락	동승자 교통사고			오토바이 교통사고	동승자 교통사고
3순위	미상[1]	동승자 교통사고	추락	익사	추락	보행자 교통사고	추락
4순위	기타[2]	익사		추락	기타[2]	동승자 교통사고	보행자 교통사고
5순위	추락	기타	화상	자전거 교통사고	익사		

1) 미상 : 손상에 의한 사망의 구체적 이유가 기재 누락된 경우
2) 기타 : 중독, 아동학대 등 다양한 이유를 포함

응급실에서 방문한 우리나라 소아 및 청소년의 손상기전(사망자 제외)							
	〈 1세 미만	1~3세	4~6세	7~9세	10~12세	13~15세	16~18세
1순위	기타[2]	둔상					
2순위	추락	기타[2]	미끄러짐				
3순위	둔상	미끄러짐	기타[2]	관통상	기타[2]		
4순위	화상	관통상		기타	관통상		오토바이 교통사고
5순위	미상[1]	추락		보행자 교통사고	동승자 교통사고		관통상

1) 미상 : 손상에 의한 사망의 구체적 이유가 기재 누락된 경우
2) 기타 : 중독, 감전, 아동학대 등 다양한 이유를 포함

손상 각론

1. 교통 사고

소아 사고사 중에서 1위

2. 추락

1세 이상부터 초등학교 취학까지 많이 발생 두부 손상이나 치명적인 손상을 초래하는 경우가 많다.

3. 화상

소아 화상의 대부분은 집에서 일어나고 뜨거운 물이나 음식에 의한 경우가 많다.

주로 3~4세 이하

1) 분류

　(1) 제1도 화상 : 표피에 국한

　(2) 제2도 화상 : 표피와 진피에 국한

　(3) 제3도 화상 : 표피와 진피의 파괴, 상처 수축, 흉터 → 피부이식 필요

2) 화상 정도 추산

　2, 3도 화상의 면적 계산(1도는 포함시키지 않는다).

3) 치료

　(1) 수액요법

　(2) 통증의 완화

　(3) 국소 항균제

　(4) 감염의 예방

　(5) 영양

　(6) 기타

　　• 1차 치료는 기도를 유지하고 산소 투여

　　• 의복이나 장신구 제거

　　• 화학물질에 의한 화상은 세척(중독센터에 중화제 문의)

　　• 화상 부위는 깨끗하고 찬 거즈로 덮음(15~20%의 큰 화상은 체온 저하 위험)

4. 익수(near-drowning)

물에 빠진 후 24시간 이상 생존한 경우(교통사고 다음으로 많은 사고에 의한 사망 원인)

익사(drowning) : 물에 빠진 후 24시간 이내 사망하는 경우

1) 생체 변화

① 저산소증(hypoxia) : 세포에 손상을 일으키는 m/i 원인

② 흡인(aspiration)

③ 저체온증(hypothermia)

④ 후두경련

2) 형태

┌ 민물 : 폐포가 짜부러짐.
└ 해수 : 무기폐 유발

3) 익수 환자에서 신경학적으로 예후가 나쁜 경우

• 현장에서

물에 잠긴 시간>4~10분

CPR의 시작이 늦었을 때

소생술>25분

• 응급실에 와서

동공이 산대되고 고정

pH<7.0

GCS<5

• 첫 소생술 후에도

계속해서 GCS<5

동계속해서 무호흡

GCS = Glasgow Coma Score

☆4) 치료

(1) 경추 보호, 복부 압박은 피함.

(2) 현장에서 기도 유지, 인공 호흡 실시

(3) ABC 평가, 저체온 방지, 젖은 옷을 벗긴다(담요, 온열기, 따뜻한 수액 투여, 따뜻한

물로 위 · 방광 세척).

⑷ 심전도 감시, 중심 정맥 확보

⑸ 심실세동시 제세동 실시

⑹ 기관삽관의 적응증

- <u>무호흡</u>
- 안정시 빈호흡
- $PaO_2 > 90\,mmHg$를 유지하기 위해 $FiO_2 > 40\,mmHg$가 필요한 경우
- $PaCO_2 > 40\,mmHg$인 경우
- 기도 확보가 불가능한 경우
- 의식 장애가 현저할 때(GCS 평가)

⑺ 능동종말호기압(Positive End Expiratory Pressure, PEEP)을 해준다.

⑻ 기관지 경련시 베타2 작용제 투여

5) 예후

전체적으로 물에 빠진 소아의 약 80%가 생존하고, 이중 92%는 완전 회복

5. 독사교상

1) 독사인지 무독사 감별

2) 증상

⑴ 독사 : 국소의 통증(격렬한 통증 후에 계속 심해짐), 피부의 변색(암적색), 종창, 소속 림프절의 종창, 현기증, 구역질, 구토, 무기력, 발한, 출혈, 괴사, 쇼크, 수분 후 근육 연축, 혈액응고장애와 신경장애

⑵ 무독사 : 국소 증상

3) 독사의 치료

⑴ 물린 사지를 움직이지 못하도록 한다.

⑵ 붕대같은 것으로 물린 자리보다 5~10cm의 중심부를 묶어 동맥 혈류는 유지되면서 정맥 혈류는 정지될 정도로 압박(손가락 하나 들어갈 정도)

⑶ 물린 부위에 얼음 찜질, 피부 절개, 흡인은 하지 않는다.

⑷ 중등도 이상의 교상인 경우에 항독소(antivenom)를 4시간 이내에 과민 반응을 검사한 후 주사한다(12시간 이상 지나면 효과 없다).

⑸ 광범위 항생제 투여, 파상풍에 대한 예방 조치를 한다.

⑹ 쇼크 상태에 빠지면 혈액, 혈장 투여한다.

⑺ 뱀에 물린지 8시간 이상 동안 아무 중독 증상이 없을 때에는 귀가가 가능하다.

6. 이물질 복용

III 중독

1. 역학

(1) 50% 이상이 5세 미만에서 일어남. 소아는 90% 이상이 집에서 발생. 대부분 한가지 약물에 중독

(2) 흔히 먹는 약물 : 감기 기침약, 항히스타민제, 위장약, 정신 신경 안정제, 심혈관약, 항생제, 결핵약, DDS, 비타민제, 호르몬제, 피부약

(3) 약물이 아닌 것 : 화장품, 표백제, 세제, 담배, 치약, 샴푸, 체온계 수은, 석고, 찰흙, 크레용, 접착제, 건조제, 식초, 유류, 살충제, 농약

(4) 발생 건수에 비하여 사망에 이르는 경우는 적다(미국의 경우 10만명 중 5명 사망).

(5) 상태가 중한 경우 : 일산화탄소 중독, 농약, 제초제 중독, 자살 목적으로 섭취한 경우

2. 증상

자세한 병력 청취로 중독된 약물의 종류 및 양, 중독된 사람수, 경로 등을 알 수 있다.

(1) 혼수상태로 응급센터에 온 환아에 대해서는 약물 중독의 가능성을 생각(DDx – 외상, 뇌혈관 사고, 가사, 수막염, 전해질 이상)

(2) 동공축소 – 뇌교병변, 마약, organophosphate, phenothiazine...

(3) 동공산대 – atropine, amphetamine, TCA...

(4) 탄화수소 – 흡인성 폐렴 가능성, 석유도 이에 속함.

(5) 부식성 물질 – 작열감, 연하 장애, 상복부 통증, 구강 점막의 작열감, 미열

(6) 양잿물 – 식도나 인도 괴사, 협착

(7) 약물중독에 의한 부정맥

　① phenothiazine, 항히스타민제 : QT prolongation

　② TCA, Quinidine : QRS 연장

　③ Digoxin, cyanide, 베타차단제 : 서맥

3. 검사소견

(1) 독물검사

(2) 전해질 검사

(3) 피부색

(4) 심전도 검사

(5) 단순 방사선 등

4. 독물 검사

① 혈중 철농도 : 600 μg/dL 이상 시 중독

② TCA : 1,000 mg/dL 이상 시 중독

③ acetaminophen, salicylate

※ 약물 중독의 증상

약품(물질)	증상
약물 중독의 증상	
Acetaminophen	오심, 구토, 발한, 권태감, 간 증상: SGOT, SGPT 상승, 황달, 간부전증
Amphetamine 및 Sympathomimetic (cocaine, caffeine 등)	빠른맥, 고혈압, 과체온, 안면 홍조, 정신증, 경련, 동공 산대(mydriasis), 발한
Anticholinergic (amitriptyline, atropine, belladonna, chlorpheniramine diphenhydramine, doxylamine, imipramine, scopolamine 등)	열, 붉고 건조한 피부, 구강 점막 건조, 빠른맥, 동공 산대, 요 정체, 혼돈, 운동 실조, 혼수, 경련
Barbiturate (pentobarbital, phenobarbital, secobarbital, amobarbital 등)	혼돈, 동공 축소 후에는 확대, 안구 진탕, 저혈압, 저체온, 혼수
Carbon monoxide (연탄 중독)	전 두통, 현기증, 운동 시 호흡곤란, 오심, 구토, 빠른맥, 혼미, 허탈, 혼수, 경련
Cyanide	혼수, 경련, 과호흡
Digoxin	식욕 부진, 오심, 구토, 부정맥, 두통, 기면, 경련
Ethylene glycol (antifreeze)	대사산증, hyperosmolality, 저칼슘 혈증, oxalate crystalluria
Iron	오심, 구토, 복통, 설사, 토혈, 하혈
Isoniazid	저혈압, 간 손상, 저혈당, 대사성 산증, 혼수, 경련
Narcotics (propoxyphen, heroin, Talwin, Demerol, codeine)	혼수, 호흡 억제, 인두 분비물, 천명, 저혈압, 동공 축소, 반사 저하
Nicotine (담배)	오심, 구토, 침 흘림, 진전, 창백, 빠른맥, 호흡근 마비, 순환 부전, 경련
Organophosphate (농약)	동공 축소, 침흘림, 복통, 구토, 설사, 요실금, 변실금, 기관지 수축, 눈물흘림
Paraquat (제초제 : Gramoxone 등)	혼수, 느린맥, 간·신의 손상, 폐의 손상(간질성 폐렴, 폐 섬유증)
Phenothiazine (chlorphromazine, prochlorperazine 등)	빠른맥, 기립성 저혈압, 저체온, 근육 경직, 혼수, 운동 실조, 동공 축소, 떨림(tremor), Q-T 간격 증가
Salicylate (aspirin)	빠른맥, 열, 빈호흡, 발한, 기면, 혼수, anion gap 증가, 처음에 alkalosis → 후에 acidosis
Theophylline	소화기 장애, 경련, 저혈압, 빠른맥, 저칼륨혈증
Tricyclic antidepressant (amitriptyline, imipramine 등)	빠른맥, 동공 산대, 구강 점막 건조, 요 정체, 혼수, 경련, 부정맥, 시간 연장, Q-T 간격 연장

5. 치료

1) 일반치료

(1) 환자 발생 시 약물 중독 센터에 의뢰하고 이송

(2) 치료 계획 : 독물의 종류를 조사, 노출된 양, 시간, 증상의 진행정도, 독증상, 원래 알고 있던 병력, 환자의 위치를 파악한 뒤에 세움.

(3) 치료의 원칙 : A (airway), B (breathing), C (circulation)을 기본. 독물 제거와 해독제 준비

2) 증상에 대한 응급 치료

(1) 혼수 : 기도 확보, 산소 투여, 호흡보조 요법을 시행, dopamine(저혈압시) 정주

(2) 경련 : diazepam, phenobarbital, phenytoin 투여

(3) 뇌부종 : 수분 공급 제한, dexamethasone, mannitol 투여

(4) 부정맥 : lidocaine, propranolol, atropine

(5) 저체온증 : 따뜻하게

(6) 저혈당 : 포도당 투여

(7) 해독제가 있으면 투여

6. 독물의 제거

1) 피부나 눈을 통하여 흡수되는 약물

(1) 먹은 독물보다 늦게 흡수되나, 수분 내에 제거

(2) 눈이 오염된 경우 가볍게 세척하여 제거

2) 흡수의 방지

(1) 최토제(emetics)

- 손가락이나 스푼을 목안에 넣어서 토하도록 해본다.
- 토하지 않을 경우 최토제를 사용
- 근래에는 응급실에서 사용하지 않는다.
- ☆ CIx : 혼수환자, 경련 환자, 석유, 강산이나 알칼리 흡인, 출혈성 소인이 있는 환자

(2) 위세척(gastric lavage)

- 치명적인 양의 독물을 먹은 환자로서 먹은 지 1시간 이내에 병원에 도착한 환자의 경우 고려할 수 있다.
- 별 효과없고, 부작용도 적지 않아 지금은 별로 사용되지 않는다.

(3) 활성탄(activated charcoal)

- 독물의 흡수를 적게 하는데 가장 효과적이고 안전
- 독물을 먹은 지 1시간 이내에 주어야한다. 4시간 이후에는 효과 없다.
- 효과 없는 경우 : 철, lithium, cyanide, 알코올, 강산, 강알칼리 등의 물질을 흡입한 경우

(4) 하제(cathartic)

- 흡수가 느린 약물 중독의 경우
- 6세 미만에서는 수분, 전해질 장애를 일으킬 수 있어 추천되지 않는다.

3) 배설의 촉진

(1) 강제 이뇨법(forced enuresis)

(2) 혈액 투석(hemodialysis)

(3) 혈액 관류(hemoperfusion)

사고중독

1. 응급 해독제 요법

중독 물질	해독제	용량	비고
Acetaminophen	N-Acetylcysteine	처음 : 140mg/kg 다음 : 70mg/kg씩 4시간 마다 17회	16시간 내에 가장 효과적
Atropine	physostigmine	0.02mg/kg	경련, 느린맥을 일으킬 수 있다.
Benzodiazepines	Flumazenil	0.01mg/kg 0.25~1.0mg/시간	경련의 병력이 있는 환자에게는 쓰지 않는다.
β-blockers	Atropine Isoproterenol Glucagon	0.05mg/kg 0.05~5 µg/kg/분, 0.05mg/kg/시간	
Carbon monoxide	Oxygen	100%, 고압 산소요법	
Cyanide	Amyl nitrite Sodium nitrite	1 ampule 0.33mL(3% 용액)	methemoglobinemia
Digoxin	Digoxin immune -Fab	섭취한 양과 혈중 농도에 따름 1 vial은 digoxin 0.6mg에 결합	알레르기 반응
Iron	Deferoxamine	15mg/kg/시간, 90mg/kg/dose, 8시간마다	혈청 철 농도>500 µg/dL일 때, 배출성 ferrioxamine complex를 형성
Isoniazid	Pyridoxine	먹은 INH와 같은 양의 pyridoxine을 IV(먹은 양이 불명할 때는 성인에서 5g 정주)	Pyridoxine hydrochloride로 주사 30~60분에 걸쳐 정주
Lead	Edetate calcium (EDTA) BAL (British anti-Lewisite) Penicillamine DMSA(2, 3-dimer-captosuccinic acid)	1~1.5mg/m²/일, (두 번에 나누어 12 시간마다 5일간 투여) 3~5mg/kg, 4시간마다,5~10일 20mg/kg/일 10mg/kg, 8시간마다(5일) 10mg/kg, 12시간마다(14일)	오심, 구토, 열, 알레르기 국소 통증, 무균 농양 알레르기, 간독성, 골수 억제제 오심, 구토
Mercury, arsenic, gold	BAL (dimercaprol)	3~5mg/kg/회, 4시간 마다 5~10일	근육 내 깊이 주사한다. 열, 침흘림, 신독성

V 식중독

1. 영아 보툴리즘

- 통조림, 냉장보관이 잘 안된 돼지고기나 소고기
- 잠복기는 12~36시간
- 진단은 혈청과 변에서 보툴린 독소 검출, 근전도 소견

식중독의 원인균 및 증상			
균	식품	발병	증상
Salmonella	고기, 유제품, 계란	16~48시간	발열, 구토, 설사(때로는 혈변).
			영유아에서는 수막염, 패혈증을 일으키는 수가 있다.
Staphylococcus aureus	고기, 계란, 유제품, 식물성 식품, 샐러드	1~6시간	구토, 설사, 복통.
			예후는 대개 양호하다.
Vibrio parahaemolyticus	여름철 어패류	6~15시간	심한 상복부통, 수양변(때로는 이질 같은 점액 혈변).
			수 시간 후에 좋아진다.
Escherichia coli O157:H7	덜 익은 고기, 샐러드, 생우유, 물	8~20시간	심한 복통, 설사(혈변) 및 용혈 요독
			증후군을 일으킬 수 있다.
Clostridium botulinum	통조림, 꿀	18~36시간	구토, 설사, 복통, 신경 증상 (안 증상, 설인 신경 마비, 호흡 마비)

VI 환경오염

(1) 대기오염 : 만성 기침, 호흡기 감염, 천식 유발

(2) 납 : 급성뇌증, 구토, 운동 실조

(3) 수은

(4) 흡연

(5) 살충제

(6) PCBs, DDT, Dioxin 및 chlorinated hydrocarbon

(7) 환경발암물질

VII 영아 급사 증후군(Sudden infant death syndrome; SIDS)

1. 정의

(1) 자세한 병력, 부검소견, 사망현장의 조사로 설명이 안 되는 영아의 갑작스러운 죽음.

(2) 대개 건강하던 아기가 전혀 예상하지 못하게 몇 시간 후에 죽어 있는 것을 발견하는
경우가 많음.

2. 임상적 특징

(1) 잠이 들고 나서 사망한 경우가 많다.

(2) 생후 1개월에서 1세 사이의 영아 사망의 35~55% 차지

(3) 생후 2~4개월의 영아에서 많다(85%).

(4) 남 > 여, 95%가 6개월 미만의 영아

(5) 계절적으로 겨울철에 가장 많다.

(6) 깊은 밤~아침 9시 사이가 90%

(7) 아기가 잠자는 자세와 어머니의 흡연과 많은 관련성이 있다(m/i).

3. 위험 인자

(1) 조산아, 젊은 미혼모, 산전의 관리 부족

(2) 낮은 경제 계층

(3) 어머니의 흡연과 약물 복용 등

(4) 엎드려 자는 습관

✚ 영아 돌연사의 위험 인자

1. 모체 및 출생 전 인자
   자궁 내 저산소증
   태아 성장 지연
   모체의 흡연
   요로 감염
   빈혈
   약물 복용(예 : cocaine, heroin)
   영양 부족
   사회 경제적으로 낮은 층
   모체의 연령과 교육이 적은 경우
   태반 무게의 증가
   임신 간격이 짧은 경우

2. 신생아기의 인자
   성장 장애
   질식
   미숙아(<37주, <2,500g)

3. 출생 후 인자
   엎드려 자는 자세
   흡연(모체)
   이부자리가 너무 부드러운 경우(특히 엎드려 잘 때)
   너무 덥게 감싸 주는 것
   최근의 발열질환
   남아
   연령(특히 생후 2∼4개월)

4. 기타
   지역별
   추운 계절
   인종(흑인, 미국 원주민, 마오리족 등)

VIII 심폐소생술(resuscitation)

1. 반응보기

두드려보고 큰소리로 말해서 자극을 준다. 심하게 움직이면 안됨.

2. 기도 유지

(1) 두부후굴 – 하악거상법(Head tilt-chin lift maneuver)

(2) 하악 견인법(Jaw thrust maneuver)

3. 호흡

(1) 인공호흡 : 1초 이상, 2번 깊고 천천히 가슴이 올라오도록 공기를 불어 넣는다.

(2) 1세 이하 : 구조자의 입을 영아의 코와 입에 덮는다.

(3) 1세 이상 : 입과 입 인공 호흡(mouth to mouth breathing)

4. 순환

1) 흉부압박

(1) 영아(1세 미만) : 4cm 깊이로 압박, 양쪽 유두 사이 바로 아래 흉골을 2개의 손가락으로 압박(구조자가 2명이면 양쪽 엄지손가락으로 압박), 분당 100~120회(2015년 AHA CPR 지침)

(2) 소아(1세 이상) : 5 cm 깊이로 압박, 한 손 또는 두 손바닥의 뒤꿈치로 압박, 분당 100~120회 (2015년 AHA CPR 지침)

★ 심폐 소생술에서 흉부 압박과 인공호흡 횟수		
연령	압박/ 호흡 비율	
	1인 구조자	2인 구조자
신생아	3:1	3:1
영아(<1세)	30:2	15:2
소아(1세 이상에서 사춘기)	30:2	15:2

5. 투약

(1) epinephrine

(2) atropine

(3) glucose

(4) sodium bicarbonate

(5) adenosine

(6) amiodarone

(7) calcium gluconate 10%

(8) lidocaine

(9) dopamine

(10) dobutamine

블럭강의, 문제집만으론 이해가 안될때
힘을 내요, 슈퍼 파~월~

POWER 시리즈

전공의때까지
쓸 수있어요.

OWER는 달라요!!

국시대비 뿐만 아니라 전공의, 전문의때도 보실 수 있게끔 구성된 참고서에요.
원서 및 두꺼운 교과서의 장점을 Simple하게 정리하여 블럭강의로 부족한 부분에
도움이 되시게끔 제작하였어요.
기존판의 오류, 오래된 데이터는 최신 가이드라인에 맞게 전부 수정했어요.

K실습용품도 전국 최저가로 드려요!! (3M·Spirit 공식딜러)

고재로 받은 사랑에 보답하고자 의료기기쇼핑몰 사업부를 운영하여 노마진으로 드리고 있어요.

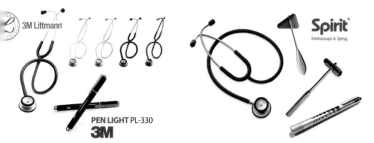